위대한 개츠비

위대한 개츠비

F. 스콧 피츠제럴드 지음 | 송무 옮김

문예출판사

THE GREAT GATSBY
F. Scott Fitzgerald

그럼 황금 모자를 쓰렴,

그녀의 마음을 움직일 수 있다면,

높이 뛰어오를 수 있거든,

그녀를 위해 높이 뛰어올라봐.

그녀가 이렇게 외칠 때까지,

"사랑하는 이여, 황금 모자를 쓰고

높이 뛰어오르는 연인이여,

당신을 가져야겠어요!"

— 토머스 파크 딘빌리어스*

---

* Thomas Parke D'Invilliers : 피츠제럴드는 여기서 그의 첫 번째 소설 《낙원의 이쪽(This Side of Paradise)》에 등장하는 인물 토머스 파크 딘빌리어스의 이름을 빌려 에피그라프를 쓰고 있다. 피츠제럴드는 한때 《위대한 개츠비》의 제목을 '황금모자를 쓴 개츠비(Gold-Hatted Gatsby)', '높이 뛰어오르는 연인(High-Bouncing Lover)'이라고 붙일 생각을 하기도 했다.

다시 젤더에게

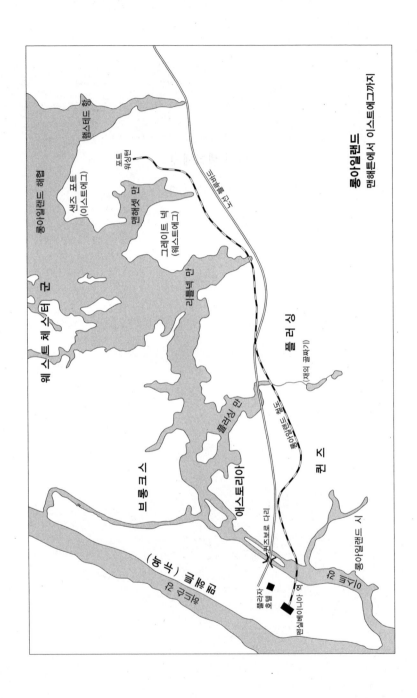

롱아일랜드
맨해튼에서 이스트에그까지

롱아일랜드 해협

웨스트체스터 군

롱아일랜드 헤럴드

샌즈 포트
(이스트에그)

헴스티드 항

포트
워싱턴

그레이트 넥
(웨스트에그)

맨해섯 만

리틀넥 만

플러싱

(제이 골짜기)

그랜드 센트럴 구

뉴헤이븐 그랜드 철도

브롱크스

플러싱 만

아스토리아

퀸즈

롱아일랜드 시

허드슨 (웨스트) 강

퀸즈베로 다리

이스트 강

이스트 강

플라자
호텔

펜실베이니아 역

1

　내가 지금보다 더 젊고 마음 여렸던 시절, 아버지께서 내게 충고를 한 가지 해주신 적이 있는데 나는 지금까지 늘 그 충고를 마음속에 되새겨왔다.

　"누구든 흠잡고 싶은 맘이 생기거든 이 세상 사람이 다 너처럼 좋은 조건을 누리고 산 건 아니란 걸 잊지 말아라"고 아버지는 말씀하셨다.

　아버지는 더는 말씀하시지 않았지만 우리는 언제나 말없는 가운데서도 남달리 잘 통하는 편이었기 때문에 나는 아버지 말씀에 그 말 이상으로 큰 뜻이 들어 있음을 알 수 있었다. 그 결과 나는 모든 판단을 유보하는 성향을 가지게 되었는데, 그 버릇 때문에 나는 성격이 기이한 사람들로부터 빈번한 접근을 받았을 뿐 아니라, 지겹기 짝이 없는 사람들로부터 적지 않게 시달림을 당하기도 했다. 비정상적인 사람은 그런 특성이 정상적인 사람에게 나타나면 금방 알아차리고 그 사람에게 엉겨붙으려는 경향이 있다. 그래서 나는 기질이 거칠면서도 과묵한 사람들의 남모를 슬픔을 나만이 알고 있다는 이유로 대학 다닐 때 부당하게 모사꾼이라는 비난을 받기도 하였다. 그들의 속내 얘기라는 것도 대부분은 내가 원해서 알게된 것들이 아니었다. 오히려 누군가 내심을 털어놓으려는 낌새가 확실하면 나는 잠을 자는 척하거나, 짐짓 딴 일에 정신이 팔린 척하거나, 상대방을 싫어하는 것처럼 경망스런 태도를 취하기가 일쑤였다. 젊은이들의 은밀한 고백이나, 아니면 적어도 그들이 속마음을 드러낼 때 사용하는 말들이란 대개는 남의 말을 그대로 흉내내는 것이거나 너무 표현을 억제하는 바람에 종잡을 수 없는 것이되어버린다는 걸 알기 때문이다. 판단의 유보란 한없는 희망을 품어본다는 것을 뜻한다. 그래도 나는 여기서 한 가지 사실을 잊는다면 뭔가 놓칠 수도 있다는 생각이 든다. 아버지께서 뭘 좀 아시는 척 말씀하셨고 나도 지금 뭘 좀 아는 척 말을 하고 있지만, 사람의 기본적인 품행에 대한 감각은 저마다 달리 가지고 태어난다는 사실 말이다.

방금 이런 식으로 나의 관대함을 자랑했지만, 그 관대함에도 한계가 있음을 인정하지 않을 수 없게 된다. 인간의 행위는 단단한 바위에, 혹은 눅눅한 습지에 그 근거를 둘 수 있다. 그러나 일정 단계를 넘어서고 나면 나는 그 행위의 근거가 어디에 있든 상관하지 않는다. 지난 가을 동부에서 돌아왔을 때 나는 세상이 제복을 입고 일종의 도덕적 부동 자세를 취한 채로 영원히 있었으면 좋겠다는 기분을 느꼈다. 나는 이제 더는 특권을 가진 눈으로 시끌벅적한 유람이나 하듯 인간의 마음을 기웃거리고 싶지 않았던 것이다. 다만 이 책에 제목을 제공한 개츠비만은 내가 그러한 반발심을 갖지 않은 예외적인 존재였다. 내가 내놓고 경멸해 마지않는 모든 것을 대표했던 인물, 개츠비만이 말이다. 만약 개성이란 것이 성공적인 제스처를 잇달아 보여주는 일을 뜻한다면 그에게는 어딘가 멋진 구석이 있었다. 마치 일만 마일이나 떨어진 곳의 지진을 기록해내는 복잡한 기계에 연결되어 있기라도 한 것처럼 그는 삶의 가능성을 읽어내는 민감한 감수성 같은 것을 지니고 있었던 것이다. 이러한 민감성은 '창조적 기질'이라는 이름으로 위엄을 부여받는 그 맥빠진 감수성과는 무관했다. 그것은 희망을 감지하는 탁월한 재능, 내가 여태껏 어느 누구에게서도 발견하지 못한, 그리고 앞으로도 다시는 발견하지 못할 낭만적인 민감성이었다. 아니, 개츠비는 결국에 가서는 괜찮았다. 인간의 설익은 슬픔이나 짤막한 환희에 대해 내가 일시적이나마 관심을 닫아버린 것은 개츠비를 희생물로 삼은 것들, 그의 꿈이 지나간 자리에서 떠돌았던 더러운 먼지 때문이었다.

내 집안은 이곳 중서부 도시에서 삼대에 걸쳐 널리 알려진 부유한 집안이다. 캐러웨이 가문은 문중(門中) 같은 것을 이루고 있는데, 전해오는 말로 우리는 버클루 공작[영국 왕 찰스 2세의 서자. 왕위 계승권을 주장하여 제임스 2세의 즉위를 반대하는 반란을 일으켰으나 실패했다]의 후예라고 한다. 그러나 우리 가계의 실제 창시자는 조부의 형님 되는 사람이다. 이분은 1851년에 이곳에 와서 남북전쟁에 대리인을 내보내고 철물도매업을 시작한 분인데 아버지가 그분의 사업을 지금까지 이어받고 있다.

이 큰할아버지를 뵌 적이 한 번도 없지만 나는 그분을 닮은 모양이다. 무엇보다 아버지 사무실에 걸려 있는 다소 무감정한 화풍의 초상화를 보자면 그렇다. 나는 1915년에, 아버지보다는 정확히 25년 뒤에 뉴 헤이번에 있는 학교[예일 대학]를 나왔고, 졸업하고 나서 조금 뒤에는 세계대전이라고 알려진 그 때늦은 게르만족의 이동에 참여했다. 나는 우리의 역습을 너무나 만끽했기 때문에 돌아와서도 흥분이 가라앉지 않았다. 내가 보기에 이제 중서부는 세계의 활기찬 중심이 아니라 우주의 너절한 가장자리 같았다. 그래서 나는 동부로 가서 증권업을 배우기로 결심했다. 아는 사람들이 다 증권업에 종사하고 있었기 때문에 증권업이 독신 사내 하나쯤은 더 먹여살릴 수 있겠거니 생각했던 것이다. 내 인척 아주머니 아저씨 들은 다들 그 문제를 두고 내 대학 예비학교를 고르듯이 얘기했다. 그러고는 마침내, 엄숙하면서도 망설이는 얼굴로 "뭐, 괜찮겠다" 하고 말하는 것이었다. 아버지는 일년 동안 재정적인 뒷바라지를 해주시겠다고 했고, 나는 이런저런 이유로 미루고 있다가 1922년 봄, 아주 영영 머물겠다는 생각으로 동부로 왔다.

실질적인 면에서 생각하자면 시내에 방을 구해야겠지만 마침 푸근한 계절인데다 널찍한 잔디밭과 친근한 나무들에 정들어 있던 시골을 금방 떠나온 터라 같은 사무실의 한 젊은 친구가 통근이 될 만한 곳에 집을 하나 구해 같이 지내면 어떠냐고 제안했을 때 아주 좋은 아이디어라는 생각이 들었다. 이 친구가 비바람에 바래 허름한 단층집 하나를 월세 팔십 달러로 구해놓았는데 마지막 순간에 워싱턴으로 발령이 나버리는 바람에 나는 혼자 시골로 나갈 수밖에 없었다. 내게 딸린 것이라곤 개 한 마리와—달아나버리기 전까지 적어도 며칠 동안은 데리고 있었다—중고 닷지 자동차 한 대,

그리고 가정부 핀란드인 여자 하나뿐이었다. 이 여자는 내 이부자리와 아침식사를 돌봐주는 일을 했는데 전기 스토브를 들여다보면서 핀란드 속담들을 혼자 중얼거리곤 했다.

내가 그곳에서 하루 이틀 외롭게 보내고 있던 어느 날 아침 나보다 늦게 이사 온 듯한 어떤 남자 하나가 길에서 나를 붙들었다.

"웨스트에그에 가려면 어떻게 해야 하죠?" 그는 난감하다는 듯 물었다.

나는 길을 가르쳐주었다. 그러고선 가던 길을 걸어가면서 더는 외롭지 않았다. 나는 안내자였고, 길잡이였으며, 원정착민이었던 것이다. 우연한 방식으로 그는 내가 이 마을에 친숙한 일원이 되어 있음을 일깨워준 셈이었다.

그리고 빠르게 돌아가는 영화에서 식물들이 자라는 모습이 보이듯, 순식간에 움터 자라나는 나무 잎사귀들과 빛나는 햇빛을 보며, 나는 삶이 여름과 함께 다시 시작되고 있다는 그 익숙한 확신을 다시 가질 수 있었다.

무엇보다 읽어야 할 책이 많았고, 활력을 주는 싱싱한 공기 속에서 건강도 제대로 돌보아야 했다. 나는 은행 업무, 신용, 투자 보증 등에 관한 책들을 여남은 권 샀고, 그 책들은 조폐국에서 막 나온 새 돈처럼 붉은빛, 금빛으로 책장에 꽂혀, 미다스 왕과 모건과 마이케나스[세 인물 모두 부(富)와 관계가 있다. 미다스는 만지는 것을 모두 금으로 변하게 할 수 있는 능력을 갖게 되는 그리스 신화의 등장인물이고, J. P. 모건은 미국의 대부호이며, 마이케나스는 로마의 정치가이자 부유한 문예 후원자였다]만이 알고 있는 그 빛나는 비밀을 펼쳐 보여줄 것을 약속했다. 나는 다른 책들도 많이 읽으리라 다짐하고 있었다. 대학 다닐 때 나는 문학적 소양이 꽤 있었던 편이다. 어느 해인가에는 대학신문인 《예일 뉴스》에 아주 근엄하고 분명한 논조의 논설들을 연달아 쓴 적도 있다. 나는 이제 그런 것들을 다 내 생활에 되불러와서 그 많은 전문가들 사이에서 도무지 찾아보기 힘든, '균형 잡힌 인간'이 될 작정이었다. 따지고 보면 인생이란 하나의 창을 통해서 볼 때만 훨씬 더 잘 보인다. 이것은 한낱 경구에 불과한 말만은 아니다.

내가 북아메리카 대륙에서 가장 이상한 지역 가운데 한 곳에 집을 얻은 것은 순전히 우연이었다. 그 집은 뉴욕 시에서 정동향으로 뻗어 있는 길쭉하고 소란스러운 섬에 있었다. 그런데 이 섬에는 다른 진기한 자연 현상들도 많지만 특히 예사롭지 않은 지형이 둘 있다. 뉴욕 시로부터 이십 마일 떨어진 곳에 거대한 달걀 모양의, 똑같은 모양새를 가진 두 육지가 조그만 만(灣)을 사이에 두고 갈라져 서반구에서 인간에게 가장 많이 길들여진 바다, 곧 롱아일랜드 해협이라는 거대한 헛간 앞뜰에 불쑥 튀어나와 있는 것이다. 이 땅들은 완전한 타원형은 아니지만—콜럼버스의 달걀처럼 둘 다 아래 접촉부에서 짜부라져 있다—그 형태의 유사성은 그 위를 날아다니는 갈매기들에게는 영원한 경이의 근원이 될 것임이 틀림없다. 날개가 없는 사람에게 더 흥미로운 현상은 이 두 곳이 모양과 크기를 제외하고는 구체적인 면에서 모든 게 하나같이 서로 다르다는 점이다.

내가 사는 곳은 웨스트에그 쪽이었다. 그곳은 뭐랄까, 두 지역 중에서 상류 사회의 모습이 덜한 곳이었다. 그렇게 말하는 건 두 지역 사이의 이상야릇하고 적잖이 불길한 차이를 표현하기에는 아주 피상적인 상투어에 지나지 않지만 말이다. 내가 사는 집은 롱아일랜드 해협에서 오십 야드밖에 떨어져 있지 않은, 달걀 모양 땅의 끄트머리 부분에 있었고, 한 철 임대료가 일만 이천 달러에서 일만 오천 달러에 이르는 거대한 두 저택 사이에 간신히 끼여 있었다. 내 집 오른쪽에는 어떤 기준에서 보아도 엄청나다고 할 수밖에 없는 건축물이 자리잡고 있었다. 노르망디 시청을 똑같이 본뜬 건물로, 성긴 수염 같은 담쟁이덩굴에 덮인, 최근에 지어 올린 듯한 망루가 한쪽에 있고, 대리석 풀장, 그리고 사십 에이커가 넘는 잔디밭과 정원이 딸린 건물이었다. 이것이 개츠비의 저택이었다. 아니, 아직 개츠비 씨를 모르던 때였으니까 정확히 말하면 그런 이름을 가진 신사가 사는 저택이라 해야 옳으리라. 내가 사는 집은 눈에 거슬릴 만했지만 두드러질 정도는 아니어서 그냥 간과되는 편이었다. 그래서 나는 바다와 이웃집 잔디밭 한 모퉁이를 바라볼 수 있었고, 백만장자들과 가까이 살고 있다는 위안도 느낄 수 있었다. 한 달에 팔십 달러로 이 모든 걸 누릴 수 있었다.

겨우 이름값을 하는 만의 건너편에는 상류 사회에 속하는 이스트에그의 하얀 저택들이 해변에 줄지어 번쩍이고 있었다. 그리고 그해 여름의 본격적인 역사는 내가 톰 뷰캐넌 부부와 저녁을 먹으려고 그곳으로 자동차를 몰고 간 저녁으로부터 시작된다. 데이지는 나의 먼 친척 여동생이었고, 톰은 대학 시절에 알던 사이였다. 전쟁 직후 나는 그들과 함께 이틀 동안 시카고에 머문 적이 있다.

데이지의 남편 톰은 여러 운동에 재능이 있었지만 무엇보다 뉴헤이번의 풋볼 선수로서는 일찍이 볼 수 없었던 뛰어난 엔드[미식 축

15

구에서 전위선 양쪽 끝에 있는 선수] 가운데 하나였다. 어떤 면에서는 전국에 알려진 인물로, 스물한 살에 이미 보기 드물 정도로 탁월한 수준에 이르렀기 때문에 그 뒤로는 오히려 모든 것이 급한 내리막으로 보이는 그런 사람 가운데 하나였다. 집안은 엄청나게 부유했지만—대학 시절에도 돈을 흥청망청 써서 욕을 먹을 지경이었다—이제는 시카고를 떠나 동부로 왔는데 얼마나 요란스럽게 이사를 했는지 보는 사람이 입을 다물지 못할 정도였다. 이를테면 폴로 경기용 말을 레이크 포리스트[시카고 교외의 부유층이 사는 지역]에서 한 떼나 끌고 내려오는 식이었다. 나와 같은 세대의 사람이 그처럼 잘산다는 건 이해하기 어려웠다.

그들이 왜 동부로 왔는지 난 모른다. 그들은 별다른 이유 없이 프랑스에서 한 해를 지냈고, 그런 다음에는 사람들이 폴로 시합을 하고 부자들끼리 모이는 곳이면 어디든 이리저리 떠돌아다녔다. 이사는 이게 마지막이에요, 하고 데이지는 전화로 말했지만 나는 그 말을 믿지 않았다. 데이지의 심중이야 알 길이 없었지만 톰이라면 두 번 다시 볼 수 없을 어떤 풋볼 시합의 드라마틱한 격정을 찾아 얼마간의 기대를 품고 영원히 떠돌 것 같은 느낌이 들었다.

그러고는 바람 부는 어느 따뜻한 저녁 나는 별로 잘 안다고 할 수 없는 두 명의 옛 친구들을 만나러 이스트에그로 차를 몰게 되었다. 그들의 집은 생각했던 것보다 훨씬 더 공들여 지은 집이었다. 그 집은 붉은색과 흰색을 조화시킨 조지 왕조 시대 식민지풍의 쾌적한 저택으로 만을 내려다보도록 지어져 있었다. 해변에서 시작한 잔디밭이 해시계들을 뛰어넘고, 벽돌을 깐 산책로와 불꽃처럼 타오르는

16

정원을 뛰어넘어 현관문을 향해 4분의 1마일을 내달렸다. 그러다 마침내 집에 이르면 달려오던 힘 때문인지 산뜻한 덩굴로 바뀌어 집 옆구리로 뻗어 올라갔다. 집 정면에는 죽 늘어선 프랑스식 유리문이 들어서 있었는데 그때 이 유리문들은 햇빛을 받아 황금빛으로 빛나며 바람 부는 따뜻한 오후를 향해 활짝 열려 있었고, 승마복 차림의 톰 뷰캐넌은 현관의 포치에서 두 다리를 떡 벌리고 서 있었다.

그는 뉴 헤이번 시절과는 달라져 있었다. 이제 그는 어딘지 매정해 보이는 입과 거만해 보이는 태도에, 밀짚 색깔의 머리칼을 지닌 서른 살의 다부진 사내가 되어 있었다. 오만하게 반짝이는 두 눈이 얼굴 전체를 지배하면서 그가 늘 공격적으로 몸을 앞으로 기울이고 있다는 인상을 만들어주었다. 승마복의 여성적인 멋스러움조차 그 몸뚱이의 엄청난 힘을 숨기지 못했다. 번쩍이는 부츠 안에 살이 꽉 차서 맨 위쪽 끈이 금방이라도 터질 것만 같았고, 엷은 웃옷 아래로 어깨가 움직일 때면 우람한 근육 덩이가 움찔거리는 것이 보였다. 그것은 엄청난 지렛대의 힘을 감당할 수 있는 몸뚱이, 한마디로 끔찍한 몸뚱이였다.

그가 말할 때의 목소리는 높은 음조의 걸걸한 허스키로, 그렇지 않아도 성급해 보이는 인상을 더 강하게 부각시켰다. 그 목소리에는 어딘가 자신이 좋아하는 사람까지도 보호자 같은 태도로 멸시하는 듯한 구석이 있었다. 그래서 대학에 다닐 때는 그의 그러한 오만을 싫어하는 사람들이 있었다.

"하지만 이 문제에 대한 내 의견이 결론적이라고 생각지는 말게. 내가 자네들보다 더 힘이 세고 사내답다고 해서 말이야." 그는 마치 이렇게 말하는 듯했다. 우리는 같은 4학년 사교 클럽[예일 대학에서 가입이 매우 어려운 여섯 개 학생 클럽 가운데 하나. 회원은 3학년 때 선발된다]에 속해 있었는데 서로 친밀한 사이까지 가본 적은 없지만 내가 늘 받았던 느낌은 그가 나를 좋게 생각하고 있고, 내가 자기를 좋아해주었으면 한다는 것이었다. 그것도 뭔가 그의 거칠고 오만한 욕망 때문이 아니었던가 한다.

우리는 햇살이 내리쬐는 포치에서 몇 분간 얘기를 주고받았다.

"난 이곳이 마음에 드네." 그는 번쩍이는 눈으로 쉴 새 없이 두리번거리며 말했다.

그는 한 팔로 나를 돌려 세우며 넓적한 손으로 눈앞의 전망을 가리켰다. 눈앞에 펼쳐진 풍경 속에는 야트막하게 자리잡은 이탈리아식 정원과, 코를 찌를 듯 짙은 향기를 뿜어대는 반 에이커의 장미꽃밭, 그리고 해안 앞바다에서 물결과 부딪히고 있는 뱃머리 뭉툭한 모터보트 한 대가 보였다.

"이 집은 본래 석유 사업가 드메인 씨 집이었네." 그는 점잖으면서도 갑작스러운 동작으로 나를 다시 돌려 세웠다. "들어가세."

우리는 천장이 높은 복도를 지나 밝은 장밋빛 공간으로 걸어 들어갔다. 이 공간은 프랑스식 유리문으로 양쪽 끝에서 집 안에 가냘프게 매여 있는 형상이었다. 조금 열려 있는 유리문들은 집 안까지 약간 들어와 자라고 있는 듯한 바깥의 싱싱한 풀들을 배경으로 하얗게 빛나고 있었다. 미풍이 방 안으로 불어 들어와 커튼 한끝을 안쪽으로, 다른 한끝은 바깥쪽으로 허연 깃발들처럼 휘날려 설탕 입힌 웨딩케이크처럼 보이는 천장을 향해 말아 올리더니, 다음엔 포도주빛 양탄자 위에 잔물결을 일으키면서 바람이 바다 위에 그림자를 드리우듯 양탄자 위에 그림자를 만들어놓았다.

방 안에서 꼼짝 않고 있는 물건은 거대한 소파 하나뿐이었는데 거기엔 두 젊은 여자가 마치 땅에 매어놓은 기구에 올라 타 있는 것처럼 공중에 떠 있었다. 둘 다 흰 옷 차림인 두 여자는 집 주위를 짧게 비행하고 방금 되돌아온 것처럼 물결치듯 옷을 펄럭이고 있었다. 나는 그때 커튼의 휙휙거리는 소리와 벽에 걸린 그림이 내는 신음 소리를 들으며 그 자리에 잠시 서 있었던 것 같다. 이윽고 톰 뷰캐넌이 뒷쪽 유리문들을 닫는 쿵 소리가 들렸고, 미처 빠져나가지 못한 바람이 방 안에서 잦아들었으며, 커튼과 양탄자와 두 젊은 여자는 기구처럼 서서히 바닥으로 내려앉았다.

두 여자 가운데 젊은 쪽은 모르는 사람이었다. 그녀는 소파의 한쪽 끝에서 길게 몸을 뻗은 채 미동도 하지 않았다. 턱을 약간 치켜 올리고 있었는데 마치 움직이면 떨어뜨릴 것 같은 무언가를 턱 위에 올려놓고 떨어뜨리지 않으려고 애쓰고 있는 것 같았다. 옆눈으로 나를 슬쩍 보았을지도 모르지만 내색을 하지는 않았다. 솔직히 말하면, 나는 놀란 나머지 그녀에게 '갑작스레 들어와 방해를 해서 죄송하다'고 사과의 말을 웅얼거릴 뻔했다.

다른 여자는 데이지였는데 그녀는 일어서려고 했다. 진지한 표정으로 몸을 약간 앞으로 내밀었던 것이다. 그러더니 엉뚱하면서도 매력적인 웃음을 조그맣게 웃어댔다. 그래서 나도 웃으면서 방 안으로 걸어 들어갔다.

"너무 반가워 몸이 굳어버릴 지경이네요."

그녀는 굉장히 재치 있는 말이라도 한다는 듯 다시 웃었다. 그러고는 잠시 내 손을 쥐며 세상에서 나처럼 보고 싶었던 사람은 없었다는 걸 다짐이나 하듯 내 얼굴을 올려다보았다. 그녀는 그런 식이었다. 그녀는 턱을 가누고 있는 여자의 성이 베이커라고 내게 소곤거리는 목소리로 귀띔해주었다. (데이지가 소곤거리는 것은 오직 사람들이 자기 쪽으로 몸을 기울이게 하기 위한 것이라는 말을 들은 바 있다. 그건 엉뚱한 험담이려니와 그렇다 해도 매력이 줄지는 않았다.)

어쨌든 베이커 양은 입술을 움찔거리며 거의 보일락 말락하게 내게 목례를 보냈다. 다음 순간 그녀는 얼른 다시 머리를 뒤로 젖혔다. 떨어뜨리지 않으려고 균형 잡고 있던 물건이 약간 기울어져 화들짝 놀랐던 모양이다. 내게서 또 사과의 말 같은 게 튀어나오려고 했다. 무엇이든 꽉 찬 자신감을 보여주는 것이 있기만 하면 나는 넋을 잃고 찬사를 보내게 된다.

나는 친척 여동생을 돌아다보았다. 그녀는 사람의 가슴을 떨리게 하는 나직한 목소리로 내게 이것저것 묻기 시작했다. 그것은 귀를 오르내리며 따라가야 하는 그런 목소리였다. 마치 말 하나하나가 다시는 연주되지 않을 음정들의 배열인 것처럼 말이다. 그녀의 얼굴은 얼굴의 빛나는 것들, 빛나는 눈과 빛나는 열정적인 입 때문에 슬프고도 사랑스럽게 보였다. 하지만 그녀의 목소리에는 그녀를 좋아했던 사내들이 잊지 못했던 어떤 격정이 담겨 있었다. 노래하고 싶은 충동, "들어봐요" 하는 속삭임, 방금 전에 즐겁고 신나는 일을 했으니 다음번에도 틀림없이 즐겁고 신나는 일들이 생길 거라는 약속이 거기에 들어 있었다.

나는 동부로 오는 길에 시카고에 하루 머물렀던 일과, 열 명도 넘는 사람들이 그녀에게 안부를 전해달라던 얘기를 해주었다.

"그 사람들이 나를 보고 싶어 해요?" 그녀는 황홀한 듯 소리쳤다.

"온 시내가 삭막하지. 차들은 다들 장례 화환처럼 왼쪽 뒷바퀴를 까맣게 칠하고 다니고, 북쪽 해안[미시간 호수 연안의 시카고 북쪽 지역으로 상류층이 사는 곳이다] 일대에서는 밤새 통곡 소리가 끊이질 않아."

"어머 너무 멋져! 톰, 우리 다시 가요! 내일 당장!" 그러고는 엉뚱한 말을 덧붙였다. "우리 애 보셔야죠."

"그래, 보고 싶어."

"지금 자고 있어요. 올해 두 살이에요. 본 적 없던가요?"

"응."

"그럼, 봐야죠. 이 애는요……."

가만 있지 못하고 방 안을 내내 어슬렁거리고 있던 톰 뷰캐넌이 멈춰 서서 내 어깨에 손을 얹었다.

"자네 무슨 일 하나, 닉."

"증권 일 하네."

"어느 회사에서?"

나는 말해주었다.

"못 들어본 이름인데." 그는 단정하듯 말했다.

그 말에 나는 좀 언짢았다.

"듣게 되겠지." 난 무뚝뚝하게 말했다. "자네가 계속 동부에 있게 되면 말일세."

"아, 동부에 있을걸세. 걱정 마." 그는 데이지를 힐끗 쳐다본 다음 다시 나를 보면서 말했다. 뭔가 다른 일 때문에라도 그럴 수밖에 없다는 듯했다. "내가 바보가 아닌 담에야 딴 데 가서 살겠나."

그 순간, 베이커 양이 "맞아요!" 하고 말했다. 너무 갑작스러워 나는 깜짝 놀랐다. 내가 방에 들어온 뒤로 그것이 그녀가 처음으로 한 말이었다. 이건 분명 나뿐만이 아니라 자신도 놀라게 했던 모양이다. 한바탕 하품을 하고 나더니 빠르고 능숙한 동작으로 소파에서 불쑥 일어섰기 때문이다.

"몸이 뻣뻣해요. 얼마나 오랫동안 저 소파에 앉아 있었던지." 그녀는 투덜거리듯 말했다.

"쳐다보지 마, 얘. 난 오후 내내 널 뉴욕에 데려다주려고 애썼으니까." 데이지가 응수했다.

"난 안 마실래요." 베이커 양은 방금 식료품실에서 나온 넉 잔의 칵테일을 보며 말했다. "전 지금 컨디션이 최고거든요."

대접하려던 집주인은 믿기지 않는다는 듯 그녀를 바라보았다.

"최고라!" 그는 술잔 바닥에 술이 한 방울밖에 남지 않은 것처럼 한 잔을 바닥까지 다 들이켜버렸다. "당신이 일을 어떻게 해내는지 참 신기해."

나는 그녀가 '해내는 일'이라는 게 과연 뭘까 궁금해하면서 베이커 양을 바라보았다. 그녀를 바라보는 게 즐거웠다. 그녀는 몸이 날씬하고 가슴은 작은데 자세가 곧았다. 그 곧은 자세가 사관생도처럼 어깨를 뒤로 쫙 젖히는 바람에 더 두드러졌다. 햇빛에 지친 듯한 그녀의 잿빛 눈이 내 눈길에 답하듯 나를 바라보았다. 창백하고 매력적이면서 어딘가 불만이 깃들어 있는 얼굴에 나에 대한 정중한 호기심이 담겨 있었다. 그러자 문득 나는 이전에 어디선가 이 여자를 본 적이 있거나, 이 여자의 사진을 본 적이 있다는 생각이 들었다.

"웨스트에그에 사시죠?" 그녀는 경멸하듯 말했다. "거기 사는 사람을 알아요."

"전 아무도……."

"개츠비는 아시겠죠."

"개츠비?" 데이지가 물었다. "어떤 개츠비 말야?"

그 사람이 내 이웃집 사람이라고 막 말하려는데 저녁식사가 준비되었다는 전갈이 왔다. 톰 뷰캐넌은 제 우람한 팔을 내 팔 밑에 위압적으로 밀어 넣고 마치 체스판의 말을 옮기듯이 나를 방 안에서 끌고 나갔다.

두 여자는 양손을 엉덩이에 살짝 얹은 채 날렵하고 나른한 걸음으로 석양을 향해 열려 있는 장밋빛 포치로 앞장서 걸어갔다. 포치의 테이블 위에는 네 개의 촛불이 잦아든 바람 속에서 흔들리고 있었다.

"촛불은 왜 켰지?" 데이지가 얼굴을 찌푸리며 못마땅한 듯 말했다. 그녀는 손가락으로 촛불을 잡아 꺼버렸다. "이제 두 주일만 있으면 일년 중 해가 제일 길어지는 날인데." 그녀는 눈부시게 빛나는 얼굴로 우리를 바라보았다. "당신들은 일년 중에 해가 제일 긴 날을 기다리다가 막상 그날이 오면 그만 잊어먹고 놓쳐버리지 않나요? 난 번번이 그러거든요."

"우리 무슨 계획을 세워야 하지 않나요?" 베이커 양은 잠자리에 들어가는 사람이라도 된 것처럼 늘어지게 하품을 하면서 테이블에 앉았다.

"좋아." 데이지가 말했다. "뭘 하지?" 그녀는 생각이 꽉 막힌 듯 나를 돌아다보았다. "딴 사람들은 무슨 계획을 세우죠?"

내가 뭐라 대답하기도 전에 그녀의 눈길이 두려운 표정으로 자신의 새끼손가락에 박혔다.

"이것 봐!" 그녀는 볼멘소리를 냈다. "여길 다쳤어."

우리는 모두 들여다보았다. 손가락 마디가 푸르죽죽하게 멍들어 있었다.

"당신이 그랬어요, 톰." 그녀는 탓하듯 말했다. "일부러 그런 건 아니라는 건 알지만, 어쨌든 당신이 그랬어. 짐승 같은 남자랑 결혼해 사니 이렇다니까요. 덩치가 커다랗고 무지막지한……."

"난 그 무지막지하단 말 싫어." 톰이 화를 내며 말했다. "농담으로라도."

"무지막지해요." 데이지가 우겼다.

때로는 그녀와 베이커 양이 한꺼번에 얘기하기도 했다. 서로 자신을 내세우지 않고 주고받는, 딱히 잡담이라고도 할 수 없는 시시한 농담조의 얘기들이었다. 그 얘기들은 그들의 흰 드레스처럼, 그리고 아무런 욕망도 없어 보이는 무감정한 그들의 두 눈처럼 싸늘했다. 그들은 그 자리에 나와서, 톰과 나를 받아들이면서 그저 상대를 즐겁게 하고 자기들도 즐거울 수 있도록 정중하고도 상냥한 태도로 애쓰고 있을 따름이었다. 그들은 곧 저녁식사가 끝날 것이 며, 조금 더 지나면 저녁 시간도 그럭저럭 끝나버리리라는 걸 알고 있었다. 그건 서부와 뚜렷이 달랐다. 서부의 저녁은 기대를 끊임없이 좌절시키면서, 아니면 순간 자체에 대한 더없이 조마조마한 두려움 속에서 한 단계 한 단계 종말을 향해 서둘러 지나갔다.

"데이지, 너랑 얘기하다 보니 나는 아직도 미개인인 것 같은 기분이 든다." 나는 코르크 냄새가 나긴 하지만 맛이 꽤 근사한 프랑스산 포도주 클라레를 두 잔째 마시면서 솔직히 말했다. "농사나 뭐 그런 것에 대해서 이야기할 수 없니?"

나는 별 뜻 없이 이 말을 했는데 뜻밖의 응수가 왔다.

"문명은 산산조각나고 말걸세." 톰이 느닷없이 격렬하게 말했다. "난 만사에 완전히 비관론자가 되고 말았네. 자네 그 고다르란 사람이 쓴 《유색인 제국의 발흥》[이 부분의 저자와 책은 작가가 지어낸 것이다. 그러나 로스롭 스토더드의 《유색의 밀물》(1920)을 염두에 두고 있던 것이 분명하다. 《유색의 밀물》은 헨리 허버트 고다르의 저술에서 도움을 받았다고 한다] 읽어봤나?"

"글쎄, 모르겠는데." 나는 그의 어조에 약간 놀라서 대답했다.

"그래, 그거 좋은 책이야. 다들 읽어봐야 해. 무슨 얘기냐 하면, 우리 백인종이 조심하지 않았다간, 그러니까…… 완전히 망하고 만다는 거야. 다 과학적인 사실이야. 입증됐어."

"저이가 요즘 점점 심오해지고 있어요." 데이지가 별생각이 없는 슬픈 표정으로 말했다. "기다란 단어들이 잔뜩 나오는 난해한 책들을 읽어요. 그 단어가 뭐였죠, 우리가……"

"글쎄, 이 책들 다 과학 서적이야." 톰이 짜증난 태도로 그녀를 힐끗 쳐다보며 우겼다. "이 친구가 죄다 연구해놓았어. 우리 지배 인종이 조심해야 한다는 거야. 그렇지 않으면 다른 인종이 주도권을 쥐게 될 거라고."

"쳐부숴야겠군요." 데이지가 뜨거운 태양을 향해 눈을 격렬하게 껌벅이면서 속삭였다.

"두 분은 캘리포니아에 살아야 해요……." 베이커 양이 말을 꺼냈지만 톰이 의자 위에서 육중한 몸을 고쳐 앉으며 말을 막았다.

"이 책이 말하는 건, 우리가 북방 민족이라는 거야. 나도 그렇고, 당신도 그렇고, 당신도 그렇고……." 그는 아주 짧은 순간 망설이더니 고개를 약간 끄덕여 데이지도 포함시켰다. 그녀는 내게 다시 눈을 꿈쩍해 보였다. "……그리고 문명을 이루는 것들은 죄다 우리가 생산해낸 거야. ……아, 그러니까, 과학이며 예술이며 등등 말이야. 알아듣겠어?"

열을 내고 있는 그의 태도에는 어딘지 비장한 데가 있었다. 자신이 자기만족에 빠져 있음을 자신이 전보다 예민하게 의식하게 되어 이제 그것만으로는 안 된다는 것을 새삼 깨달은 사람처럼 말이다. 바로 그때 안에서 전화가 울렸고, 집사가 포치를 떠나자 데이지는 그 틈을 타서 내 쪽으로 몸을 기울였다.

"집안 비밀 하나 말해줄게요." 그녀는 열심히 말했다. "집사의 코에 관한 거예요. 집사의 코 이야기 듣고 싶지 않아요?"

"그 얘기 들으려고 오늘밤에 여기 왔는걸."

"글쎄, 저 사람 늘 집사 일만 한 게 아니에요. 전에는 은식기 닦는 사람이었대요. 뉴욕에 고객 이백 명의 은식기 닦아주는 사업을 하는 사람들이 있었나 봐요. 아침부터 밤까지 닦았는데 그러다 보니 결국 코에 이상이 생겼대요……."

"상태가 악화되었다 이거지." 베이커 양이 끼어들었다.

"그래, 상태가 악화되어 결국은 일을 그만둘 수밖에 없었대요."

한순간 마지막 햇살이 낭만적인 연정을 품고 그녀의 빛나는 얼굴을 비추었다. 그녀의 목소리에 나는 숨을 죽이고 몸을 기울여 듣지 않을 수 없었다. 그러자 얼굴의 광채가 희미해지면서, 저물녘이 되어 즐거웠던 거리를 떠나는 아이들처럼, 빛살이 하나하나 아쉬움 속에 꾸물거리며 그녀를 떠났다.

집사가 돌아와 톰의 귀에 바짝 대고 뭔가를 속삭였다. 그러자 톰은 얼굴을 찌푸리면서 의자를 뒤로 밀어내고 자리에서 일어나 한마디 말도 없이 안으로 들어갔다. 그가 자리를 뜨자 무엇인가에 자극받은 듯 데이지가 다시 앞으로 몸을 기울였다. 목소리가 달아올라 노래하는 듯했다.

"식사를 같이 할 수 있어서 너무 좋아, 닉. 오빠를 보면 뭐가 생각나는 줄 알아, 장미가 생각나. 순수 장미. 안 그래?" 그녀는 동의를 구하려고 베이커 양에게 얼굴을 돌렸다. "순수 장미 같지 않아?"

그건 맞는 말이 아니었다. 내게 장미꽃 같은 구석은 조금도 없으니까. 그녀는 그저 그때그때 떠오르는 말을 즉흥적으로 하고 있을 뿐이었다. 하지만 그녀에게서는 사람을 감동시키는 따뜻함이 흘러넘쳤다. 마치 그녀의 마음이 숨가쁜 전율을 일으키는 그 말들 속에 숨어 밖으로 나오고 싶어 하는 것 같았다고나 할까. 그런데 별안간 그녀는 냅킨을 테이블 위에 내던지더니 실례한다고 말하고는 집 안으로 들어가버렸다.

베이커 양과 나는 의식적으로 아무런 뜻도 담지 않은 짧은 시선을 주고받았다. 내가 막 입을 열려는 순간 그녀가 조심스런 태도로 똑바로 앉더니 경계하는 목소리로 "쉿!" 하고 말했다. 격앙된 감정을 억누른 듯한 웅얼거림이 건너편 방에서 들려왔다. 베이커 양은 부끄러운 줄도 모르고 그 소리를 들으려고 몸을 기울였다. 웅얼거리는 소리는 한참 나직이 울려오는 듯하더니 가라앉았고, 다시 격렬해지는 듯하다가 딱 그쳐버렸다.

"당신이 말한 그 개츠비란 사람, 제 이웃에 삽니다……." 내가 말했다.

"잠깐요. 무슨 일인지 좀 듣고 싶어요."

"무슨 일이 있나요?" 나는 순진하게 물었다.

"모르신단 말이에요?" 베이커가 놀라워하면서 물었다. "다 아는 일인 줄 알았는데."

"전 모릅니다."

"어머……." 그녀는 머뭇거렸다. "톰에게 여자가 있어요, 뉴욕에."

"여자가 있다고요?" 나는 멍하니 되뇌었다.

베이커 양이 고개를 끄덕였다.

"저녁식사 시간에는 전화하지 않는 정도의 예의는 있어야 하는 거 아닌가요? 그렇잖아요?"

그 말뜻을 미처 알아차리기도 전에 드레스 펄럭거리는 소리와 가죽 부츠 저벅거리는 소리가 들려왔고, 톰과 데이지가 다시 테이블로 돌아왔다.

"어쩔 수 없었어요!" 유쾌해 못 견디겠다는 듯이 데이지가 소리쳤다.

그녀는 베이커 양을, 그 다음엔 나를 살피듯 슬쩍 쳐다보고 자리에 앉았다. 그러고는 말을 계속했다. "잠깐 바깥을 내다보았어요. 바깥은 아주 로맨틱해요. 잔디밭에 새가 한 마리 앉아 있는데 커나드나 화이트스타 라인 사〔대서양 노선을 운항하는 화물회사들〕의 배를 타고 건너온 나이팅게일 같아요. 쉬지 않고 지저귀고 있어요……." 그녀의 목소리도 지저귀는 듯했다. "로맨틱하지 않아요, 톰?"

"아주 로맨틱해." 그렇게 말한 톰은 이어 비참한 표정으로 나를 향해 말했다. "저녁 먹은 뒤 어둡지 않으면 마구간을 구경시켜주고 싶네만."

안에서 느닷없이 전화벨 소리가 울렸다. 데이지가 톰에게 단호하게 고개를 내젓자 마구간에 관한 화제, 아니 사실상 모든 화제가 사라져버렸다. 저녁 자리의 마지막 5분 동안 토막토막 일어난 일들 가운데 내가 기억하는 건 하릴없이 다시 켜진 촛불들이다. 나는 한 사람 한 사람 모두 똑바로 바라보고 싶은 동시에 모두의 눈길을 피하고 싶은 마음이었다. 나는 데이지와 톰이 무슨 생각을 하고 있는지 짐작할 수 없었다. 그러나 얼마간의 모진 회의주의가 몸에 배어 있는 듯한 베이커 양조차 이 다섯 번째 손님의 급박하고 날카로운 금속성 소리를 마음속에서 완전히 지워버릴 수 있었을지는 의심스럽다. 그러한 상황을 흥미롭게 여길 만한 기질을 가진 사람도 있으리라. 나의 충동으로 말할 것 같으면 즉각 경찰을 부르고 싶은 마음뿐이었다.

말들에 대한 언급은, 말할 것도 없이, 두 번 다시 나오지 않았다. 톰과 베이커 양은 끔찍스런 시체 곁으로 밤샘이나 하러 가는 사람처럼 황혼 속에서 서로 몇 걸음 떨어진 채 천천히 걸어 서재로 돌아갔다. 한편 나는 즐거이 관심을 두고는 있지만 잘 안 들리는 척하면서 데이지를 따라 줄줄이 이어진 베란다를 돌아 현관의 포치로 갔다. 그곳 짙은 어스름 속에서 우리는 버들고리로 엮은 긴 의자에 나란히 앉았다.

데이지는 제 아름다운 얼굴 생김새를 만져보려는 듯 두 손으로 얼굴을 감싸 쥔 뒤 눈길을 천천히 옮기어 보드라운 저녁 어스름을 응시했다. 나는 그녀가 격렬한 감정에 사로잡혀 있다는 것을 알아차리고 마음을 가라앉혀줄 질문이 되겠거니 하고 그녀의 어린 딸에 관해 물어보았다.

"우리는 서로 잘 몰라요, 닉." 별안간 그녀가 말했다. "친척이긴 하지만 말예요. 내 결혼식에도 오지 않았잖아요."

"그때 난 전쟁터에 있었으니까."

"하긴." 그녀는 머뭇거렸다. "그런데 저 아주 힘들게 지냈어요, 닉. 그래서 모든 일에 매우 냉소적이 되어버렸어요."

분명히 그럴 만한 이유가 있어 보였다. 나는 기다렸지만 그녀는 더는 말하지 않았다. 잠시 뒤 나는 다시 좀 어설프게 딸이라는 주제로 돌아갔다.

"아이가 말도 하고, ……음식도 먹고, 별거 다 하겠지?"

"아, 예." 그녀는 멍하니 나를 바라보았다. "이봐요, 닉. 그 애를 낳았을 때 내가 뭐랬는지 알아요. 알고 싶어요?"

"그야 물론."

"그 말을 들으면 내가 만사에 어떤 식으로 느껴왔는지 알 거예요……. 글쎄, 그 애가 태어난 지 한 시간도 안 됐는데 톰은 어디 있는지도 모르겠더라구요. 마취에서 깨어날 땐 완전히 버림받은 기분이었어요. 간호사한테 당장 아들인지 딸인지 물었죠. 딸이라더군요. 난 고개를 돌리며 울고 말았어요. 난 말했어요. '좋아, 딸이라서 잘됐다. 커서 바보가 되었으면 좋겠다……. 이 세상에서 여자로선 그게 최고니까. 이쁘고 귀여운 바보가 되는 게.'"

그녀는 확신에 차서 말을 이었다. "어쨌거나 모든 게 끔찍하단 생각이 들어요. 아시겠어요? 다들 그렇게 생각해요. ……가장 앞서가는 사람들도요. 그리고 난 알아요. 가보지 않은 데가 없고, 보지 않은 게 없고, 해보지 않은 일이 없으니까." 그녀는 눈을 번쩍이며 도전적인 태도로 주위를 둘러보았다. 뭐랄까, 그러한 모습은 톰과 똑같았다. 그러더니 그녀는 오싹할 만큼 경멸감을 담은 목소리로 웃어댔다. "닳아빠졌어요……. 맙소사, 난 닳고 닳았다고요!"

그녀의 목소리가 딱 멈추며, 그녀의 말을 주목하고 믿어야 한다는 강박에서 풀려나는 순간, 나는 그녀가 한 말이 기본적으로 불성실하다는 느낌을 받았다. 그러자 마음이 불편해졌다. 그날 저녁의 일이 온통 나에게서 어떤 동조의 감정을 이끌어내려는 모종의 술수였던 것만 같았다. 나는 그 다음 말을 기다렸다. 그런데 한순간 그녀는 그 사랑스런 얼굴에 부정할 수 없이 뽐내는 듯한 미소를 띠고 나를 바라보았다. 마치 자기와 톰이 꽤 이름 있는 비밀단체에 속해 있으며 자신은 그 회원임을 자랑하기라도 한 것처럼.

집 안에 들어가자 불을 밝힌 진홍빛 방은 꽃처럼 빛나고 있었다. 톰과 베이커 양은 긴 소파의 양쪽 끝에 앉아 있었고 베이커 양이 《새터데이 이브닝 포스트》지의 기사를 그에게 소리내어 읽어주고 있었다. 웅얼거리듯 굴곡 없는 말들이 마음을 달래는 어조로 이어졌다. 등불의 빛이 톰의 부츠에는 밝게, 낙엽처럼 노란 베이커 양의 머리카락에는 흐릿하게 반사되면서, 가냘픈 팔 근육을 움직거리며 그녀가 신문지를 넘길 때마다 신문지의 움직임을 따라 번쩍였다.

우리가 들어서자 그녀는 손을 들어 올려 잠시 조용히 기다려달라는 신호를 보냈다.

"다음 호에 계속됩니다." 그녀는 잡지를 테이블에 던지며 말했다.

그녀는 한쪽 무릎을 유난히 불안하게 움직이면서 자리에서 일어섰다.

"열 시군요." 그녀가 천장에 있는 시계를 보기라도 한 듯 말했다. "이 착한 아가씨가 잠자러 갈 시간입니다."

"조던은 내일 토너먼트에 출전해요, 웨스트체스터〔뉴욕 시의 북쪽 교외〕에서." 데이지가 설명해주었다.

"아…… 당신이 조던 베이커 씨군요."

그제야 나는 그녀의 얼굴이 왜 낯익은지 깨달았다. ……그 얼굴의 유쾌한 경멸감을 띤 표정을 나는 애슈빌, 핫스프링스, 팜비치〔각 각 노스캐롤라이나, 아칸소, 플로리다 주에 있는 부유층의 휴양지〕 같은 곳의 스포츠 생활을 찍은 수많은 사진에서 본 적이 있다. 기분 나쁜 험담이 었지만 그녀에 대한 얘기도 들은 적이 있었다. 하지만 무슨 내용이 었는지는 잊은 지 오래였다.

"잘 자요." 그녀가 부드럽게 말했다. "여덟 시에 깨워줄래요?"

"일어난다면."

"일어날 거예요. 잘 주무세요, 캐러웨이 씨. 또 봐요."

"당연히 그래야지." 데이지가 다짐했다. "실은 제가 중매를 설까 해요. 자주 와주세요, 닉. 당신들 그러니까 뭐냐, 한꺼번에 던져버 릴 거예요. 왜 있잖아요. 속옷장에 들어 있는 걸 모르고 잠가버린 채 배에 실어 바다 속에 떠내려보낸단 말씀이에요. 그런 것 말이에 요……."

"잘 자요." 베이커 양이 층계 위에서 소리쳤다. "난 아무 말도 못 들었어요."

"괜찮은 여자야." 톰이 잠시 뒤에 말했다. "저 여자를 이런 식으 로 시골 구석이나 돌아다니게 해서는 안 되는데."

"누가 그래서는 안 된단 말이에요?" 데이지가 쌀쌀하게 물었다.

"자기 가족 말이야."

"자기 가족이래야 천 살이 다 되어가는 이모 하나뿐인데요. 그 사람 말고는, 닉 오빠가 돌봐줄 거고. 그렇잖아요, 닉? 저 애는 이 번 여름 주말에 우리 집에서 많이 지낼 거예요. 가정적인 분위기 에서 지내면 저 애에게도 도움이 많이 될 거예요."

데이지와 톰은 잠시 말없이 서로를 마주보았다.

"뉴욕 출신이니?" 내가 얼른 물었다.

"루이빌 출신이에요. 우리네 순백〔데이지는 여기서 톰의 백인 우월의식을 비꼬고 있다〕의 소녀 시절을 그곳에서 같이 보냈죠. 우리네 아름다운 순백의……."

"당신 베란다에서 닉하고 속을 털어놓고 얘기 좀 했소?" 톰이 불쑥 물었다.

"내가요?" 그녀는 나를 바라보았다. "글쎄 기억이 잘 안 나는 거 같네요. 하지만 북방 인종에 대해선 얘기한 거 같아요. 맞아, 분명히 그 얘기 했어. 그게 뭐랄까 그런 얘기가 살그머니 우리에게 다가와 그러니까 맨 먼저……."

"닉, 자네가 들은 소리를 다 믿진 말게." 톰이 나에게 충고했다.

난 아무 소리도 들은 것 없다고 가볍게 대꾸했다. 그리고 몇 분 뒤 집에 돌아가려고 자리에서 일어섰다. 그들은 문까지 따라나와, 사각형으로 내비치는 기분 좋은 불빛 안에 나란히 섰다. 내가 자동차에 시동을 걸자 데이지가 다짜고짜 소리질렀다. "잠깐만요!"

"뭘 물어보는 걸 까먹었어요. 중요한 건데. 오빠가 어떤 서부 여자하고 약혼했다던데."

"맞아." 톰이 다정하게 맞장구쳐주었다. "자네 약혼했단 소릴 들었어."

"그거 헛소리야. 난 가난뱅인걸."

"하지만 분명히 들은걸요," 하고 데이지는 우겼다. 다시 꽃처럼 피어나는 그녀의 태도에 놀라지 않을 수 없었다. "세 사람한테 동시에 들었어요. 그러니 틀림없을 거예요."

물론 그들이 무슨 말을 하고 있는지 알 만했지만 나는 사실 약혼 비슷한 것도 해본 적이 없었다. 교회에서 결혼 예고를 했다는 소문이 나돌았는데 내가 동부로 오게 된 것은 그 때문이기도 했다. 소문 때문에 옛 친구와 절교를 할 수도 없는 일이었고, 다른 한편으로는 소문 때문에 결혼할 의사도 없었던 것이다.

그들이 보여준 관심에 나는 얼마간 감동되었고 그들이 부자이긴 했으나 덜 소원하게 여겨졌다. 그럼에도 불구하고 나는 차를 몰고 그곳을 떠나면서 마음이 혼란스러웠고 기분이 약간 역겨웠다. 내가 보기에 데이지가 할 일은 아이를 안고 집을 뛰쳐나가는 것이었다. 하지만 그녀의 마음에 분명 그럴 의사는 없었다. 톰으로 말하자면, "뉴욕에 여자를 두고 있다"는 사실보다 정말 더 놀라운 일은 한 권의 책에 의기소침해졌다는 사실이었다. 무언가가 그로 하여금 진부한 사상의 가장자리를 갉아먹게 하고 있었다. 이제 억센 육체적 자만심도 더는 독단적인 마음을 키워주지 못하는 듯이.

길가의 여관 지붕들과 주유소 앞에는 여름이 이미 깊숙이 와 있었다. 주유소 앞에는 새로 들인 붉은 휘발유 펌프들이 흥건한 불빛을 받으며 나앉아 있었다. 웨스트에그의 집에 도착한 나는 차고에 차를 넣어두고 마당에 버려진 잔디 고르는 기계 위에 한동안 앉아 있었다. 바람이 한 차례 지나갔는지 소란하고 밝은 밤에 나무들 사이에서 요란하게 날개 부딪는 소리와, 대지의 풀무질을 잔뜩 받아 한껏 기운을 차린 개구리들이 풍금처럼 끊임없이 울어대는 소리가 가득하였다. 어슬렁거리는 고양이의 검은 그림자가 달빛을 가로지

르며 너울거렸다. 고양이를 보려고 고개를 돌리던 나는 혼자가 아님을 깨달았다. 오십 피트쯤 저쪽에 한 사람의 그림자가 이웃집 저택의 그늘에서 빠져나와 주머니에 두 손을 찌르고 선 채 은가루 같은 하늘의 별들을 바라보고 있었다. 그의 한가로운 움직임과 잔디를 딛고 선 안정된 발자세에는 어딘지 모르게 그가 개츠비 씨이며, 우리네 하늘 가운데 어디까지가 자기 구역인지를 알아보러 나온 것임을 말해주는 무엇인가가 있었다.

나는 그를 불러보기로 마음먹었다. 베이커 양이 저녁식사 때 그의 얘기를 했으니 인사를 건네기에는 그 정도 구실이면 족하다 싶었다. 하지만 나는 그를 부르지 않았다. 그가 갑자기 혼자 있는 것이 편하다는 암시를 보냈던 것이다. 그는 이상한 동작으로 어두운 밤바다를 향해 두 팔을 뻗었는데, 멀리 떨어져 있긴 했지만 나는 그가 몸을 떨고 있다는 걸 확신할 수 있었다. 나는 나도 모르게 바다 쪽으로 눈길을 돌렸다. 저 멀리, 아마도 선창 끄트머리께로 보이는 곳의 조그만 초록 불빛 하나밖에는 아무것도 알아볼 수 없었다. 다시 개츠비를 찾아 고개를 돌렸을 때 그는 이미 사라지고 없었고, 나는 불안스런 어둠 속에서 다시 홀로 되어 있었다.

2

웨스트에그와 뉴욕의 중간쯤에서 차도는 철로와 서둘러 합류하여 나란히 4분의 1마일을 달린다. 도중의 어떤 황량한 지역을 피하기 위해서이다. 그곳이 재의 골짜기다. 그곳은 재가 밀처럼 자라 둔덕과 언덕과 기이한 정원으로 변하는 환상적인 농장이다. 재는 집과 굴뚝과 피어오르는 연기 모양이 되고, 마침내는 한껏 용을 써서 잿빛 인간들의 형상이 된 후 먼지 자욱한 대기 속에서 흐릿하게 움직이다가 어느 사이 가루로 허물어져버린다. 이따금 잿빛 자동차들이 보이지 않는 길을 따라 줄지어 기어가며 소름 끼치는 끽끽 소리를 내기도 하다가 나중엔 조용해진다. 그러고 나면 곧장 잿빛 인간들이 납으로 만든 삽을 들고 우글우글 모여들어 모든 것을 가리어버리는 먼지구름을 일으켜놓고, 이 먼지구름은 이들의 알 수 없는 작업을 시야에서 가려버린다.

그러나 잿빛 땅과 때때로 발작적으로 피어올라 그 위를 끊임없이 떠도는 황량한 먼지 위로, 잠시 뒤에 T. J. 에클버그 의사의 두 눈을 알아볼 수 있게 된다. T. J. 에클버그 의사의 눈은 푸르고 거대하다. 망막의 높이가 일 야드나 된다. 의사의 얼굴은 없다. 그의 두 눈은 보이지 않는 코에 걸친 거대한 노란 안경을 통해 이쪽을 바라보고 있을 뿐이다. 분명 어떤 별난 안과의사가 퀸즈 구에서 돈을 좀 벌어볼 양으로 이 광고판을 설치해놓은 뒤 영영 장님이 되어버렸거나, 아니면 광고판을 잊어버리고 이사해버린 것임에 틀림없다. 오랜 세월 페인트칠도 하지 않고 햇빛과 비에 시달려 그의 두 눈은 이제 흐릿하게 바래고 말았지만 지금도 여전히 이 장엄한 쓰레기장을 굽어보며 생각에 잠겨 있다.

재의 계곡 한쪽으로는 작고 더러운 강이 경계를 이루고 있다. 거룻배들이 지나가도록 도개교(跳開橋)가 들어 올려질 때면, 대기 중인 기차의 승객들은 반시간 동안이나 그 음울한 풍경을 바라볼 수 있게 된다. 그곳에서 적어도 일 분간은 늘 정지하게 되어 있었는데 내가 톰 뷰캐넌의 정부(情婦)를 처음 만나게 된 것은 그 때문이었다.

그에게 여자가 있다는 사실은 그가 알려져 있는 곳에서는 어디서나 입에 올랐다. 그를 아는 사람들은 그가 여자를 데리고 유명한 카페에 나타나, 여자를 테이블에 남겨두고 어슬렁거리며 돌아다니다가, 아는 사람을 만나면 누구든 붙잡고 잡담을 지껄인다는 사실을 못마땅해했다. 나는 그 여자가 어떻게 생겼는지 궁금했지만 만나고 싶다는 생각은 없었다. 그런데 나는 만나고 말았다. 어느 날 오후 톰과 함께 기차를 타고 뉴욕에 올라갔는데 우리가 그 잿더미 곁에 정거했을 때 그가 벌떡 일어나 내 팔꿈치를 움켜쥐고 막무가내로 객차에서 끌어내리는 것이었다.

"내리세." 그가 우겼다. "내 여자를 소개해주고 싶네."

그는 점심때 술을 잔뜩 마시고 취했던 것 같다. 나를 동행시키려는 결심이 거의 폭력에 가까웠다. 일요일 오후라 나에게 그 일보다 나은 일이 없을 거라는 것이 오만스런 그의 지레짐작이었다.

나는 그를 따라 흰 칠을 한 야트막한 철로변의 울타리를 넘었다. 우리는 에클버그 의사의 끈질긴 응시를 받으며 길을 따라 반대 방향으로 백 야드쯤 걸어갔다. 눈에 보이는 건물이라고는 황무지의 가장자리에 서 있는 노란 벽돌로 지은 자그마한 건물 하나뿐이었다. 그것이 일종의 작은 중심가 구실을 하고 있었고 인접한 곳에는 아무것도 없었다. 그 건물에 세 개의 상점이 들어 있었는데 하나는 세를 놓고 있었고, 잿더미 자락에 거의 닿아 있는 또 하나의 상점은 밤새 문을 여는 식당이었으며, 세 번째 것은 자동차 정비소로, 거기에는 '정비, 조지 B. 윌슨. 자동차 사고팝니다'라는 간판이 붙어 있었다. 나는 톰을 따라 정비소 안으로 들어갔다.

벌이가 시원찮은지 내부는 횅뎅그렁했다. 눈에 띄는 차라곤 침침한 구석에 먼지를 뒤집어쓰고 처박혀 있는 망가진 포드 한 대뿐이었다. 이 정비소로 보이는 것은 눈가림일 뿐이고 호화롭고 로맨틱한 아파트가 머리 위 어딘가에 숨겨져 있을지 모른다는 생각이 들었을 때 정비소 주인이 걸레 조각에 손을 문질러 닦으면서 사무실 문간에 나타났다. 빈혈증에 걸린 듯 기운 없어 보이는 금발 사내였는데 어찌 보면 잘생긴 구석도 없진 않았다. 우리를 보자 그의 푸르스름한 눈에 돌연 흐릿한 희망의 빛이 피어올랐다.

"잘 있었소, 윌슨?" 톰은 쾌활하게 그의 어깨를 툭 치며 말했다. "장사는 잘되오?"

"불평할 처지야 못 되지요." 윌슨은 자신 없는 투로 말했다. "그 차 언제 파실 건가요?"

"다음주에. 사람 시켜 손 좀 보라고 해놓았소."

"손이 좀 굼뜬 사람 아닌가요, 그 사람?"

"그렇지 않아." 톰은 냉정하게 말했다. "당신이 그렇게 생각한다면 딴 데다 파는 게 나을지도 모르겠군."

"그런 뜻은 아니고." 윌슨은 얼른 변명을 했다. "다만……."

그는 말끝을 흐렸고 톰은 조바심이 나는 듯 정비소를 힐끗 둘러보았다. 그때 계단에서 발소리가 들려왔고, 이윽고 한 여자의 육중한 모습이 사무실 문에서 나오는 불빛을 가로막았다. 그녀는 삼십대 중반의 여자로 어딘지 뚱뚱하다는 느낌을 주었지만 몸놀림은 여느 여자들 같지 않게 관능적이었다. 물방울무늬의 짙푸른 비단 드레스를 걸친 그녀의 얼굴에서는 미인의 면모나 징후라고는 조금도 찾아볼 수 없었지만, 전체의 분위기에서는 온몸의 신경들이 끊임없이 내뿜고 있는 듯한 생기를 금방 느낄 수 있었다. 그녀는 천천히 미소 지었다. 그런 다음 남편이 마치 유령이기라도 하듯 그를 관통하여 걸어와 톰과 악수하면서 그의 눈을 똑바로 바라보았다. 그러고서 그녀는 입술을 축이며, 돌아보지도 않은 채로 남편에게 나지막하고 거친 목소리로 말했다.

"의자 좀 갖다주시지그래요, 사람 좀 앉게."

"아, 그러지." 윌슨은 얼른 맞장구치고 조그만 사무실 쪽으로 갔다. 그가 벽들의 시멘트 색과 금방 섞여버렸다. 희뿌연 잿가루가 근처의 모든 것에 베일처럼 내려 덮여 있듯 그의 검은 옷과 희뿌연 머리카락 위에도 내려 덮여 있었던 것이다. 그의 아내는 유일한 예외였다. 그녀가 톰에게 다가갔다.

"만나고 싶어." 톰이 열띤 목소리로 말했다. "다음 기차를 타요."

"좋아요."

"지하층 신문 가판대에서 만납시다."

그녀가 고개를 끄덕이고 톰에게서 물러서자 그때 바로 조지 윌슨이 사무실 문에서 의자 두 개를 들고 빠져나왔다.

우리는 길 아래쪽으로 내려가 눈에 띄지 않는 곳에서 그녀를 기다렸다. 그때가 독립기념일 며칠 전이어서, 잿빛의 말라빠진 이탈리아계 아이 하나가 철길을 따라 딱총알을 한 줄로 늘어놓고 있었다.

"끔찍한 곳이야, 그렇지 않아?" 톰이 닥터 에클버그와 찌푸린 표정을 주고받으며 말했다.

"지독해."

"이곳을 떠나는 게 그 여자한테도 좋아."

"남편이 뭐라고 하지 않나?"

"윌슨이? 뉴욕에 사는 여동생 만나러 가는 줄 알고 있어. 얼마나 둔한지 자기가 살아 있는지조차 모른다니까."

그렇게 톰 뷰캐넌과 그의 여자와 나는 함께 뉴욕으로 올라갔다. 아니, '함께'라고는 할 수 없을지 모른다. 윌슨 부인은 신중하게도 다른 객차에 탔으니까. 톰은 기차에 탔을지도 모를 이스트에그 사람들의 감정을 그 정도는 존중할 줄 알았다.

그녀는 갈색무늬의 모슬린 옷으로 갈아입고 나왔는데 톰이 뉴욕의 플랫폼에서 그녀를 부축해 내릴 때 그 옷은 펑퍼짐한 엉덩이에 팽팽하게 달라붙었다. 신문가판대에서 그녀는 《타운 태틀》[가상의 스캔들 잡지. 《타운 토픽스》를 연상시킨다] 한 부와 영화잡지 한 권을 샀고 정거장 매점에서 콜드크림과 조그만 향수 한 병을 샀다. 지상으로 올라온 그녀는 대도시의 소음이 메아리치는 장엄한 차도에서 넉 대의 택시를 그냥 보내고 회색 시트의 라벤더 색깔로 된 새 택시를 잡았다. 이 택시를 타고 우리는 와글거리는 정거장을 빠져나와 이글거리는 햇빛 속으로 들어갔다. 그러나 곧 그녀는 창에서 얼굴을 획 돌리더니, 앞으로 몸을 수그리고 앞유리를 두드렸다.

"저 개 한 마리만 갖고 싶어요." 그녀는 정색을 하며 말했다. "아파트에 한 마리 두고 싶어요. 재밌잖아요, 개 기르는 거."

우리는 후진해서 우스꽝스러울 정도로 존 D. 록펠러와 닮은 반백의 노인에게 갔다. 목에 늘어뜨린 바구니 속에 종자를 알 수 없는 갓 태어난 강아지 여남은 마리가 옹종망종 옹크리고 있었다.

"무슨 종(種)이죠?" 노인이 택시 곁으로 다가오자 윌슨 부인이 진지하게 물었다.

"다 있습니다. 무슨 종이 필요하십니까?"

"경찰견을 한 마리 사고 싶은데, 그런 건 없겠죠?"

노인은 잘 모르겠다는 듯 바구니를 들여다보더니 손을 집어넣어 바동거리는 강아지 한 마리의 목덜미를 잡아 들어 올렸다.

"그건 경찰견이 아니잖소." 톰이 말했다.

"그야, 경찰견이라고는 할 수 없죠." 노인은 실망 어린 목소리로 말했다. "에어데일종에 가깝습니다." 그는 갈색 수건 같은 강아지

등덜미를 손으로 쓰다듬었다. "이 털가죽을 보십시오. 대단한 털입니다. 이런 개는 절대 감기 같은 것에 걸려 속 썩이지 않아요."

"귀여운 것 같아요." 윌슨 부인은 탐나는 듯 말했다. "얼마예요?"

"저놈 말입니까?" 그는 강아지를 자랑스럽게 바라보았다. "십 달러 나갑니다."

다리가 놀라울 정도로 희긴 했지만 어딘가 에어데일 종과 관계가 있다는 점만은 의심의 여지가 없는 그 에어데일은 주인이 바뀌어 윌슨 부인의 무릎 위에 놓이게 되었고 그녀는 강아지의 전천후 털가죽을 황홀한 듯 쓰다듬었다.

"암놈인가요, 수놈인가요?" 그녀가 세심하게 물었다.

"이 개 말입니까? 수놈입니다."

"암놈이야." 톰이 단언하듯 말했다. "여기 돈 있소. 이걸로 열 마리 더 사시오."

우리는 5번가로 달렸다. 여름날 일요일 오후의 그곳은 따뜻하고 포근하고 목가적인 분위기에 가까웠다. 흰 양 떼 한 무리가 모퉁이를 도는 것을 보았다 해도 놀라지 않았을 것이다.

"세워주게. 난 여기서 내려야겠네." 내가 말했다.

"아냐, 안 돼." 톰이 얼른 나섰다. "자네가 아파트에 같이 안 가면 머틀이 서운해할걸. 안 그래, 머틀?"

"같이 가세요" 하고 머틀도 권했다. "제 동생 캐서린에게 전화할게요. 사람들이 걔더러 다 미인이래요."

"글쎄, 그러고는 싶지만……"

43

우리는 다시 차를 돌려 센트럴 파크를 지나 웨스트 100번대 거리 쪽으로 계속 달렸다. 158번가에 이르자 택시는 길쭉한 흰 케이크 모양으로 되어 있는 아파트 한 동 앞에 섰다. 월슨 부인은 궁전에 돌아온 여왕처럼 당당한 눈길로 주위를 쓰윽 훑어보며 강아지와 다른 물건들을 추슬러 들고 거드름을 피며 안으로 들어갔다.

"매키 부부를 부를게요." 엘리베이터를 타고 올라가는 동안 그녀가 말했다. "물론 제 동생도 부르고요."

그녀의 아파트는 맨 꼭대기 층에 있었다. 작은 거실 하나, 작은 식당 하나, 작은 침실 하나, 그리고 화장실로 되어 있는 아파트였다. 거실에는 테피스트리를 씌운 가구 한 벌이 문간까지 꽉 들어차 있었는데 거기에 두기에는 너무 커서, 돌아다니다 보면 베르사유 궁전 정원에서 그네를 타고 있는 귀부인들의 장면에 계속 걸려 넘어질 것만 같았다. 사진이 딱 하나 걸려 있었다. 지나치게 크게 확대한 사진으로 흐릿한 바위 위에 앉아 있는 암탉을 찍은 것이 분명했다. 하지만 멀리서 보면 암탉은 보닛 모자로 바뀌고, 바위는 한 뚱뚱한 노부인의 얼굴이 방을 내려다보며 웃고 있는 모습으로 바뀌었다. 탁자 위에는 오래된 《타운 태틀》지 몇 권과 함께 《베드로라 불린 시몬(Simon Called Peter)》[로버트 키블이 1921년 출판한 선정적인 대중소설. 피츠제럴드는 이 소설을 "정말로 부도덕한" 작품이라고 묘사한 바 있다] 한 권, 그리고 브로드웨이의 스캔들이 실린 시시껄렁한 잡지들 몇 권이 놓여 있었다. 월슨 부인은 우선 강아지에 관심이 가 있었다. 엘리베이터 보이는 내키지 않아 하며 짚을 채운 개집용 상자와 우유를 사러 갔는데, 누가 시키지도 않았는데 크고 딱딱한 개 비스킷

한 통까지 사왔다. 비스킷 한 개가 그날 오후 내내 우유 접시 안에서 무심하게 상해가고 있었다. 그러는 사이 톰은 잠겨 있는 옷장 문 안에서 위스키 한 병을 꺼내왔다.

나는 평생 딱 두 번 취한 적이 있는데, 두 번째가 그날 오후였다. 따라서 비록 그날 여덟 시까지 집 안에는 싱그러운 햇살이 가득했지만, 그날 그곳에서 일어난 일들이 죄다 안개에 덮인 듯 어렴풋하고 가물가물하기만 하다. 윌슨 부인은 톰의 무릎에 앉아 몇 사람에게 전화를 걸었다. 그때쯤 나는 담배가 떨어져 길모퉁이에 있는 가게로 담배를 사러 나갔다. 다시 돌아왔을 때는 두 사람이 모두 사라지고 없어, 내 딴에는 배려한답시고 혼자 거실에 앉아 《베드로라 불린 시몬》의 한 챕터를 읽었다. 전혀 형편없는 책이었거나 위스키가 판단을 흐리게 했거나 둘 중 하나였다. 도통 무슨 말인지 알 수 없었으니까.

톰과 머틀―첫 잔을 마신 뒤로 윌슨 부인과 나는 허물없이 이름을 부르게 됐다―이 다시 나타났을 때 손님들이 아파트 문간에 도착하기 시작했다.

머틀의 여동생 캐서린은 서른 살쯤 된, 날씬한 몸매의 속물스런 여자였다. 숱이 빽빽한 붉은 단발머리에 얼굴은 분을 발라 우유처럼 희었다. 눈썹을 뽑고 더 세련된 각도로 새 눈썹을 그려 넣었지만 자연의 눈썹이 처음의 자리에서 자꾸 다시 자라나려고 하는 바람에 얼굴이 너저분한 느낌을 주었다. 그녀가 움직일 때마다 헤아릴 수 없이 많은 사기 팔찌들이 팔 위로 오르내리면서 잘랑거리는 소리를 쉴 새 없이 냈다. 그녀는 마치 집주인이나 되는 것처럼 거리낌 없이 들어와 제 물건이나 되는 듯이 집 안의 가구를 쓰윽 둘러보았는데 그 모습이 하도 당당하여 나는 그녀가 혹 이 집에 살고 있지나 않나 하는 생각이 들 지경이었다. 내가 그러냐고 묻자 그녀는 자지러지게 웃어대면서 내 질문을 큰 소리로 흉내 내고서는 자기는 여자 친구와 호텔에서 지내고 있다고 말했다.

매키 씨는 아래층 사람으로 희멀건 얼굴의 여자 같은 사내였다. 방금 면도를 하고 왔는지 광대뼈에 흰 비누거품이 묻어 있었다. 그는 방 안에 있는 사람들 하나하나에게 공손하게 인사를 건넸다. 그는 자기가 '예술하는 일'에 종사하고 있노라 말했는데 나중에 생각해보니 사진사 같았고, 벽 위에 무슨 심령체처럼 걸려 있는 윌슨 부인 어머니의 흐릿한 확대 사진을 만든 사람도 바로 그 사람일 거라고 짐작이 되었다. 그의 아내로 말하자면 목소리는 날카롭고, 행동은 맥이 없고, 외모는 잘생겼지만, 성격은 끔찍한 여자였다. 그녀는 결혼한 뒤로 남편이 자기 사진을 백스물일곱 번이나 찍어주었다고 자랑스럽게 말해주었다.

윌슨 부인은 언제 갈아입었는지 다른 옷차림이 되어 있었다. 지금은 크림색 시폰으로 공들여 지은 오후 드레스 차림이었다. 그녀가 방 안을 움직이는 동안 옷이 끊임없이 살랑거리는 소리를 내었다. 옷차림 때문인지 그녀는 개성도 달라져 있었다. 정비소에서 눈을 끌었던 강렬한 활기는 이제 상당한 오만함으로 바뀌어 있었다. 그녀의 웃음, 그녀의 몸짓, 그녀의 주장이 시간이 갈수록 점점 더 가식적으로 변해갔고, 그녀가 팽창할수록 그녀의 방은 더 작아져서, 마침내 그녀는 시끄럽게 끽끽거리는 회전축 위에서 연기 가득

한 공기 속을 빙글빙글 돌고 있는 것만 같았다.

"애." 그녀는 뽐내는 듯한 높은 목소리로 동생에게 말했다. "이 자들은 대부분 말이야 기회만 있으면 사람을 속이려 들어. 머릿속에 든 건 그저 돈뿐이라니까. 지난주에 내가 어떤 여자를 불러 발을 좀 봐달라 했었거든. 그런데 요금 청구서를 받아보고는 내가 맹장수술을 받았나 싶었어."

"그 여자 이름이 뭐였죠?" 매키 부인이 물었다.

"에버하르트 부인. 집집마다 돌아다니며 발을 보아주는 여자예요."

"옷이 좋으네요." 매키 부인이 말했다. "아주 멋져 보여요."

윌슨 부인은 경멸하듯 눈썹을 추켜올림으로써 칭찬을 묵살해버렸다.

"이거 그냥 볼품 없는 헌옷이에요." 그녀가 말했다. "신경 안 쓰고 아무렇게나 입고 싶을 때 가끔 걸치죠."

"그래도 잘 어울리는데요. 무슨 말인지 아시잖아요." 매키 부인이 말을 이었다. "우리집 저이가 그런 포즈로 부인을 찍을 수 있으면 아마 멋진 사진이 나올 거예요."

우리는 모두 잠자코 윌슨 부인을 바라보았다. 그녀는 눈 위로 흘러내린 머리칼을 쓸어 올리며 싱긋 환한 미소를 지어 우리를 마주보았다. 매키 씨는 머리를 갸우뚱한 채 그녀를 지그시 바라보고 나서는 자신의 얼굴 앞에서 한 손을 천천히 앞뒤로 움직였다.

"조명을 바꿔야 해요." 그는 잠시 뒤 말했다. "저는 얼굴 윤곽의 입체감을 부각시키고 싶습니다. 그리고 뒷머리도 다 담을 거구요."

"저 같으면 조명을 바꾸지 않겠어요." 매키 부인이 소리질렀다. "제 생각엔 그러니까……."

남편이 "쉿!" 하고 말을 끊었고, 우리는 모두 다시 한번 모델이 될 사람을 바라보았다. 그러자 톰 뷰캐넌이 다 들리도록 하품을 하면서 일어섰다.

"매키 씨네, 당신들 뭣 좀 마셔야 할 텐데." 그는 말했다. "머틀, 얼음하고 음료수 좀 더 가져와요. 다들 자러 가겠다고 하기 전에."

"그 아이한테 얼음을 가져오라고 했는데." 머틀은 하류층 사람들의 무능함에 절망하면서 눈썹을 추켜올렸다. "이런 사람들! 꼭 다 그쳐야 한다니까!"

그녀는 나를 보더니 뜻없이 웃어댔다. 그런 다음 강아지에게 뛰어가 미친 듯이 입을 맞추어댔고, 그러고선 으스대는 걸음으로 식당방으로 들어갔다. 요리사 여남은 명이 그곳에서 자신의 명령을 기다리고 있기라도 한 것처럼.

"롱아일랜드에서 괜찮은 작품 몇 점 했지요." 매키 씨가 주장했다.

톰이 멀거니 그를 바라보았다.

"두 점은 액자에 넣어 아래층에 걸어두었어요."

"뭐 두 점이라고요?" 톰이 물었다.

"습작 두 점 말입니다. 하나는 제목을 '몬턱 곶 — 갈매기'라고 붙였고 또 하나는 '몬턱 곶 — 바다'라고 붙였습니다."〔몬턱 포인트, 곧 몬턱 곶은 롱아일랜드 동쪽 끝에 있다.〕

머틀의 동생 캐서린이 소파로 와서 내 곁에 앉았다.

"당신도 롱아일랜드에 사세요?" 그녀가 물었다.

"웨스트에그에 삽니다."

"정말요? 한 달쯤 전에 거기 파티에 갔었는데. 개츠비라는 사람 집에요. 그 사람 아세요?"

"옆집에 사는걸요."

"글쎄, 그 사람 빌헬름 황제[독일의 황제이자 프러시아의 왕이었던 빌헬름 2세(1859~1941). 그의 동맹국 군사 체제가 1차 세계대전의 한 원인이 되었다]의 조카인가 사촌인가 된다고 하더군요. 그 사람 돈이 다 거기서 나온다고."

"정말입니까?"

그녀는 고개를 끄덕였다.

"전 그 사람이 무서워요. 그 사람한테는 아무것도 신세지고 싶지 않아요."

내 이웃에 대한 이 흥미로운 정보는 갑작스레 매키 부인이 캐서린을 가리키는 바람에 끊기고 말았다.

"여보 체스터, 캐서린하고 하면 뭔가 작품이 되지 않을까요?" 그녀가 불쑥 말을 꺼냈지만 매키 씨는 그저 심드렁하게 고개를 끄덕이고는 다시 톰에게 관심을 돌려버렸다.

"롱아일랜드에서 좀 더 작업을 해보고 싶어요. 기회만 얻을 수 있다면요. 내가 바라는 건 그저 내가 시작만 할 수 있게 해주었으면 하는 겁니다."

"머틀에게 부탁해봐요." 톰은 월슨 부인이 쟁반을 가지고 들어오자 갑자기 짧은 웃음을 터뜨리며 말했다. "소개장을 써줄 겁니다.

그럴 거지, 머틀?"

"뭐를요?" 그녀가 놀라서 물었다.

"당신 남편한테 줄 소개장을 매키 씨에게 한 장 써줘. 이 양반이 당신 남편을 모델로 해서 습작 좀 할 수 있게 말이오." 그가 속으로 습작 사진의 제목을 지어내는 동안 잠시 조용하게 입술이 움직였다.

"'가솔린 펌프 앞에서의 조지 B. 윌슨'이나 뭐 그 비슷한 거."

캐서린은 내 가까이 몸을 기울이더니 귀에 대고 속삭였다.

"저 두 사람은 다 자기 배우자를 견디지 못하고 있어요."

"그래요?"

"견디지 못하고 있죠." 그녀는 처음에는 머틀을, 그 다음엔 톰을 바라보았다. "제 말은, 상대방을 참을 수 없으면 왜 계속 같이 사느냐는 거예요. 나라면 당장 이혼하고 둘이 결혼하겠어요."

"머틀도 남편을 좋아하지 않나요?"

이에 대한 대답은 뜻밖에도 내 물음을 엿들은 머틀로부터 왔는데 격렬하고 음란했다.

"저것 봐요." 캐서린은 의기양양하게 소리쳤다. 그녀는 다시 목소리를 낮추었다. "저 두 사람이 합치지 못하는 건 실은 저 사람 부인 때문이죠. 부인이 가톨릭이고, 가톨릭은 이혼을 허용하지 않으니까."

데이지는 가톨릭이 아니었기에 나는 그 정교한 거짓말에 약간 충격을 받았다.

"저 사람들이 결혼을 하게 되면 잠잠해질 때까지 한동안 서부로 가서 살 거예요."

"유럽으로 가는 게 더 나을 텐데요."

"아니, 유럽 좋아하세요?" 그녀가 느닷없이 소리를 쳐서 사람을 놀라게 했다. "제가 몬테카를로에서 금방 돌아왔거든요."

"그래요?"

"작년에요. 어떤 아가씨랑 같이 건너갔었죠."

"오래 계셨나요?"

"아뇨. 그냥 몬테카를로만 갔다 왔어요. 마르세유로 해서 갔죠. 갈 때는 천이백 달러 넘게 가지고 갔는데 개인 도박장에서 이틀 만에 몽땅 털리고 말았어요. 돌아올 때 얼마나 애먹었는지 몰라요. 정말이지, 지긋지긋한 곳이었어요."

창밖으로 잠시 늦은 오후의 하늘이 지중해의 푸른 바다처럼 빛났다. 그때 매키 부인의 날카로운 목소리가 나의 눈길을 다시 방 안으로 돌려놓았다.

"저도 하마터면 실수할 뻔했지요." 그녀는 정력에 넘쳐 말했다. "몇 년 동안이나 저를 쫓아다닌 작달막한 유대인하고 결혼할 뻔했으니까요. 그 사람이 저보다 못한 사람이란 걸 알고 있었죠. 다들 이렇게 말했어요. '루실, 그 남자 너보다 한참 못하다니까!' 하지만 체스터를 만나지 않았더라면 분명히 그 사람이 저를 차지하고 말았을 거예요."

"맞아요, 하지만 내 말 좀 들어봐요." 머틀 윌슨이 머리를 끄덕이며 말했다. "적어도 당신은 그 남자와 결혼을 하지는 않았잖아요."

"그래요. 안 했죠."

"그런데 난 했단 말이에요." 머틀은 애매하게 말했다.

"그게 당신 경우와 내 경우의 차이죠."

"언닌 왜 했는데?" 캐서린이 물었다. "아무도 강요하지 않았잖아."

머틀은 생각에 잠겼다.

"점잖은 사람이라 생각하고 했지." 생각 끝에 그녀가 말했다. "배운 데가 있는 사람이라 생각한 거야. 그런데 비위 맞추는 법도 모르는 사람이었어."

"한동안 미쳐 있었잖아." 캐서린이 말했다.

"미쳐 있었다고!" 머틀은 믿기지 않는다는 듯이 말했다. "내가 그 사람에게 미쳐 있었다고 누가 그러든? 난 한 번도 그 사람한테 미쳐본 적 없어. 저 남자한테 미쳐본 적이 없는 것처럼 말이야."

그녀는 갑자기 나를 가리켰고, 그러자 다들 책망하듯 나를 바라보았다. 나는 그녀에게서 애정 같은 건 전혀 기대한 적이 없다는 표정을 지어 보이려 했다.

"미쳤던 적이 딱 한 번 있다면 그건 결혼했을 때야. 그러곤 금방 실수했단 걸 깨달았지. 이 사람이 결혼식 때 남한테 예복을 빌려 입고 와선 나한테는 일언반구도 없었는데 어느 날 이 사람이 나가고 없을 때 옷주인이 옷을 찾으러 온 거야. 하도 어처구니가 없어서 '아, 이게 댁의 옷인가요? 처음 듣는 얘긴데요'라고 했지. 어쨌든 옷을 돌려주고 나서 자리에 드러누워 한나절 내내 엉엉 울어댔어."

"언니는 정말 그 사람과 헤어져야 해요." 캐서린이 나와 하던 이야기로 다시 돌아갔다. "두 사람은 지금 십일 년째 그 정비소에서 살고 있어요. 톰이 언니의 첫 애인이죠."

이제 모두가 위스키 병에 계속 손을 내밀었다. 두 번째 병이었다. "마시지 않아도 기분은 낼 줄 안다"는 캐서린만이 예외였다. 톰이 벨을 울려 수위를 부르더니 샌드위치를 사러 보냈다. 그것만 먹어도 충분히 저녁이 된다는 유명한 샌드위치였다. 나는 밖으로 나가 공원을 향해 동쪽으로 부드러운 황혼 속을 걷고 싶었다. 하지만 나가려고 할 때마다 요란하고 거친 논쟁에 말려들어 나는 밧줄에 묶여 당겨지는 사람처럼 다시 의자에 주저앉곤 했다. 그러나 도시의 하늘 저 높이 줄지어 늘어선 우리의 노란 창문들은 그들이 알고 있는 인간사의 비밀을, 어둠이 내리고 있는 거리의 우연한 관찰자에게 알려주었을 것임이 틀림없다. 나 역시 그처럼 위쪽을 올려다보며 궁금해하는 사람이었다. 나는 집 안에도, 집 밖에도 있으면서 변화무쌍한 삶에 매혹과 혐오감을 동시에 느끼고 있었다.

머틀은 내 곁으로 의자를 끌어당기더니 갑자기 더운 입김을 뿜으며 내게 톰과 처음 만났던 때의 얘기를 쏟아놓았다.

"기차를 타면 언제나 맨 마지막까지 남아 있는, 서로 마주 보게 되어 있는 그 작은 좌석 있잖아요. 거기서였어요. 동생 집에서 하룻밤 지내러 뉴욕으로 올라가는 중이었죠. 그이는 정장에 에나멜 구두를 신고 있었어요. 전 그이에게서 눈길을 뗄 수 없었죠. 하지만 그이가 쳐다보면 그이 머리 위에 있는 광고를 보는 척할 수밖에 없었어요. 역에 도착하고 보니 그이가 내 옆자리로 와 있었더군요. 그이가 와이셔츠 가슴패기로 내 팔을 누르고 있었어요. 그래서 난 경찰을 부를지도 모른다고 했죠. 그인 내 말이 거짓말이란 걸 알고 있었어요. 어찌나 가슴이 뛰던지 그이랑 함께 택시를 탔을 때도 내가 지하철을 안 탔다는 사실을 깨닫지 못할 지경이었어요. 내가 그때 속으로 생각한 게 뭔지 알아요. '영원히 사는 건 아니잖아. 영원히 사는 건 아냐' 하는 거였죠."

그녀는 매키 부인에게 돌아앉았고, 이내 방 안은 그녀의 가식적인 웃음으로 가득 찼다.

"이봐요." 그녀가 소리쳤다. "이 드레스 싫증나면 당장 당신 줄게요. 내일 다른 걸 하나 사야겠어요. 사야 할 걸 다 적어놓아야겠어. 마사지 도구, 파마 도구, 개목걸이, 스프링이 달린 귀엽고 자그만 재떨이 하나, 그리고 어머니 묘에 갖다 놓을 검은 비단 리본 달린 화환 하나. 여름 내내 시들지 않는 거여야 해요. 해야 할 일을 까먹지 않게 적어두어야겠어요."

아홉 시였다. 잠깐 뒤에 다시 손목시계를 보니 열 시였다. 매키 씨는 두 주먹을 꽉 쥔 채 무릎에 놓고 의자에서 잠들어 있었다. 흡사 행동파 사나이처럼 포즈를 취한 사진 같았다. 나는 손수건을 꺼내 그날 오후 내내 신경 쓰였던 마른 비누거품 자국을 그의 볼에서 닦아내주었다.

강아지는 테이블 위에 웅크리고 앉아 담배연기 자욱한 방을 보며 이따금 나직하게 그르렁거렸다. 다들 사라졌다 다시 나타나고, 어딘가로 갈 계획을 세우고, 그러고선 서로를 잃어버리고 서로를 찾다가, 서로를 몇 피트 떨어진 곳에서 발견하곤 했다. 자정이 가까워졌을 무렵 톰 뷰캐넌과 윌슨 부인은 서로 마주 서서 격앙된 목소리로 입씨름을 벌이고 있었다. 윌슨 부인이 데이지의 이름을 입에 올릴 권리가 있는가 하는 문제였다.

"데이지! 데이지! 데이지!" 윌슨 부인이 악을 썼다. "내가 부르고 싶으면 언제든 부를 거야! 데이지! 데이……."

눈 깜짝할 사이의 민첩한 동작으로 톰 뷰캐넌은 손바닥을 들어 그녀의 코를 으스러지도록 내려쳤다.

이어서 화장실 바닥에 피 묻은 수건들이 널리고, 나무라는 여자들의 목소리가 들리고, 그 소란보다 더 높이 단발적인 고통의 울부짖음이 길게 뒤따랐다. 매키 씨는 선잠에서 깨어나 얼떨결에 문 쪽으로 걸어나갔다. 반쯤 가던 그는 다시 돌아서서 방 안의 소동을 물끄러미 바라보았다. 그의 아내와 캐서린이 비난하고 위로하는 말을 번갈아 하면서, 구급약을 가지고 꽉 찬 가구 사이를 이리저리 허둥지둥 오가고 있었고, 처참한 꼴로 소파에 주저앉아 있던 머틀은 피를 줄줄 흘리면서도 베르사유 궁을 짜 넣은 테피스트리를 버릴까 봐 그 위에 《타운 태틀》지를 펼치고 있었다. 매키 씨는 다시 돌아서서 문을 열고 나갔다. 나 역시 샹들리에에 걸어두었던 모자를 집어 들고 그를 뒤따라 나갔다.

"언제 점심이나 하러 오시죠." 투덜거리며 엘리베이터를 타고 내려가는 동안 그가 제안했다.

"어디서요?"

"아무 데서나요."

"그 손잡이 붙잡지 마세요." 엘리베이터 보이가 날카로운 소리로 말했다.

"미안하네." 매키 씨는 근엄하게 말했다. "만지고 있는 줄 몰랐어."

"좋아요." 내가 동의했다. "그렇게 합시다."

……나는 그의 침대맡에 서 있었고, 그는 속옷 차림으로 이부자리 속에 들어앉아 커다란 사진 습작 포트폴리오를 양손에 들고 있었다.

"미녀와 야수…… 고독…… 식료품 가게의 늙은 말…… 브루클린 다리……."

그러고서 나는 펜실베이니아 역의 싸늘한 지하 대합실에 누워 반쯤 잠든 채로 조간판 《트리뷴》지를 노려보며 네 시발 기차를 기다리고 있었다.

3

    내 이웃집에서는 여름 내내 밤마다 음악이 흘러나왔다. 그의 푸른 정원에서는 남자와 여자들이 사람들의 속삭임과 샴페인과 별빛 사이를 부나비처럼 오갔다. 오후의 만조 때가 되면 나는 그의 손님들이 다이빙대에서 물로 뛰어내리거나 해변의 뜨거운 모래밭에서 일광욕을 즐기는 것을 지켜보았다. 그러는 동안 두 대의 모터보트는 폭포처럼 이는 물보라 위로 수상 비행기를 끌며 해협의 물을 갈랐다. 주말이면 그의 롤스로이스가 합승버스 노릇을 하며 오전 아홉 시부터 자정이 훨씬 넘은 시간까지 파티 손님들을 싣고 그의 집과 시내를 오갔고, 그의 스테이션왜건은 기운찬 노란 풍뎅이처럼 모든 기차 시간에 대어 손님을 맞으려 부산스럽게 움직였다. 그러고 나서 월요일이면 따로 부른 정원사를 포함하여 여덟 명의 하인이 대걸레, 빨래솔, 망치, 정원가위 등을 가지고 전날 밤에 망가진 것들을 손보느라 하루 종일 힘들게 일했다.

    금요일마다 다섯 상자의 오렌지와 레몬이 뉴욕의 과일상에서 도착했다. 이 오렌지와 레몬은 월요일마다 껍질만 남은 반쪽이 되어 산더미처럼 뒷문을 나갔다. 식당에 과즙을 짜는 기계가 있어 집사가 엄지손가락으로 조그만 버튼을 이백 번 누르기만 하면 반시간 만에 이백 개의 오렌지에서 주스를 짜낼 수 있었다.

적어도 이 주일에 한번은 한 무리의 연회업자들이 수백 피트의 천막과 함께 개츠비의 거대한 정원을 크리스마스 트리처럼 만들어 줄 수많은 오색 등불을 가지고 왔다. 눈부신 전채(前菜) 요리로 장식된 뷔페 테이블에는 양념하여 구운 햄이 알록달록한 샐러드와 밀가루를 발라 튀긴 돼지고기, 짙은 황금빛이 돌도록 기막히게 구운 칠면조 등과 함께 가득 놓여 있었다. 주 연회장에는 진짜 황동 난간이 달린 술청이 세워졌고, 거기엔 진과 각종 독주, 코디얼주 등이 갖춰져 있었다. 코디얼주는 워낙 오랫동안 잊힌 술이어서 대부분 나이가 어렸던 여자 손님들은 그게 무엇인지 잘 분간하지 못했다.

일곱 시까지는 오케스트라가 도착한다. 빈약한 오인조 악단이 아니라 오보에, 트롬본, 색소폰, 비올라, 코넷, 피콜로, 저음과 고음의 드럼을 다 갖춘 완벽한 악단이다. 마지막까지 수영하던 사람들이 이제 막 해변에서 들어와 위층에서 옷을 입고 있다. 뉴욕에서 온 자동차들이 차도에 다섯 겹으로 주차되어 있고, 홀과 살롱과 베란다는 이미 원색의 물결과 새 유행을 따른 이상한 단발머리와 카스티야산보다 더 좋은 숄들로 가득 차 현란하기 짝이 없다. 술청은 절정이다. 사람들 사이를 둥둥 떠서 돌아다니던 칵테일 쟁반이 이제 바깥 정원까지 나가 구석구석 돌아다닌다. 이윽고 분위기는 잡담과 웃음, 별 뜻 없는 이죽거림, 곧장 잊어버리는 소개 인사, 이름도 몰랐던 여자들끼리의 열띤 대화로 활기를 띤다.

대지가 태양으로부터 더 기울어 멀어지면 불빛들은 더욱 밝아진다. 이제 오케스트라가 노란 칵테일 음악을 연주하고 있다. 오페라를 하는 듯한 사람들의 목소리가 한 옥타브 더 올라간다. 시간이 갈수록 웃음은 헤퍼져서 흥청망청 넘치고, 유쾌한 말 한마디에도 웃음보가 터져 나온다. 그룹의 구성원이 더 빨리 바뀐다. 새로 끼는 사람들로 불어나는가 하면, 금방 흩어졌다가 단숨에 새로 만들어진다. 벌써 이리저리 돌아다니는 이들이 있다. 이들은 분위기가 굳어 있는 그룹들 사이를 이리저리 누비고 다니는 자신만만한 여자들인데, 당장 그룹의 중심인물로 나서 짜릿하고 즐거운 한순간을 만들어주고 난 다음에는 승리감에 취해 다시, 끊임없이 바뀌는 불빛을 받아 바다처럼 변하는 얼굴과 목소리와 색채들 사이를 미끄러지듯 움직인다.

　집시처럼 떠도는 이들 가운데 아롱아롱한 오팔로 장식한 여자 하나가 갑자기 허공에서 칵테일 한 잔을 낚아채어 단숨에 목구멍에 털어넣고 용기를 낸 다음 마치 조 프리스코[재즈 댄스 '블랙 버텀'을 만들었다고 알려진 댄서이자 코미디언. 시가를 물고 중산모를 쓰고 더듬거리는 말투를 사용하는 것으로 유명하다]처럼 손을 놀리면서 천막의 단상에 뛰어올라 혼자서 춤을 춘다. 사람들이 일순 숨을 죽인다. 오케스트라 지휘자는 그녀를 위해 친절하게 리듬을 바꾸어준다. 이윽고 재잘거림이 터져 나오면서 이 여자가 〈지그펠드 시사 풍자극〉에 나오는 질다 그레이[〈지그펠드 시사풍자극〉에 등장한 유명배우. 이 극은 해마다 공연되는 브로드웨이의 버라이어티쇼로 플로렌즈 지그펠드가 연출했다]의 대역 배우라는 엉터리 소문이 돌기 시작한다. 파티는 시작되었다.

내가 처음으로 개츠비의 집에 갔던 날 밤, 나는 아무래도 정식으로 초대받은 몇 안 되는 손님 가운데 하나였던 것 같다. 사람들은 초대를 받고 온 것이 아니었다. 그들은 그냥 왔다. 그저 롱아일랜드로 실어 나르는 자동차를 탔던 것이고 어쩌다 보니 개츠비의 문간에 내리게 된 것이다. 일단 이곳에 도착하면 개츠비를 아는 누군가가 그들을 소개해주었고, 그러고 나면 그들은 놀이공원에서와 같은 행동 규칙에 따라 행동했다. 때로 그들은 개츠비를 아예 만나보지도 않고 왔다 가기도 했고, 그저 단순한 마음 하나만으로 파티에 왔던 것인데 그것이 파티의 입장권이기도 했다.

나는 정식으로 초대를 받았다. 그날 토요일 아침 일찍 청록색의 제복을 입은 운전사가 내 집 잔디밭을 건너와서 그의 주인이 보낸 놀라울 정도로 의례적인 초대장을 건넸다. 내용은 이러했다. 오늘 밤 그의 '약소한 파티'에 참석해주시면 대단한 영광이겠다. 자신은 나를 몇 차례 본 적이 있고 오래전부터 나를 방문하고 싶었으나 이상한 사정이 겹쳐 그러지 못했다. ……그런 다음 위엄 있는 필체로 제이 개츠비라 서명되어 있었다.

나는 흰 플란넬 양복으로 차려 입고 일곱 시가 조금 넘어 그의 집 잔디밭으로 건너가 얼마간 어색한 기분으로 사람들의 소용돌이 속을 어슬렁거렸다. 대부분 모르는 사람들이었으나 통근 기차에서 본 얼굴들도 눈에 띄었다. 나는 어디서나 눈에 띄는 젊은 영국인들의 수에 당장 놀라지 않을 수 없었다. 이들은 다들 잘 차려 입고, 다들 얼마간씩 굶주려 보였으며, 다들 나직하고 진지한 목소리로 알짜의 부유한 미국인들에게 말을 걸고 있었다. 그들은 뭔가를 팔고 있는 게 틀림없었다. 증권이나 보험이나 자동차 같은 것들 말이다. 그들은 적어도 인근의 눈먼 돈에 대해 고통스러울 정도로 잘 알고 있었고 말만 몇 마디 잘하면 그 돈이 자기네 것이 될 수 있다는 확신을 가지고 있었다.

도착하자마자 나는 집주인을 찾아보려 했다. 두세 사람에게 주인의 소재를 물어보았으나 그들이 하도 놀란 표정으로 나를 빤히 쳐다보면서 주인의 동정에 대해서는 아는 바 없다고 하도 격렬하게 말하는 바람에 나는 칵테일이 놓인 테이블 쪽으로 슬그머니 꽁무니를 빼고 말았다. 그곳이야말로 외톨이가 일 없이 혼자 있는 것처럼 보이지 않고 어슬렁거릴 수 있는 유일한 곳이었다.

낭패스러운 기분 때문에 한창 취해가던 참이었다. 조던 베이커가 집 안에서 나와 대리석 계단 꼭대기에 멈춰 서더니 몸을 약간 뒤로 젖힌 채 경멸감과 관심이 뒤섞인 표정으로 정원을 내려다보았다.

지나가는 사람에게 인사말을 건넬 수 있으려면 그전에 나를 반기든 말든 누군가와 짝을 지을 필요가 있었다.

"안녕하세요." 나는 그녀에게 다가가며 크게 소리질렀다. 정원을 가로지르는 내 목소리가 부자연스럽게 크게 울렸다.

"그러잖아도 여기 오실지도 모른다고 생각했어요." 내가 다가가자 그녀는 딴 일에 정신이 팔린 사람처럼 대답했다. "옆집에 사신다는 생각이 나서……"

그녀는 나를 잠시 뒤에 응대하겠다는 표시로 아무 감정 없이 내 손을 잡더니, 계단 아래에 걸음을 멈춰 선 똑같이 노란 드레스를 입은 두 여자의 말에 귀를 기울였다.

"안녕하세요!" 두 여자가 한꺼번에 소리쳤다. "이기지 못해 안되셨어요."

골프 시합에 관한 말이었다. 베이커는 지난주 결승전에서 졌던 것이다.

"저흴 모르시겠지만" 하고 노란 옷차림의 여자 가운데 하나가 말했다. "우리는 댁을 한 달 전쯤에 여기서 뵈었어요."

"그사이 머리를 염색하셨군요." 조던이 말했고 나는 걸음을 옮기기 시작했다. 하지만 여자들은 이미 별 관심 없이 가버린 뒤였기 때문에 그녀의 말은 연회업자의 광주리에서 꺼낸 저녁식사처럼, 일찍 뜬 달에게 중얼거리는 말처럼 되어버렸다. 조던이 날씬한 황금빛 팔을 내 팔에 걸쳤고, 우리는 계단을 내려가 정원을 어슬렁거렸다. 칵테일 쟁반이 황혼 속에서 우리에게 둥둥 떠왔고, 우리는 아까 만난 노란 옷을 입은 두 여자 그리고 또 다른 세 남자와 함께 한 테이블에 앉았다. 세 남자 모두 알아들을 수 없는 이름으로 어물어물 소개되었다.

"이 집 파티에 종종 오시나요?" 조던이 옆자리의 여자에게 물었다.

"저번에 당신을 만났던 게 마지막이었어요." 여자는 기민하고 자신에 찬 목소리로 대답했다. 그녀는 동행한 여자에게 얼굴을 돌렸다. "너도 그렇지 않니, 루실?"

루실도 그렇다고 했다.

"전 여기 오는 게 좋아요." 루실이 말했다. "행동에 신경 쓰이지 않거든요. 그래서 언제나 재미있어요. 지난번에 왔을 땐 의자에 옷을 찢겼는데 그 사람이 제 이름과 주소를 물어보지 않겠어요? 그러고는 일주일이 못 되어 크루아리에 의상실에서 보낸 소포를 받았는데 그 안에 새 이브닝 가운이 들어 있지 뭐예요."

"그걸 받았나요?" 조던이 물었다.

"그럼요. 오늘 저녁에 입으려고 했는데 가슴께가 너무 커서 고쳐야 했어요. 연보라색 구슬이 달린 옅은 푸른색 드레스예요. 이백육십오 달러짜리고요."

"그런 일 하는 사람, 수상쩍은 데가 있어요." 상대방 여자가 열심히 말했다. "누구와도 말썽을 일으키지 않으려 하죠."

"누가 말입니까?" 내가 물었다.

"개츠비 말예요. 누가 제게 그러던데……."

두 여자와 조던은 비밀 이야기라도 하듯 몸을 수그렸다.

"누가 제게 그러던데 그 사람이 사람을 죽인 적이 있는 것 같대요."

모두에게 전율이 스쳐갔다. 이름을 어물어물 말했던 세 명의 아무개 씨는 몸을 수그리고 열심히 귀를 기울였다.

"그 정도까진 아니라고 생각해요." 루실이 미심쩍다는 듯 따지고 들었다. "그보다는 그 사람이 전쟁 중에 독일 스파이였대요."

남자 가운데 하나가 그 말이 맞다는 듯 고개를 끄덕였다.

"독일에서 같이 자라 그 사람에 대해서 훤히 아는 사람에게서 그 말을 들었습니다." 그는 우리에게 자신만만하게 말했다.

"오, 아녜요." 첫 번째 여자가 말했다. "그럴 리 없어요. 전쟁 중에 미군에 있었는걸요." 우리의 믿음이 다시 자기 쪽으로 기울자 그녀는 흥분하여 몸을 앞으로 기울였다. "누가 자기를 보는 줄 모르고 있을 때 그 사람의 표정을 가끔 보세요. 사람을 죽인 게 틀림없어요."

그녀는 눈을 찡그리며 몸을 부르르 떨었다. 루실도 몸을 떨었다. 우리는 모두 고개를 돌리고 개츠비를 찾아 사방을 둘러보았다. 이 세상에 수군거릴 일이 별로 없다고 보는 사람들조차 그에 관해 수군거리는 걸 보면 그가 낭만적인 추측을 불러일으키고 있음이 분명했다.

이제 첫 번째 저녁식사가―자정이 지나면 한 차례 더 있을 예정이었다―나오는 중이었다. 조던이 나더러 자기 일행과 어울리기를 권했다. 일행은 정원의 반대편에 놓인 테이블에 둘러앉아 있었다. 기혼 부부 세 쌍과 조던의 에스코트 격으로 온 대학생이 있었다. 함부로 빗대는 버릇이 있고, 조던이 언젠가는 자기에게 어떤 식으로든 굴복하고 말리라 생각하고 있음이 틀림없는, 끈덕진 성격의 학생이었다. 이 일행은 이리저리 돌아다니기보다 한결같이 위엄 있는 태도를 유지하면서, 시골의 차분한 품위를 대표하는 역할을 자임하고 있었다. 그것은 이스트에그가 웨스트에그를 향해 우월감이 밴 겸양을 보이는 태도이기도 했고, 웨스트에그의 요란하고 현란한 흥겨움을 조심스럽게 경계하는 태도 같은 것이기도 했다.

"나가죠." 어쩐지 쓸모없고 어색하게 여겨지는 반시간을 보낸 뒤에 조던이 속삭였다. "제게는 너무 점잖은 자리예요."

우리는 일어섰다. 그녀는 일행에게 우리가 집주인을 찾으러 간다고 양해를 구했다. 한 번도 만난 적이 없어서요, 그래서 좀 불편해요, 하고 그녀는 말했다. 대학생은 냉소적이고 침울한 태도로 고개를 끄덕였다.

첫 번째로 살펴본 술청은 사람들로 붐볐지만 개츠비는 그곳에 없었다. 계단 꼭대기에서도 찾을 수 없었고, 베란다에도 없었다. 우리는 우연히 중요해 보이는 문 하나를 발견하고 들어가보았다. 들어가보니 천장이 높은 고딕식 서재였는데, 장식을 새긴 영국산 참나무 널로 벽장식이 되어 있고, 방 안에 있는 것들은 온통 해외의 유적지에서 옮겨온 것만 같았다.

커다란 올빼미 안경을 낀 중년의 뚱뚱한 남자 하나가 얼근하게 취한 채로 커다란 테이블 가장자리에 앉아 불안정한 눈빛으로 서가를 골똘하게 바라보고 있었다. 우리가 들어서자 그는 흥분하여 휙 돌아앉으며 조던을 머리에서 발끝까지 샅샅이 훑어보았다.

"어떻게 생각하시오?" 그는 열정적으로 물었다.

"뭘 말이에요?"

그는 서가를 향해 손을 흔들어 보였다.

"저것들 말이오. 하기야 댁네가 굳이 확인할 거야 없소만. 내가 확인했으니까. 저것들은 진짜요."

"책 말입니까?"

그는 끄덕였다.

"틀림없는 진짜요. 페이지도 빠진 게 없고 다른 것도 다 제대로 있어요. 난 저것들이 그저 장정만 그럴듯한 장식용 책들일 거라고 생각했소. 그런데 알고 보니 완전무결한 진짜란 말이오. 페이지

65

랑…… 이것 봐요! 보여드리겠소."

우리가 으레 의심할 거라는 듯이 그는 책장으로 달려가 《스토더드 강연집(Stoddard Lecture)》〔존 스토더드(1850~1931)는 '존 엘 스토더드 강연집'이라는 제목의 일련의 여행서를 냈다. 제1권이 1897년에 나왔다〕 제1권을 가지고 돌아왔다.

"보시오!" 그는 의기양양하게 소리쳤다. "이거 진본 인쇄물이오. 처음에는 나도 속았소. 이 사람은 진짜 벨라스코〔David Belasco (1853~1931). 미국의 극장 매니저이자 제작자로 사실적이고 세부적인 무대 장치로 유명하다〕 같은 사람이오. 이건 하나의 승리라고 할 수 있소. 얼마나 철저하오! 완벽한 리얼리즘이오! 어디서 손을 떼야 할지도 알고 있었소. 페이지를 자르지 않았소. 그런데 선생네는 뭘 원하시오? 뭘 기대하시오?"

그는 내게서 책을 낚아채서 얼른 서가에 다시 꽂아놓았다. 한 권이라도 빠지면 서재 전체가 무너질지도 모른다고 웅얼거리며.

"누가 선생네를 이리로 데려다주었소?" 그는 물었다. "아니면 그냥 오셨소? 나는 누가 데려다줍디다. 대부분이 누군가를 따라오더군."

조던은 경계심을 가지면서도 재미있다는 듯 그를 바라보았다. 대꾸는 하지 않았다.

"난 루스벨트란 여자를 따라왔소." 남자는 말을 이었다. "클로드 루스벨트 부인〔허구의 인물이다. 성은 미국의 대통령 시오도어 루스벨트와 같다〕 말이오. 그 여자 아시오? 어젯밤 어디에선가 그 여자를 만났소. 난 오늘로서 일주일가량은 취해 있는 셈이오. 그래서 서재에 좀 앉아 있으면 정신이 들까 생각했지요."

"정신이 들던가요?"

"약간은 깬 거 같소. 아직은 몰라요. 여기 들어온 지 한 시간밖에 안 되었으니까. 내가 책에 대해 이야기했던가요? 저것들은 진짜요. 저것들은……."

"얘기했습니다."

우리는 그와 엄숙하게 악수를 나누고 다시 밖으로 나왔다.

정원의 천막에서는 이제 춤이 한창이었다. 나이 든 남자들은 멋없는 동작으로 한없이 돌면서 젊은 여자들을 뒤로 밀어내고 있었고, 솜씨가 뛰어난 커플들은 서로를 안고 비비 틀며 세련되게 춤을 추면서 자기들의 구석 자리를 지키고 있었다. 그리고 짝이 없는 많은 여자들은 개성을 살려 혼자서 춤을 추기도 하고 오케스트라에 끼여 잠시 밴조나 타악기 연주자들의 짐을 덜어주고 있었다. 자정 무렵이 되자 신명은 오를 대로 올라 있었다. 유명한 테너 가수가 이탈리아어로 노래를 불렀고, 악명 높은 알토 가수가 재즈풍으로 노래를 불렀으며, 그 사이사이에 사람들은 정원의 사방에서 '장기 자랑'을 했고, 행복하고 공허한 웃음들이 터져 나와 여름 하늘을 향해 솟아올랐다. 무대에 오른 쌍둥이 한 쌍은 기이한 의상을 입고 유치한 단막극 흉내를 냈다. 알고 보니 그들은 노란 옷을 입은 그 여자들이었다. 샴페인이 핑거볼[식탁에서 손가락을 씻는 그릇]보다 더 큰 잔에 담겨 나왔다. 달은 이미 중천에 올라 있었고, 해협에는 은빛 비늘들이 세모꼴로 둥둥 떠서 잔디밭에서 탄주되는 밴조의 팽팽한 금속성 소리에 맞춰 조금씩 떨리고 있었다.

나는 아직 조던 베이커와 함께 있었다. 우리는 내 나이 또래의 남자 하나, 그리고 소란스럽기 짝이 없는 아가씨 하나와 한 테이블에 앉아 있었다. 이 아가씨는 누군가 조금만 우스운 소리를 해도 걷잡을 수 없이 웃음을 터뜨리곤 했다. 나도 이제 자리를 즐기고 있었다. 샴페인을 핑거볼로 두 잔째 마시고 나니 파티 광경이 내 눈앞에서 의미심장하고, 근원적이고, 심오한 어떤 것으로 바뀌어 있었다.

유흥이 잠시 멎었을 때 한 사내가 나를 보고 웃음을 지었다.

"어디선가 뵌 적이 있는 것 같군요." 그가 점잖게 말했다. "전쟁때 1사단에 있지 않았나요?"

"아, 예. 28보병대에 있었습니다."

"저는 1918년까지 16보병대에 있었습니다. 전에 어디선가 뵌 거 같았어요."

우리는 잠시 축축하고 음산한 프랑스의 작은 마을들에 관해 이야기를 나누었다. 그는 이 근처에 살고 있는 게 분명했다. 최근에 수상 비행기를 샀다는 것, 내일 아침이면 타볼 작정이라고 말하는 것으로 봐서 그러했다.

"형씨, 같이 가실래요? 여기 앞바다 해안 근처에서 탈 텐데."

"몇 시에요?"

"형씨 좋은 시간에."

그자의 이름을 막 물어보려는데 조던이 주위를 둘러보고 웃음을 지었다.

"이제 즐거우신가요?" 그녀가 물었다.

"훨씬 좋습니다." 나는 새로 알게 된 남자에게 얼굴을 돌렸다. "이건 제게 아주 별난 파티입니다. 주인도 아직 보지 못했으니까요. 난 저쪽에 삽니다……." 나는 손을 들어 저 멀리 보이지 않는 생울타리를 가리켜 보였다. "그런데 이 개츠비란 사람이 운전사를 시켜 초대장을 보냈어요."

그는 잠시 이해하지 못하겠다는 듯이 나를 바라보았다.

"내가 개츠비입니다." 그가 갑작스레 말했다.

"뭐라고요?" 나는 소리를 질렀다. "아, 죄송합니다."

"난 알고 계시는 줄 알았소, 형씨. 난 주인 노릇을 잘 못하나 봅니다."

그는 이해한다는 듯, 아니 이해하고도 남는다는 듯이 미소를 지었다. 그것은 우리가 평생에 너덧 번이나 만날 수 있을까 말까 한, 상대방을 영원히 안심시켜주는, 아주 보기 드문 미소였다. 그것은 한순간 영원한 세계를 대면하였다가—또는 대면한 듯하였다가—다음 순간 우리를 좋아할 수밖에 없어 우리에게만 집중되는 미소였다. 그것은 우리가 이해받기를 바라는 만큼 우리를 이해하고, 우리가 우리 자신을 믿고 싶은 만큼 우리를 믿고, 우리가 가장 좋은 모습으로 전하고 싶어 하는 우리의 모습을 받아들였음을 확신시켜주었다. 정확하게 그 순간 미소는 사라졌다. 그리고 나는 서른을 한두 해 넘긴 우아하면서도 젊은 무뢰한을 바라보고 있었다. 공들여 격식을 갖춘 그의 어법은 겨우 우스꽝스러움을 면할 만한 수준이었다. 그가 자기 소개를 하기 전에 이미 나는 그가 말을 조심스레 골라 사용하고 있다는 인상을 강하게 받고 있었다.

개츠비 씨가 자신을 밝힌 때와 거의 같은 순간에 집사가 그에게 달려와 시카고에서 전화가 왔다고 알렸다. 그는 우리들 하나하나에게 차례로 가볍게 허리를 굽히고 양해를 구했다.

"뭐든 더 필요하면 시키세요, 형씨." 그는 내게 권했다. "실례합니다. 나중에 다시 오겠습니다."

그가 가고 나자 나는 곧 조던에게 몸을 돌렸다. 그녀에게 내 놀라움을 전하지 않을 수 없었다. 나는 개츠비 씨가 혈색 좋고 뚱뚱한 중년이리라 예상하고 있었던 것이다.

"어떤 자입니까?" 나는 물었다. "아세요?"

"그냥 개츠비란 사람이죠."

"제 말은 어디 출신이냔 거죠. 무슨 일을 해요?"

"이제 당신도 그 주제로 들어섰군요." 그녀는 희미한 미소를 지으며 말했다. "글쎄요, 한때는 옥스퍼드에 다녔다고 하더군요."

그의 배경이 어렴풋이 모습을 갖추기 시작했다. 그러나 그녀의 다음 말에 그것은 사라져버렸다.

"하지만 난 믿지 않아요."

"왜요?"

"글쎄요. 어쩐지 옥스퍼드에 다닌 것 같지 않아요."

그녀의 어조에서 나는 "그가 사람을 죽인 것 같아요"라고 한 다른 여자의 말을 떠올렸고, 그 때문에 나는 호기심이 동했다. 개츠비가 루이지애나 습지대나 뉴욕의 이스트사이드 아래쪽 출신이라고 해도 나는 그 정보를 아무런 의심 없이 받아들였을 것이다. 그건 이해할 만했다. 하지만 젊은 사람들이 어딘지도 모르는 곳에서 뻔뻔하게 흘러들어와 롱아일랜드 해협에 대궐 같은 집을 사지는 않는다. 적어도 내 얕은 경험으로는 그렇다고 믿는다.

"하지만 커다란 파티를 열어요." 조던은 그렇게 말한 후에 구체적인 것을 싫어하는 도시인답게 화제를 바꿨다. "그리고 난 큰 파티가 좋아요. 그런 파티에서는 남의 눈에 신경 쓰지 않아도 되니까요. 작은 파티에 가면 프라이버시가 없죠."

둥―하는 북소리와 함께 갑자기 오케스트라 지휘자의 목소리가 정원의 떠들썩한 소음 위로 크게 울려 퍼졌다.

"신사 숙녀 여러분." 그가 외쳤다. "개츠비 씨의 청으로 여러분을 위해 블라디미르 토스토프의 최신작을 연주해드리겠습니다. 이 작품은 지난 오월 카네기 홀[뉴욕 시의 웨스트 57번가에 있는 큰 연주홀. 일류 음악가들과 오케스트라들이 연주하는 곳으로 유명하다]에서 연주되어 커다란 주목을 받았습니다. 신문을 보셨다면 엄청난 센세이션이 있었다는 것을 알고 계실 겁니다." 그는 전문가다운 겸양으로 쾌활하게 미소 짓고 나서는 덧붙였다. "대단한 센세이션이었죠." 그 말에 다들 웃어댔다.

"이 곡은 블라미디르 토스토프의 〈재즈 세계사〉라고 알려져 있습니다." 그는 힘 있게 말을 마무리했다.

토스토프 씨의 곡이 어떤지는 귀에 제대로 들어오지 않았다. 왜냐하면 연주가 막 시작될 때 개츠비가 대리석 계단 위에 홀로 서서 흐뭇한 눈으로 이 무리 저 무리를 바라보고 있는 모습이 눈에 띄었기 때문이다. 햇볕에 그을린 얼굴 피부는 보기 좋게 팽팽했고, 짧은 머리카락은 날마다 다듬는 듯 말쑥해 보였다. 그에게서 음험한

71

구석은 전혀 발견할 수 없었다. 그가 손님들과 구별되어 보이는 건 술을 마시지 않는다는 사실 때문이 아닐까 하는 생각이 들었다. 분위기가 허물없이 유쾌해질수록 그는 오히려 더 점잖아지는 듯했던 것이다. 〈재즈 세계사〉 연주가 끝나자, 여자들은 강아지처럼 들떠 남자들의 어깨에 머리를 얹거나, 장난으로 남자들의 팔에 기절하여 뒤로 나자빠지는 시늉들을 했다. 심지어는 누군가 붙잡아주리라 믿고 여러 사람 가운데 벌렁 넘어지기도 했다. 하지만 아무도 개츠비에게는 뒤로 나자빠지려고 하지 않았다. 프랑스식 단발머리를 한 여자들도 개츠비의 어깨를 건드리려 하지 않았다. 아무도 개츠비를 끼워넣고 사중창을 할 생각을 하지 못했다.

"실례합니다."

갑자기 개츠비의 집사가 우리 옆에 나타났다.

"베이커 양이십니까?" 그가 물었다. "실례합니다만, 개츠비 씨가 손님하고 두 분이서만 하고 싶은 얘기가 있으시답니다."

"저랑요?" 그녀가 놀라 소리쳤다.

"예, 그렇습니다."

그녀는 눈썹을 추켜올려 내게 놀란 표시를 지어 보이고는 천천히 자리에서 일어나 집사를 따라 집 쪽으로 갔다. 나는 그녀가 야회복을 입어도 운동복을 입은 것처럼 보인다는 사실을 알아차렸다. 하기야 그녀는 어떤 옷도 운동복처럼 입을 것이다. 그녀는 맑고 상쾌한 아침에 골프장에서 처음으로 골프를 배우는 사람처럼 경쾌한 동작으로 움직였다.

나는 혼자가 되었고 시간은 새벽 두 시가 다 되어 있었다. 테라스 위로 창이 많이 달린 기다란 방에서 한동안 혼잡스러우면서도 흥미로운 소리가 들려왔다. 조던의 대학생이 두 명의 코러스걸과 산부인과 얘기를 나누고 있다가 자꾸 나도 이야기에 끼라고 졸라대는 바람에 나는 그를 피하여 안으로 들어갔다.

커다란 방이 사람들로 꽉 차 있었다. 노란 옷을 입은 아가씨 가운데 하나가 피아노를 치고 있었고 옆에서는 유명한 합창단 출신의, 키가 크고 머리가 붉은 젊은 부인이 노래를 부르고 있었다. 그녀는 샴페인을 꽤 마셨는지, 노래를 부르면서 세상만사가 온통 슬프고 슬프다는 엉뚱한 단정을 내리고 있었다. 노래만 부르고 있는 것이 아니었다. 울기까지 했다. 노래를 부르다 쉬는 데가 나올 때마다 그녀는 숨을 헐떡거리며 꺽꺽 흐느꼈고, 그런 다음 다시 떨리는 소프라노 음정으로 노래를 이어나갔다. 볼을 타고 눈물이 흘러내렸다. 하지만 눈물이 두텁게 화장한 눈썹에 닿으면 잉크색이 되어 까만 실개천처럼 느릿느릿 아래로 흘러내렸기 때문에 시원하게 흘러내리지는 못했다. 누군가 웃기느라고 얼굴에 그려진 악보대로 노래 한번 해보라고 하자 여자는 그만 두 손을 들어 올리고서 의자에 털썩 주저앉더니 이내 취기를 이기지 못하고 곯아떨어지고 말았다.

"저 여자, 아까 어떤 남자와 싸웠어요. 남자는 자기가 남편이라고 떠들더군요." 내 곁에 있던 여자가 말해주었다.

나는 주위를 둘러보았다. 보아 하니 남아 있는 여자들은 대부분 남편이라고 하는 남자들과 싸우고 있었다. 조던의 일행 가운데서도 이스트에그에서 온 두 쌍의 부부는 말다툼 끝에 다들 뿔뿔이 흩어져 있었다. 남자 가운데 하나는 어떤 젊은 여배우에게 이상하리

만큼 열심히 말을 걸고 있었는데, 그의 아내는 처음엔 의젓하고 무관심하게 웃어넘기려다가 한순간 자제심을 무너뜨리고 공격을 해대기 시작했다. 틈을 봐서 기회가 날 때마다 성이 난 금강석처럼 불쑥 남편 곁에 나타나 귀에 대고 "당신 약속했잖아!" 하고 식식거렸던 것이다.

집에 돌아가기 싫은 사람들은, 뭐든 제멋대로 하는 남자들뿐만이 아니었다. 이제 홀은, 아쉽게도 전혀 술에 취하지 않아 말짱한 두 명의 남자와 화가 잔뜩 난 그들의 아내들이 차지하고 있었다. 부인들은 약간 격앙된 목소리로 서로를 동정하는 말을 주고받고 있었다.

"저이는 내가 좀 기분을 내고 있는 걸 보면 꼭 집에 가자고 한다니까요."

"그렇게 이기적인 말은 평생 처음 들어요."

"우린 늘 제일 먼저 자리에서 일어난답니다."

"저희도 그래요."

"그런데, 오늘 밤엔 우리가 거의 마지막인 거 같군요." 남자 중의 하나가 주뼛거리며 말했다. "오케스트라도 반시간 전에 갔어요."

그처럼 심보가 나쁠 수가 있다니 믿기지 않는다며 부인들이 입을 모았지만 입씨름은 짤막한 싸움으로 끝나고 두 부인은 발버둥을 치면서 어둔 밤으로 끌려 나갔다.

홀에서 모자를 기다리는 동안 서재의 문이 열리면서 조던 베이커와 개츠비가 함께 밖으로 나왔다. 개츠비는 뭔가 마지막 말을 그녀에게 건네는 중이었는데, 몇 사람이 작별인사를 하러 그에게 다가

가자 열중해 있던 그의 태도가 갑자기 굳어지며 의례적이 되었다.

조던의 일행이 현관에서 참지 못하고 그녀를 불러대고 있었지만 그녀는 악수를 하느라 한동안 더 머뭇거렸다.

"금방 아주 놀라운 얘길 들었어요." 그녀가 나지막이 말했다. "우리가 저 안에 들어간 지가 얼마나 되었죠?"

"글쎄, 한 시간쯤."

"정말…… 놀라운 얘기였어요." 그녀는 멍한 표정으로 되뇌었다. "하지만 아무에게도 말하지 않기로 약속했으니 궁금하시더라도 말할 수가 없네요." 그녀는 내 얼굴에 대고 우아하게 하품을 했다. "언제 저 만나러 오세요……. 전화번호부에서…… 시고니 하워드 부인 찾으세요…… 이모시니까……." 그녀는 그렇게 말하면서 서둘러 나갔다. 갈색 손을 경쾌하게 흔들어 인사하면서 그녀는 문간의 일행과 섞여버렸다.

처음 온 파티에 그처럼 늦게까지 남아 있는 게 좀 쑥스럽게 여겨지면서도 나는 개츠비를 둘러싸고 있는 맨 마지막 손님의 무리에 끼었다. 초저녁에 그를 찾아다녔음을 얘기하고 정원에서 그를 알아보지 못한 것에 대해 사과하고 싶었다.

"그런 말씀 마십시오." 그는 진심으로 내 말을 막았다. "더는 그런 생각 말아요, 형씨." 그 친근한 표현도 허물없었지만 마음 놓으라는 듯 내 어깨를 쓰다듬는 그의 손도 더없이 허물없게 여겨졌다. "그리고 내일 아침 우리 수상 비행기 타러 가는 거 잊지 말아요, 아홉 십니다."

그때 집사가 그의 등 뒤에 나타나 말했다.

"필라델피아에서 전화 왔습니다."

"알았어요. 금방 가겠소. 금방 받겠다고 해줘요……. 잘 가십시오."

"안녕히 계십시오."

"잘 가십시오." 그는 미소를 지었다. 갑자기 내가 마지막까지 남아 있었던 것이 의미 있게 여겨져 기분이 좋았다. 그것을 그가 내내 바라기나 했던 것처럼. "잘 가요, 형씨…… 잘 가요."

하지만 계단을 내려오면서 나는 그날 밤이 아직 끝나지 않았다는 것을 알았다. 문간에서 오십 피트쯤 떨어진 곳에 여남은 개의 자동차 헤드라이트가 기이하고 소란스런 한 광경을 훤히 비추고 있었던 것이다. 개츠비 씨의 차고 앞을 떠난 지 이 분도 안 된 쿠페형 새 자동차 한 대가 길가 고랑에 왼쪽으로 기우뚱 처박혀 있었고 바퀴 하나는 어디론지 험하게 떨어져나가고 없었다. 담의 삐죽하게 튀어나온 부분에 부딪혀 바퀴가 떨어져나간 모양인데 궁금증이 동한 대여섯 명의 운전사들이 그것을 열심히 들여다보고 있었다. 게다가 이들이 세워둔 차들이 길을 막고 있다고 뒤에 있는 차들이 경적을 귀에 거슬리게 한참이나 울려대는 바람에 그렇지 않아도 혼란스럽기 짝이 없는 광경이 더 어지러워졌다.

기다란 먼지막이 외투[자동차에 지붕이 없던 시대에 입었던 기장이 긴 가벼운 외투]를 입은 남자 하나가 부서진 차 안에서 기어 나와 길 한가운데 서서 재밌고도 얼떨떨한 표정으로 차체와 타이어를, 타이어와 구경꾼들을 번갈아 쳐다보았다.

"이것 봐!" 그가 소리질렀다. "고랑에 빠졌어."

그 사실이 그에게는 한없이 놀라운 일인 모양이었다. 놀라는 표정이 하도 유별나 처음에는 그것밖에 눈에 들어오지 않았지만 다음 순간 나는 그가 누구인지 알아볼 수 있었다. 저녁에 만났던 개츠비 서재의 그 단골손님이었다.

"어쩌다 그랬습니까?"

그는 어깨를 으쓱했다.

"난 기계에 대해서는 아무것도 몰라요." 그는 잘라 말했다.

"그래도 어쩌다 그렇게 됐습니까? 벽에다 박았나요?"

"모르겠소이다." 올빼미눈의 남자는 이 일에 책임이 없다는 식으로 말했다. "운전에 대해선 잘 몰라요. 아무것도 모른다 해야 맞소. 사고가 났다는 것밖에는. 아는 건 그게 전부요."

"글쎄, 운전이 서투르시면 밤길에 운전할 생각을 마셔야지."

"그럴 생각 전혀 없었소이다." 그는 성을 내며 말했다. "전혀 없었어."

한순간 구경꾼 사이에 숙연한 침묵이 흘렀다.

"자살하고 싶으신가요?"

"바퀴 하나만 빠져 운이 좋은 겁니다! 운전도 서툴면서 운전을 잘할 생각이 없었다니!"

"잘못 알아들으셨소." 죄지은 자가 설명했다. "내가 운전한 게 아니란 말이요. 차에 사람이 하나 더 있소이다."

이 말에 충격은 받은 사람들이 "아―!" 하고 길게 탄성을 내지르는데 그때 자동차의 문이 천천히 열렸다. 군중은―이제 군중이 되어 있었다―반사적으로 뒤로 물러섰고, 문이 활짝 열리자 한순간 모두가 죽은 듯이 숨을 죽였다. 그런 다음 아주 천천히 조금씩 조금씩, 얼굴이 해쓱해진 사람 하나가 부서진 차에서 더듬더듬 빠져나와, 커다란 무도화를 신은 발을—마치 처음 신어 시험해보듯이—땅바닥에 조심스럽게 내디뎠다.

자동차의 전조등 불빛에 앞이 보이지 않는데다 끊임없이 울려대는 경적 소리에 혼이 나간 유령은 한동안 휘청거리며 서 있더니 비로소 먼지막이 외투를 입은 남자를 알아보았다.

"어떻게 된 겁니까?" 그는 담담하게 물었다. "휘발유가 떨어진 건가요?"

"저것 좀 봐요!"

대여섯 사람의 손가락이 일제히 떨어져나간 바퀴를 가리켰다. 그는 잠시 그것을 빤히 바라보더니 이번에는 그게 하늘에서 떨어진 게 아닌가 하는 것처럼 위를 올려다보았다.

"바퀴가 빠져버렸어요." 누군가 설명했다.

그는 고개를 끄덕였다.

"처음엔 차가 멈춘 것도 몰랐습니다."

짧막한 침묵. 그런 다음 숨을 길게 들이쉬고 어깨를 펴며 그는 마음을 작정한 듯 말했다.

"주유소가 어디인지 좀 가르쳐주실 분 있을까요?"

적어도 열두어 명의 사람이—그 중에는 상태가 그보다 좀 더 나은 사람들도 있었는데—바퀴와 자동차가 이제는 어떤 물리적 관계로도 한데 붙어 있지 않음을 설명해주었다.

"뒤로 빼야겠어요." 그는 잠시 뒤에 자기 생각을 말했다. "후진

시켜요."

"바퀴가 빠졌잖아요!"

그는 망설였다.

"해봐서 나쁠 건 없잖아요." 그가 말했다.

빵빵거리는 경적 소리가 최고조에 달한 가운데 나는 돌아서 집을 향해 잔디밭을 가로질러 걸어갔다. 나는 힐끗 뒤를 돌아보았다. 밀전병 같은 달이 개츠비의 집 위에서 환하게 빛나며 여전히 밤을 곱게 단장하고 있었고, 웃음소리와 소음이 사라진 아직까지도 휘황한 개츠비의 정원을 내리비치고 있었다. 갑자기 창문들과 커다란 문들에서 알 수 없는 공허감이 흘러나와 집주인의 모습을 더없이 고독한 모습으로 만들고 있는 것 같았다. 그는 그때 포치에 서서 작별인사의 동작으로 손을 들어 올리고 있었다.

지금까지 쓴 것을 다시 읽어보니 그동안 나의 관심을 사로잡은 것이라곤 몇 주일의 간격을 두고 세 번의 밤에 일어난 사건들뿐이라는 인상을 준 것 같다. 그러나 오히려 그 일들은 다사다난했던 어느 여름에 일어난 우연한 사건들에 지나지 않았다. 그때까지만 해도 나 자신의 일에 비하면 그 일들은 관심을 거의 끌지 못했다. 적어도 한참 뒤까지는 말이다.

대부분의 시간을 나는 일을 하며 보냈다. 이른 아침, 태양이 내 그림자를 길게 서쪽으로 드리울 때 나는 프로비티 신탁회사를 향해 뉴욕 시 남쪽의 흰 고층건물들의 틈새를 바쁘게 걸어 내려갔다. 다른 직원들이나 젊은 증권 세일즈맨들과는 허물없는 사이여서 나는 그들과 어둡고 북적거리는 식당에서 돼지 소시지 조금과 으깬 감자와 커피로 점심을 들었다. 저지 시에 살면서 회계과에 근무하는 한 아가씨와 나는 잠시 연애를 하기도 했다. 하지만 그녀의 오빠가 나를 향해 못마땅한 눈길을 보내기 시작하자 그 아가씨가 칠월에 휴가를 떠난 것을 계기로 나는 그 일을 조용히 없던 것으로 해버리고 말았다.

저녁은 보통 예일 클럽〔예일대 졸업생들과 교수들을 위한 클럽으로 뉴욕의 그랜드 센트럴 역 맞은편에 있다〕에서 먹었다. 왜 그런지 모르겠지만 이때가 하루 가운데 가장 우울한 시간이었다. 저녁을 먹고 나면 위층의 도서관으로 올라가 한 시간 동안 진지하게 투자와 증권에 대해 공부를 했다. 클럽에는 으레 소란꾼들이 몇 사람 있게 마련이었지만 그들이 도서관까지는 들어오지 않아 공부하기에는 좋은 장소였다. 공부가 끝나면, 밤 날씨가 푸근할 경우 나는 매디슨 가를 어슬렁어슬렁 걸어 유서 깊은 머리 힐 호텔을 지나, 33번가를 거쳐 펜실베이니아 역〔뉴욕 시에 있는 커다란 기차역〕까지 갔다.

나는 뉴욕이 좋아지기 시작했다. 뉴욕의 밤은 활기에 넘치고 모험에 가득 찬 느낌을 주었고, 끊임없이 명멸하는 남녀와 자동차들이 우리의 호기심 어린 눈에 만족감을 안겨주었다. 나는 5번가를 걸어 올라가면서 군중 가운데서 낭만적으로 보이는 여자들을 골라낸 다음, 몇 분 뒤에는 그들의 생활 속에 들어가보는 상상을 해보며 좋아했다. 내가 그런 상상을 하리라는 건 누구도 알 길이 없고 아무도 흉볼 사람이 없었다. 때로는 마음속으로 여자들을 따라 호젓한 거리 모퉁이에 있는 그들의 아파트까지 가보기도 했다. 그들은 내게 돌아서 싱긋 미소를 짓고는 문을 열고 따뜻한 어둠 속으로 희미하게 사라진다. 마법에 걸린 대도시의 황혼 녘에 나는 때로 엄습해오는 외로움을 느끼기도 했다. 그 외로움을 나는 다른 이들에게서도 보았다. 쇼윈도 앞을 어슬렁거리며 식당에서 홀로 저녁 먹을 시간을 기다리는 가엾은 젊은 사무원들, 저녁 어스름 속에서 밤과 삶의 가장 강렬한 순간을 낭비해버리고 마는 젊은 사무원들에게서 말이다.

다시금 여덟 시가 되어 40번가[극장가로 알려진 웨스트 43번가로부터 웨스트 49번가까지의 거리를 말한다]의 어두운 골목길에서 극장가로 향하는 택시들이 다섯 줄로 늘어서서 부릉거리고 있는 것을 보면 나는 기분이 우울해졌다. 택시 안에는 서로 기대 앉은 사람들의 그림자가 차가 떠나기를 기다리고 있었고, 목소리들이 즐겁게 울려왔으며, 무슨 농담을 했는지 들리지 않았지만 웃음소리가 들려왔고, 담뱃불들이 차 안에서 기묘한 원을 그렸다. 나 역시 즐거움을 향해 달려가고 있고 그들의 은밀한 흥분을 나 역시 느끼고 있다고 상상하며 나는 그들에게 행운을 빌어주었다.

한동안 조던 베이커의 모습을 볼 수 없다가 한여름이 되어서야 다시 볼 수 있었다. 처음에는 그녀와 돌아다니는 것이 우쭐한 기분이었다. 골프 챔피언이라 그녀 이름을 모르는 사람이 없었기 때문이다. 그런 다음 그 이상의 것이 있었다. 그녀를 사랑한다고는 할 수 없었지만 정이랄까 호기심이랄까 하는 것을 느끼고 있었다. 세상을 대하는 그녀의 따분해하는 오만한 얼굴, 그것은 무언가를 감추고 있었다. 하기야 대부분의 가식은, 처음에는 그러지 않다 할지라도, 결국에는 무언가를 감추기 마련이지만. 그러던 어느 날 나는 그것이 무엇인지를 알아냈다. 우리가 워릭〔뉴욕 시의 북쪽 교외〕에서 함께 어느 집 파티에 갔을 때였는데 그녀는 남에게서 빌려 탄 차를, 지붕을 내려놓은 채로 빗속에 세워놓고 와서 거짓말을 했다. 불현듯 그때 나는 데이지네 집에 갔던 날 밤에는 떠오르지 않았던 그녀에 관한 이야기가 생각났다.

그녀가 중요한 골프 시합에 처음 참가했을 때 거의 신문에까지 날 뻔했던 소동이 있었다. 준결승전에서 그녀가 좋지 않은 위치에 있던 골프공을 다른 곳으로 옮겨놓았다는 말이 있었던 것이다. 그 일은 거의 스캔들이 될 지경까지 이르렀다가 결국은 유야무야되고 말았다. 캐디가 자신의 진술을 철회했고 한 사람뿐이었던 다른 목격자는 자기가 잘못 보았을 수도 있다는 것을 인정했던 것이다. 그러나 그 사건은 그녀의 이름과 함께 내 마음속에 남아 있었다.

조던 베이커는 본능적으로 영리하고 예리한 남자들을 피했다. 이제야 나는 그 이유를 알 수 있었다. 그것은 규범을 벗어나는 것을 조금도 생각하지 못하는 남자들에게서 그녀가 더 안전감을 느끼기 때문이었다. 그녀는 구제불능일 만큼 부정직했다. 그녀는 자신이 불리한 입장에 서는 것을 견디지 못했다. 그래서 그런 싫은 경우에 부딪히면 세상을 향해 그 차갑고 오만한 미소를 던지기 위해, 그러는 동시에 자신의 단단하고 발랄한 육체의 욕구를 충족시키기 위해 어렸을 적부터 속임수와 거래하기 시작했던 것 같다.

그렇다고 내 감정이 달라진 것은 아니었다. 여자의 부정직이란 심하게 탓할 것이 아니다. 나는 가벼운 아쉬움을 느꼈으나 그러고는 잊어버렸다. 우리가 자동차 운전에 대해 이상한 대화를 나누었던 것은 바로 워릭의 파티에 갔던 날이었다. 그녀가 지나가던 어떤 직공들 옆으로 너무 가까이 차를 몰고 가다가 차의 펜더로 한 사내의 웃옷 단추를 건드렸는데 이야기는 그 때문에 나왔다.

"운전 솜씨가 형편없군요." 내가 핀잔을 주었다. "더 조심하든지 아니면 아예 운전을 하지 말든지 해야겠어요."

"조심해서 하고 있어요."

"그렇지 않아요."

"그럼, 다른 사람들이 조심하겠지요." 그녀는 가볍게 대꾸했다.

"그게 이 일과 무슨 상관이 있어요?"

"다른 사람들이 길을 비켜주니까요." 그녀는 우겼다. "양쪽 다 문제가 있어야 사고가 일어나죠."

"당신처럼 조심성 없는 사람을 만나면 어떡하고요."

"그러지 않길 바라야죠." 그녀가 대답했다. "전 조심성 없는 사람들 싫어요. 그래서 당신을 좋아하죠."

햇빛에 지친 그녀의 잿빛 눈은 똑바로 앞을 응시하고 있었지만 그녀는 의식적으로 우리의 관계를 진전시켜놓은 셈이었다. 한순간 나는 그녀를 사랑한다고 생각했다. 그러나 나는 생각이 느린데다 내 욕망에 브레이크를 거는 내면의 규칙들을 많이 가지고 있는 사람이다. 나는 무엇보다 고향 쪽에 얽혀 있는 일에서 우선 분명하게 벗어나야 한다는 걸 알고 있었다. 나는 그동안 일주일에 한번씩 편지를 쓰면서 그 편지들을 "사랑하는 닉"이라고 끝맺고 있었다. 그러면서 생각나는 것은 그 여자가 테니스를 칠 때 윗입술 위에 희미한 콧수염처럼 맺히는 땀방울뿐이었다. 그럼에도 불구하고 이 모호한 관계를 요령 있게 끊어버리지 않고서는 자유로워질 수 없었다.

사람은 누구나 자신이 기본적인 덕목 중에 한 가지는 갖추고 있다고 생각하는 법이다. 내가 가진 덕목은 이것이다. 내가 지금까지 알아온 소수의 정직한 사람 가운데 나도 포함된다는 것이다.

4

일요일 아침 교회 종소리가 바닷가 마을에 울려 퍼지자 연인을 동반한 상류 사회 사람들이 개츠비의 집으로 돌아와 찬란한 빛을 발하며 그의 잔디밭을 흥겹게 누볐다.

"밀주업자〔미국에서는 1919~1933년까지 밀주법이 시행되었다. 이때 불법 밀주업자들이 성행했다〕래요." 젊은 부인들이 그의 칵테일과 꽃들 사이를 오가며 말했다. "사람을 죽인 적도 있답니다. 어떤 사람에게 폰 힌덴부르크〔1차 세계대전 때 독일군 원수였고 나중에 대통령이 된 파울 폰 힌덴부르크 (1847~1934)〕의 조카이고 악마와 육촌 사이라는 게 들통나자 그자를 죽여버렸대요. 여보, 장미 한 송이만 따주세요. 그리고 마지막으로 거기 있는 크리스털 잔에 딱 한 방울만 따라주시고요."

한번은 기차 시간표 여백에 그 여름 개츠비의 집에 왔던 사람들의 이름을 적어본 적이 있다. 이제는 오래된 시간표라서 접힌 데가 다 해졌는데 위쪽에 "이 시간표는 1922년 7월 5일부터 시행함"이라고 인쇄되어 있다. 그래도 그 흐릿한 이름들을 아직 알아볼 수가 있다. 개츠비의 환대를 받고 그에 대한 답례로 고작 그에 대해서는 아무것도 모른다는 식으로 애매하게 얼버무리는 사람들에 대해 내가 막연한 말로 대충 설명하는 것보다는 이 이름들을 직접 열거하는 게 독자 여러분에게는 더 분명한 인상을 줄 것이다.

이스트에그에서는 당시 체스터 베커 부부, 리치 부부, 그리고 내가 예일에서 알고 지냈던 번슨이라는 남자, 또 지난여름 메인 주에서 물에 빠져 죽은 의사 웹스터 시벳 등이 왔다. 그리고 혼빔 부부와 윌리 볼테어 부부, 또 블랙벅 일가는 모두 왔는데 이들은 늘 한쪽 구석에 모여 있다가 누가 옆으로 가까이 오면 염소처럼 코를 벌름거렸다. 또 이즈메이 부부, 크리스티 가족(아니 휴버트 아우어바흐와 크리스티 씨 부인이라고 해야 옳을 것이다), 그리고 에드거 비버가 왔다. 사람들 말로는 비버의 머리카락이 어느 겨울날 오후에 별 이유도 없이 목화처럼 하얗게 변해버렸다고 한다.

내가 기억하기로 클래런스 엔다이브는 이스트에그에서 왔다. 그는 흰 니커보커 바지 차림으로 딱 한 번 왔는데 에티라는 건달하고 정원에서 싸웠다. 롱아일랜드의 변두리에서는 치들 부부, O. R. P. 슈레이더 부부, 조지아 주의 스톤월 에이브럼 부부, 피시가드 부부, 리플리 스넬 부부가 왔다. 스넬은 교도소에 들어가기 전에 그곳에서 사흘이나 지냈는데 잔뜩 취해 자갈 깔린 차도에 나가 자빠졌다가 율리시스 스웨트 부인의 차에 오른손을 깔리고 말았다. 댄시 부부도 왔고, 예순이 한참 넘은 S. B. 화이트베이트, 그리고 모리스 A. 플링크, 해머헤드 부부, 담배 수입업자 벨루가, 그리고 벨루가의 딸들이 왔다.

웨스트에그에서는 폴 부부, 멀레디 부부, 세실 로벅, 세실 쇼언, 주 상원의원 글릭스, 영화사 '필름스 파 엑셀런스'를 장악하고 있는 뉴턴 오키드, 에크하우스트, 클라이드 코언, 돈 S. 슈어츠(아들), 아서 멕카디 등이 왔는데, 모두 이런저런 방식으로 영화와 연을 맺고 있는 사람들이었다. 그리고 캐틀립 부부, 뱀버그 부부, G. 얼 멀둔도 왔는데 이 사람은 나중에 아내를 목졸라 죽인 멀둔과 형제 간이었다. 프로모터인 다 폰타노도 거기에 왔다. 그리고 에드 리그로스와 제임스 비 ('롯것') 페릿, 그리고 드 종 부부, 어니스트 릴리가 있다. 그들은 도박을 하러 왔는데, 페릿이 어슬렁거리며 정원으로 나오면 그건 그가 깨끗이 털렸으니 이튿날 연합철도의 주가가 널을 뛰어야 한다는 뜻이었다.

클립스프링어라는 사내는 그곳에 너무 자주 오고 너무 오래 머물러 '하숙생'으로 알려지게 되었다. 그에게 다른 집이 있었는지 의심스럽다. 연극계의 사람들로는, 거스 웨이즈, 호레이스 오도너번, 레스터 마이어, 조지 덕위드, 프랜시스 불이 왔다. 또 뉴욕에서 크롬 부부, 백히슨 부부, 베니커 부부, 러셀 베티, 코리건 부부, 켈러허 부부, 듀워 부부, 스컬리 부부, S. W. 벨처, 스머크 부부, 지금은 이혼한 젊은 �퀸 부부, 타임스 스퀘워에서 달려오는 지하철에 뛰어들어 자살한 헨리 L. 팔미토 등이 왔다.

베니 맥클리너핸은 늘 네 명의 여자와 함께 왔다. 이 여자들은 실제로는 서로 다른 사람들이었음에도 불구하고 너무나 비슷하게 생겨서 전에도 왔던 사람들이 아닌가 하는 생각이 절로 들었다. 이름들이 뭐였는지는 생각이 안 난다. 재클린이었던가, 아니면 콘스엘라, 아니면 글로리아, 주디, 아니면 준이었을까. 이들의 성은 듣기 좋은 꽃이나 달(月) 이름이었거나 미국의 대자본가들 이름처럼 더 엄숙한 것이었을 것이다. 캐물어보면 자기들이 실은 그들의 사촌뻘이 된다고 고백했을지도 모른다.

이 사람들 말고도 포스티나 오브라이언이 적어도 한번은 그곳에 왔던 것으로 기억되고, 베데커 집안의 딸들과 전쟁 중에 코를 날려버린 젊은 브루어, 올브럭스버거 씨와 그의 약혼녀 하그 양, 아디터 피츠피터스, 한때 미국 재향군인회 회장을 지냈던 P. 주웨트 씨, 자기 운전기사라고 알려진 남자와 함께 왔던 클로디아 힙 양, 그리고 우리가 공작이라고 불렀던 어느 나라인가의 왕족, 그때야 이름을 알았겠지만 지금은 생각이 안 난다.

이 모든 사람이 그해 여름 개츠비의 집에 왔었다.

칠월 하순의 어느 날 아침 아홉 시, 개츠비의 호화로운 자동차가 돌투성이 차도를 흔들흔들 올라와 내 집 문 앞에 와서 멈춰 서더니 세 음정 경적의 멜로디를 빵빵 울려댔다. 그가 나를 찾아온 것은 처음이었다. 나로 말하면 이미 그의 파티에 두 번이나 갔었고 그의 수상 비행기를 탄 적이 있으며, 그의 끈질긴 초대에 못 이겨 그의 집 쪽 해변을 자주 이용하기는 했지만 말이다.

"안녕하시오, 형씨? 오늘 저랑 점심이나 합시다. 제 차로 같이 가시면 어떨까요."

그는 미국인 특유의 풍부한 몸동작으로 자동차 대시보드 위에 비스듬히 서 있었다. 나는 그러한 동작이 젊었을 때 무거운 물건을 드는 일을 해보지 않은 데서, 더 나아가 우리가 때때로 벌이는 예민해지기 쉬운 경기들이 갖는 무형식의 아름다움에서 나오는 게 아닌가 생각한다. 이러한 특질은 그의 세심한 매너를 끊임없이 무너뜨리고 불안정한 모습으로 나타났다. 그는 잠시도 가만히 있질 못했다. 항상 어딘가를 한 발로 탁탁 두드리고 있거나 그냥 진득이 있지 못하고 손을 쥐었다 폈다 했다.

그는 차를 구경하면서 감탄하고 있는 나를 보았다.

"멋지지 않아요, 형씨?" 그는 내가 차를 좀 더 잘 볼 수 있도록 차에서 펄쩍 뛰어내렸다. "이런 차를 전에도 본 적이 있나요?"

본 적이 있었다. 누구나 한번씩은 보았을 것이다. 짙은 크림색에, 니켈 장식이 번쩍이고, 괴물처럼 긴 차체의 여기저기에 모자 상자며 음식 상자며 연장 상자 등이 뽐내듯 튀어나와 있고, 열 개도 넘는 태양을 반사하는 미로 같은 앞유리창이 달려 있었다. 일종의 초록 가죽 온실 같은 곳에서 우리는 몇 겹의 유리 뒤에 앉아 시내를 향해 출발했다.

나는 지난 한 달 사이 그와 대여섯 번쯤 이야기를 나눴던 것 같다. 그런데 실망스럽게도 그에겐 이야기거리가 별로 없었다. 그래서 내 첫인상, 그러니까 분명치는 않아도 그가 뭔가 중요한 인물일지도 모른다는 인상은 차츰 사라지고 이제 나에게 그는 그저 이웃의 화려한 여관집 주인이 되어 있었다.

그러던 차에 이렇게 거북살스러운 자동차 동승을 하게 되었던 것이다. 웨스트에그 빌리지에 들어서면서 개츠비는 그가 사용하던 고상한 어투의 뒤끝을 얼버무리며 뭔가 망설여지는 일이나 있는 듯 손바닥으로 캐러멜색 양복 무릎을 탁탁 치기 시작했다.

"이봐요, 형씨." 그가 불쑥 입을 열어 나를 놀라게 했다. "날 도대체 어찌 보시오?"

나는 약간 당황하여 막연한 말로 얼버무리기 시작했다.

"그건 그렇고, 당신에게 내 인생 얘기를 좀 하죠." 그는 내 말을 가로막았다. "떠도는 얘기들을 듣고 당신이 나를 잘못 생각하지 않기를 바라서요."

그러고 보니 그는 자기 집 홀 안의 대화를 흥미롭게 하던 그 기이한 험담들에 대해 잘 알고 있었다.

"하나님을 걸고 진실을 말하겠소." 갑자기 그는 거짓을 말하면 천벌이라도 받겠다는 듯 오른손을 들어 맹세의 표시를 했다. "나는 중서부의 재력 있는 집안의 아들로 태어났소. 가족은 이제 다 죽고 없습니다만. 미국에서 자랐지만 교육은 옥스퍼드에서 받았습니다. 선조들이 다 대대로 거기서 교육을 받아왔으니까요. 집안 전통이죠."

그는 곁눈질로 나를 쳐다보았다. 조던 베이커가 왜 그가 거짓말을 하고 있다고 단정했는지 알 수 있었다. 그는 "교육은 옥스퍼드에서 받았다"는 말을 아주 빠르게 했다. 아니 그 말을 꿀꺽 삼켜버렸다고 해야 할까, 아니면 그걸 목 안으로 넘기느라 숨가빠했다고 해야 할까. 그 말을 하느라 전에도 괴로웠던 적이라도 있었던 것 같았다. 일단 이런 의심이 들자 그가 하는 모든 이야기가 종잡을 수 없는 것이 되어버렸다. 그러고 보니 이자에게는 역시 어딘가 음험한 구석이 있는 것 같다는 생각이 들었다.

"중서부 어딥니까?" 나는 지나가는 투로 물었다.

"샌프란시스코."

"그렇군요."

"가족들이 다 죽어 상당한 돈이 수중에 들어오게 되었습니다."

그의 목소리는 자못 엄숙했다. 갑작스런 가문의 단절에 대한 기억이 아직도 마음에서 떠나지 않는 듯했다. 한순간 이 사람이 지금 나를 놀리고 있는 게 아닌가 하는 생각이 들었다. 하지만 그를 한 번 힐끔 쳐다보고서는 그렇지 않다는 확신이 들었다.

"그런 뒤 나는 인도의 젊은 왕자처럼 살았습니다. 파리며, 베네치아며, 로마며, 유럽의 수도들은 다 돌아다니면서 보석을 수집했죠. 주로 루비를 모았어요. 맹수 사냥도 하고, 그림도 좀 그리고. 그건 물론 혼자서 하는 심심풀이였지만. 그러면서 난 오래전에 겪었던 어떤 가슴 아픈 일을 잊어버리려고 애썼습니다."

나는 그 믿을 수 없는 얘기에 터져 나오려는 웃음을 간신히 참았다. 그가 동원하고 있는 말들은 너무 닳고 닳아 터번을 두른 캐릭터 인형이 구멍마다 톱밥을 흘리며 불로뉴 숲에서 호랑이를 추격하는 이미지밖에 떠오르지 않았다.

"그러다가 전쟁이 났어요, 형씨. 그게 내게는 커다란 구원이었습니다. 죽으려고 무진 애를 썼습니다. 하지만 내 목숨은 마법에 걸린 것 같았어요. 전쟁이 시작되었을 때 중위로 임관했지요. 아르곤 숲[1차 세계대전 때 미군이 독일군에게 압승을 거둔 프랑스 동부 지역의 숲. 물론 개츠비의 얘기는 실제 상황과 무관하다] 전투에서 내가 기관총 대대의 잔여 병력을 끌고 너무 앞으로 나가는 바람에 우리 편 양쪽에 반 마일가량 틈이 생겨 보병 부대가 전진할 수 없게 되어버렸습니다. 우리는 이틀 낮 이틀 밤 꼬박 그곳을 지켰습니다. 백삼십 명의 인원이 루이스식

기관총 16정을 가지고요. 마침내 보병이 와서 시체 더미 속에서 독일군 3개 사단의 휘장을 발견했습니다. 나는 소령으로 승진했지요. 그러고 나니까 연합국에서는 가는 곳마다 훈장을 주더군요. 심지어는 몬테네그로, 저 아드리아 해에 있는 그 조그만 몬테네그로에서도 말입니다!"

조그만 몬테네그로! 그는 그 말을 소리 높여 말하면서 고개를 끄덕였다. 그러고는 빙그레 미소까지 지었다. 그것은 몬테네그로의 고난의 역사를 이해하고 몬테네그로 사람들의 용감한 투쟁에 공감한다는 미소였다. 또한 몬테네그로의 작지만 따뜻한 마음으로부터 이와 같은 감사의 표시를 하게 만든 일련의 나라 정세를 완전히 이해하고 있다는 듯한 미소였다. 내 불신은 이제 매혹에 빨려들어 밑으로 가라앉고 말았다. 나는 마치 여남은 권의 잡지를 급히 훑어본 것 같았다.

개츠비는 호주머니에 손을 집어넣었다. 리본에 매달린 금속 하나가 내 손바닥에 떨어졌다.

"이게 몬테네그로에서 받은 겁니다."

놀랍게도 그 물건은 진짜처럼 보였다. '다닐로 훈장'이라는 글자, 그리고 '몬테네그로, 니콜라스 왕'이라는 글자가 원 모양으로 새겨져 있었다.

"뒤집어보세요."

"제이 개츠비 소령, 특별 무공을 기리며" 하고 나는 소리 내어 읽었다.

"여기, 내가 늘 갖고 다니는 게 또 하나 있습니다. 옥스퍼드 시절의 기념품이죠. 트리니티 대학〔옥스퍼드에 있는 대학의 하나〕 안뜰에서 찍은 겁니다. 내 왼쪽에 있는 사람이 현재 동캐스터 백작이지요."

그것은 운동복 차림의 청년 대여섯이 아치 통로 아래서 어슬렁거리고 있고, 아치 사이로 수많은 뾰족탑들이 보이는 사진이었다. 거기에 지금보다 약간—많이는 아니고—젊어 보이는 개츠비가 크리켓 배트를 들고 서 있었다.

그렇다면 모든 것이 사실이었다. 나는 그랜드 운하〔베네치아의 주요 운하〕의 궁궐 같은 그의 집에서 불꽃무늬로 타오르고 있는 호랑이 가죽을 보았다. 나는 그가 루비 상자를 열고 보석들의 심원한 진홍빛을 바라보며 상처받은 마음의 고통을 달래고 있는 모습을 보았다.

"오늘 어려운 청을 하나 드리려고 합니다." 그는 흡족한 표정으로 기념품들을 호주머니에 넣으며 말했다. "그래서 형씨가 나에 관해 좀 알아두시는 게 좋겠다고 생각했습니다. 형씨가 나를 그냥 아무것도 아닌 사람이라고 생각하지 말아줬으면 했습니다. 보다시피 나는 주로 낯선 사람들 사이에서 지내는데 그건 지난날의 슬픈 일을 잊으려고 여기저기 떠돌아다니기 때문입니다." 그는 잠시 망설였다. "오후에 그 얘기를 해드리기로 하죠."

"점심때요?"

"아뇨, 오후에요. 어쩌다 형씨가 가끔 베이커 양과 찻집에 다닌다는 걸 알게 되었습니다."

"베이커 양을 사랑하고 계신단 말입니까?"

"아니에요, 형씨. 그렇지 않습니다. 하여간 베이커 양이 친절하게도 이 문제로 당신에게 말을 해주겠다고 하더군요."

도대체 '이 문제'라는 것이 무엇인지 전혀 짐작이 가지 않았다. 하지만 흥미롭다기보다 귀찮다는 생각이 들었다. 조던에게 차를 마시자고 한 것은 제이 개츠비 씨 문제를 토론하자는 것이 아니었다. 그 부탁이란 것도 엉뚱한 것일 거라는 느낌이 분명해지자 나는 잠시 사람들로 넘치는 그의 잔디밭에 발을 들여놓은 것이 후회가 되었다.

그는 한마디도 더 하려 하지 않았다. 뉴욕이 가까워지자 그의 거동은 한결 점잖아졌다. 우리는 붉은 띠를 두른 외항선들이 얼핏얼핏 비쳐 보이는 루스벨트 항〔실제로 이런 이름의 장소는 없다〕을 지나, 빛바랜 1900년대식임에도 불구하고 아직도 찾는 이들이 있는 어두컴컴한 술집들이 줄지어 선 빈민굴의 자갈길을 빠른 속도로 지나갔다. 그러자 곧 우리 양쪽으로 재의 골짜기가 눈앞에 펼쳐졌다. 지나가면서 힐끗 보니 윌슨 부인이 숨을 헐떡이며 힘차게 펌프질을 하고 있는 모습이 보였다.

우리는 자동차 펜더를 날개처럼 펴고 빛을 흐트러뜨리며 달려 애스토리아를 반쯤 통과했다. 하지만 반쯤이었다. 우리가 고가 철도의 기둥 사이를 누비며 달리고 있을 즈음 "파―파―팟!" 하는 귀에 익은 모터사이클 소리가 들리면서 골이 잔뜩 난 경찰관이 우리 옆으로 따라붙었던 것이다.

"알았소, 형씨." 개츠비가 소리쳤다. 우리는 속도를 늦추었다. 개츠비는 지갑에서 하얀 카드 한 장을 꺼내 경찰관 눈앞에 대고 흔들어 보였다.

"좋습니다." 경찰관이 모자를 살짝 들어 인사하며 말했다. "다음엔 알아 모시겠습니다, 개츠비 씨. 죄송합니다!"

"뭐였습니까?" 내가 물었다. "그 옥스퍼드 사진이었나요?"

"언젠가 경찰국장이 무슨 부탁을 해서 그걸 들어줄 기회가 있었죠. 그랬더니 해마다 크리스마스 카드를 보내더군요."

거대한 다리 위에서는 들보 사이를 통과한 햇살이 움직이는 자동차들 위에서 끊임없이 반짝였고, 강 건너로는 뉴욕이 하얀 각설탕 더미처럼 솟아 있었는데, 모두가 '냄새나지 않는 돈으로'라는 소망으로 세워진 듯했다. 퀸즈보로 다리에서 바라보는 뉴욕은 늘 처음으로 바라보는 도시 같다. 세상의 모든 신비와 아름다움을 다 열어 보이겠다는 처음의 그 열렬한 약속의 몸짓을 아직도 보내고 있기 때문이다.

죽은 자가 한 사람, 꽃으로 무겁게 장식한 영구차에 누워 우리 곁을 지나갔다. 이어 차양을 내린 마차 두 대와 고인의 친구들을 태운 좀 더 명랑한 마차들이 뒤따랐다. 그 친구들은 동남부 유럽인의 비극적인 눈과 짧은 윗입술로 우리를 내다보았다. 나는 그들이 우울한 휴일에 그래도 개츠비의 호화로운 차를 구경할 수 있어 다행이었겠다는 생각이 들었다. 블랙웰 섬〔퀸즈와 맨해튼 사이로 흐르는 이스트 강의 섬. 지금은 '프랭클린 루스벨트 섬'으로 이름이 바뀌었다〕을 건널 때 백인 운전사가 모는 리무진 한 대가 우리 앞으로 지나갔는데, 그 안에는 멋부려 차려 입은 흑인 세 명이ㅡ사내 둘과 여자 하나가ㅡ타고 있었다. 그들이 오만한 경쟁심을 보이며 우리를 향해 달걀 노른자위 같은 눈알을 굴리는 것을 보고 나는 소리내어 웃고 말았다.

'이제 이 다리를 넘었으니 무슨 일이 일어나도 좋다' 하고 나는 생각했다. '무슨 일이든 좋아…….'

개츠비와 같은 인간이 존재하는 일도 얼마든지 가능했다. 별로 놀라운 일도 아니지 않은가.

왁자한 한낮. 선풍기가 잘 돌아가는 42번가 지하층에서 나는 점심 약속을 한 개츠비와 만났다. 밝은 바깥 거리에서 들어와 잘 안 보였기 때문에 나는 눈을 껌벅거리며 대기실에서 한 남자에게 말을 걸고 있는 그를 어슴푸레 알아볼 수 있었다.

"캐러웨이 씨. 이쪽은 제 친구 울프심 씨입니다."

몸집이 작고 코가 납작한 유대인이 커다란 머리를 들어 올리고 나를 쳐다보았는데, 잘 자란 코털이 양쪽 콧구멍에 무성했다. 잠시 뒤 나는 희부연 어둠 속에서 그의 자그만 눈을 찾아냈다.

"……그래 난 그자를 한번 쓱 쳐다보았지" 하고 말하면서 울프심은 진지하게 내 손을 흔들었다. "그러고서 내가 어떻게 했다고 생각하나?"

"예?" 내가 정중하게 물었다.

하지만 그는 내게 말하고 있지 않은 게 분명했다. 그는 내 손을 놓고 표현이 풍부한 그의 코를 개츠비에게 향했던 것이다.

"캐스포에게 돈을 건네주고 이렇게 말했어. '좋아, 캐스포. 입을 다물기 전까진 그놈에게 한 푼도 주지 마' 하고 말이야. 당장 그 자리에서 입을 다물더군."

개츠비는 우리 둘의 팔을 각기 하나씩 붙들고 레스토랑 안으로 들어갔다. 그러자 울프심은 막 새로 꺼내려던 말을 꿀꺽 삼키고 몽유병에 걸린 사람처럼 멍한 상태에 빠져들고 말았다.

"하이볼〔위스키에 소다수를 탄 음료〕로 하실까요?" 웨이터장이 물었다.

"여긴 괜찮은 레스토랑이야." 울프심은 천장에 그려진 장로교의 요정들을 올려다보면서 말했다. "하지만 난 길 건너편이 더 좋네!"

"그래, 하이볼로 주시오." 개츠비가 웨이터장에게 말하고 울프심에게로 몸을 돌렸다. "거긴 너무 더워요."

"맞아, 덥고 비좁아." 울프심이 말했다. "하지만 거긴 추억으로 꽉 찼지."

"어딘데요?" 내가 물었다.

"예전의 메트로폴〔브로드웨이와 43번가 근처에 있는 호텔〕 말입니다."

"예전의 메트로폴." 울프심은 침울하게 생각에 잠겼다. "거기엔 온통 죽은 사람, 가버린 사람들 얼굴이 꽉 찼어. 이제 영영 가고 없는 친구들 말이야. 로지 로젠탈이 거기서 총 맞은 날 밤은 내가 평생 잊지 못하지. 우리 여섯 명이 테이블에 자리를 잡고 있었어. 로지는 저녁내 잔뜩 퍼먹고 마셨지. 새벽이 다 되어가는 참인데 웨이터가 이상한 표정을 하고 그 친구에게 와서 하는 말이 밖에서 누가 잠깐 보잔다는 거야. 로지가 '좋아'라고 하면서 일어서려는 걸 내가 끌어내려 앉혔네.

'볼일 있으면 그 자식들더러 들어오라고 해, 로지. 자넨 이 방에서 나가면 절대로 안 돼.'

그때가 새벽 네 시였네. 블라인드를 올렸더라면 새벽빛을 볼 수 있었을 거야."

"그래 나갔나요?" 내가 순진하게 물었다.

"물론 나갔지." 울프심의 코가 분노를 표현하듯 나를 향해 번쩍하고 빛났다. "그 친구, 문간에서 돌아서면서 이렇게 말하더군. '웨이터더러 내 커피 치우지 말라고 해!' 그러고선 길가로 나갔지. 그러자 놈들이 그 친구의 똥배에 세 방을 내갈기곤 자동차로 달아나 버렸어."

"그 가운데 네 명은 전기의자에서 사형을 당했지요." 내가 문득 그 사실을 떠올리고 말했다.

"베커[찰스 베커는 경찰관이었는데 로젠탈을 살해한 죄로 1915년 전기의자에서 처형당했다]까지 치면 다섯이오." 내게 관심이 생긴 듯 그의 콧구멍이 나를 향했다. "당신은 무슨 사업 거래선을 찾고 계신가 보군."

전기의자 이야기와 함께 사업 이야기가 나와 놀라지 않을 수 없었다. 개츠비가 나 대신 대답했다.

"아, 아닙니다." 그는 큰 소리로 말했다. "이 친구는 그 사람이 아니에요!"

"아니라?" 울프심은 실망하는 것 같았다.

"이 사람은 그냥 친굽니다. 그 얘긴 다음번에 하자고 하지 않았습니까."

"용서허시우." 울프심이 말했다. "내가 사람을 잘못 봤소."

즙이 많은 잘게 썬 고기가 나오자 울프심은 옛 메트로폴의 감상적인 분위기 따윈 잊어버린 듯 맹렬한 식욕으로 먹어대기 시작했다. 그러는 동안에도 눈으로는 아주 천천히 식당 안을 둘러보았다.

몸을 돌려 바로 뒷자리 사람들까지 살펴보고 나서야 비로소 둘러보는 일이 끝났다. 그 자리에 내가 없었더라면 우리 테이블 밑까지 힐끗 들여다보았을지도 모른다.

"이봐요, 형씨." 개츠비가 내게 몸을 기울이며 말했다. "오늘 아침 차에서 내가 좀 언짢게 해드렸나 모르겠군요."

예의 그 미소가 다시 떠올랐지만 이번에는 그 미소에 넘어가지 않았다.

"난 애매한 걸 좋아하지 않습니다." 내가 대꾸했다. "왜 하고 싶은 말을 솔직히 털어놓고 하시지 않는지 모르겠습니다. 왜 모든 말이 베이커 양을 통해서 나와야 합니까?"

"아, 뭐 숨겨야 할 일은 없어요." 그는 나를 안심시켰다. "베이커 양은 훌륭한 선수 아닙니까. 옳지 않은 일은 절대로 하지 않아요."

갑자기 그는 시계를 보더니 벌떡 일어나 울프심과 나를 테이블에 남겨두고 황급히 밖으로 나갔다.

"전화 걸 데가 있나 보군." 개츠비를 눈으로 뒤쫓으며 울프심이 말했다. "좋은 친구야. 안 그렇소? 미남인데다 더없는 신사지요."

"그래요."

"오그스퍼드를 나왔소."

"아!"

"영국의 오그스퍼드 대학에 다녔어요. 오그스퍼드 대학 아시오?"

"들어봤습니다."

"세계에서 제일 유명한 대학 중의 하나 아니오."

"개츠비 씨를 아신 지 오래되었나요?" 내가 물었다.

"몇 년 되우." 그는 흡족한 듯이 대답했다. "전쟁 직후에 만났는데 알게 되어 좋았소. 한 시간 얘기해보고 나서 썩 좋은 집안 사람을 만났다는 생각이 들었지. 속으로 이런 말까지 했으니 말이오. '이런 친구라면 집에 데려가 어머니와 누이동생에게 소개해주고 싶군' 하고." 그는 잠시 말을 끊었다. "당신 내 커프스 단추를 보고 있군그래."

나는 단추를 보고 있지 않았지만 그가 그렇게 말하는 바람에 그의 단추를 쳐다보았다. 상아로 만든 것들이었는데 이상하게도 낯익어 보였다.

"사람 어금니로 만든 최고급품이오." 그가 나에게 알려주었다.

"그런가요!" 나는 그것들을 자세히 살펴보았다. "재밌는 아이디어군요."

"그렇소." 그는 외투 아래에서 소매를 홱 치켜올렸다. "그래, 개츠비는 여자에 대해 아주 신중해요. 친구 마누라도 쳐다보지 않아."

이처럼 본능적인 신뢰를 받고 있는 화제의 주인공이 테이블에 돌아와 앉자 울프심은 커피를 후루룩 들이켜고는 자리에서 일어섰다.

"점심 잘 먹었소." 그가 말했다. "당신네 두 젊은이한테 박대받기 전에 난 이만 뜨겠수다."

"서두를 거 없어요, 마이어." 개츠비가 그다지 적극적이지 않은 태도로 말했다. 울프심은 축복의 말이라도 하려는 사람처럼 손을 들어 올렸다.

"호의는 고맙지만 난 세대가 달라." 그는 엄숙하게 말했다. "당신들은 여기 앉아 스포츠나 아가씨들 이야기나 하시오. 그리고⋯⋯." 그 다음 말은 상상하라는 듯 그는 다시 한번 손을 흔들어 보였다. "나야, 나이가 쉰 아니오. 더는 당신네에게 부담 주고 싶지 않아."

악수를 하고 돌아서는데 그의 비극적인 코가 떨리고 있었다. 나는 내가 혹시 무슨 기분 상하는 말을 하지는 않았나 생각했다.

"저 사람 가끔 아주 감상적이 돼요." 개츠비가 설명했다. "오늘이 바로 그런 날이죠. 뉴욕 근방에선 꽤 알려진 사람입니다. 브로드웨이 사람이죠."

"그나저나 뭐하는 사람입니까? 연극배우인가요?"

"아뇨."

"그럼 치과의사?"

"마이어 울프심 말이오? 아니, 도박사입니다." 그러고는 잠시 망설이더니 개츠비는 냉정하게 덧붙였다. "1919년 월드 시리즈를 조작한 사람이지요."〔1919년 월드 시리즈에서는 화이트 삭스 팀이 유리했으나 일부 선수들이 뇌물을 받고 신시내티 레즈에 져주었다는 혐의를 받았다.〕

"월드 시리즈를 조작해요?" 나는 되물었다.

그 터무니없는 발상에 나는 멍해졌다. 물론 나도 1919년에 월드 시리즈가 조작된 사실을 기억하고 있었다. 하지만 내가 혹 그 사건에 대해 조금이라도 생각해보았다면 그건 어떤 불가피한 요인들이 잇따라 작용한 결과 우연히 발생한 일이라고 생각했을 것이다. 한 사람이 오천만 명이나 되는 사람들의 믿음을 농락해볼 시도를 했으리란 생각이 전혀 들지 않았던 것이다. 금고를 폭파하려는 도둑과도 같은 일념을 가지고서 말이다.

"어쩌다 그런 일을 하게 되었나요?" 나는 잠시 뒤에 물었다.

"우연히 기회를 잡았던 거지요."

"왜 감옥에 들어가 있지 않죠?"

"이 사람은 잡을 수가 없어요, 형씨. 영리한 사람이라."

점심값은 내가 내겠다고 고집했다. 웨이터가 거스름돈을 가지고 왔을 때 북적거리는 식당 건너편에 톰 뷰캐넌이 눈에 띄었다.

"잠깐 저랑 같이 가시죠." 나는 말했다. "인사할 사람이 있어서."

톰은 우리를 보자 벌떡 일어나 우리 쪽으로 대여섯 걸음 다가왔다.

"그동안 어디 있었나?" 그는 진지하게 물었다. "자네한테 연락이 없다고 데이지가 잔뜩 화가 났어."

"이분은 개츠비 씨, 그리고 뷰캐넌 씨."

그들은 짧게 악수했다. 그런데 개츠비의 얼굴에 뭔가 당황스러워하는 듯한, 부자연스럽고 낯선 표정이 떠올랐다.

"그래 하여간 그동안 어디에 있었냐구." 톰이 내게 물었다. "그리고 왠일로 이렇게 멀리까지 식사를 하러 왔나?"

"개츠비 씨와 함께 점심을 했네."

나는 개츠비 쪽으로 몸을 돌렸다. 하지만 그는 이미 그 자리에 없었다.

1917년 시월 어느 날이었어요…….

(그날 오후 조던 베이커는 플라자 호텔〔센트럴 파크 남단에 있는 뉴욕의 유명한 호텔〕커피숍의 등이 곧바른 의자에 몸을 곧추세우고 앉아 말했다.)

……저는 길을 걷고 있었어요. 보도와 잔디밭을 이리저리 왔다 갔다 하면서요. 잔디밭 쪽이 더 기분 좋았어요. 신바닥에 오돌토돌한 고무창을 댄 영국제 구두를 신고 있어서 부드러운 풀밭에 쏙쏙 잘 박혔거든요. 또 새로 사 입은 체크무늬 스커트가 바람에 살랑살랑 날리기도 했구요. 또 그럴 때마다 집집마다 문 앞에 내건 빨갛고 하얗고 파란 깃발들이 팽팽하게 펼쳐지면서 왠지 못마땅하다는 듯 '탓—탓—탓' 하는 소리를 냈어요.

깃발이든 잔디밭이든 제일 큰 건 데이지 페이네 것이었지요. 데이지는 그때 막 열여덟이었어요. 저보다 두 살 많았는데 루이빌의 아가씨들 가운데서 제일 인기가 많았죠. 데이지는 늘 흰옷 차림에 흰색 소형 로드스터를 몰고 다녔어요. 데이지의 집에는 하루 종일 쉴 새 없이 전화가 울려댔는데 그게 다 캠프 테일러〔켄터키 주 루이빌 근처에 있는 군 기지. 피츠제럴드는 이곳에서 잠시 근무한 적이 있다〕에 근무하는 젊은 장교들이 데이지에게 안달이 나서 그날 밤 단독 데이트를 할 수 없겠느냐고 묻는 전화들이었어요. "어떻게든 딱 한 시간이라도요" 하면서 말예요.

그날 아침 데이지네 집 건너편을 지나가고 있었는데, 그 흰색 로드스터가 길가에 서 있더군요. 데이지가 어떤 처음 보는 중위와 차 안에 앉아 있었어요. 두 사람이 서로 얼마나 얼이 빠져 있었는지,

103

제가 서너 걸음 앞까지 다가가도 알아차리지 못하더라니까요.

"안녕, 조던" 하고 뜻밖에 데이지가 소리쳤어요. "이리 좀 와 봐."

데이지가 제게 말을 걸고 싶어 하는 걸 알고 전 우쭐한 기분이 들었어요. 언니뻘 되는 여자들 가운데서 데이지를 제일 좋아했거든요. 그녀는 제게 적십자사로 붕대 만들러 가는 길이냐고 묻더군요. 그렇다고 했지요. 그래, 그럼, 오늘 난 못 간다고 전해줄 수 있겠니, 했어요. 데이지가 그렇게 말하는 동안 장교는 내내 그녀를 바라보고 있었죠. 아가씨들이라면 누구나 그 언젠가는 받고 싶은 그런 눈길로 말이에요. 그게 제게는 너무 로맨틱하게 여겨져 그 뒤로도 그 일이 잊히지 않았어요. 남자 이름이 제이 개츠비였죠. 그런데 그 뒤로 4년이 넘게 그 사람을 다시 보지 못했어요. 그래서 롱아일랜드에서 그 사람을 만나고 나서도 같은 사람이란 걸 알아보지 못한 거예요.

그게 1917년이었죠. 이듬해가 되어서는 제게도 애인이 몇 생기고 제가 시합에 나가기 시작해서 데이지를 별로 자주 보지 못했어요. 데이지는 나이가 좀 많은 사람들하고 어울려 다녔나 봐요. 누구하고라도 어울리길 했다면 말예요. 데이지에 관해 황당한 소문이 돌고 있더군요. 어느 겨울밤, 데이지가 해외로 전출되는 어떤 군인을 전송하러 뉴욕에 가려고 가방을 꾸리는 걸 어머니한테 들켰다지 뭐예요. 결국은 가지 못하게 되었죠. 하지만 몇 주일이나 식구들하고 말도 하지 않고 지냈대요. 그 일이 있은 뒤로 그녀는 군인들하고는 더는 어울리지 않았어요. 평발이나 근시 청년들하고 만 사귀었죠. 그런 사람들은 군대에 가지 않았으니까요.

다음해 가을이 될 무렵에는 데이지도 다시 명랑해졌어요. 전처럼요. 휴전이 되고 나서 사교계에 데뷔했고, 이월에는 뉴올리언스 출신의 어떤 남자와 약혼했다는 소문이 났지요. 유월에 시카고의 톰 뷰캐넌과 결혼을 하더군요. 루이빌에서는 유례없는 으리으리한 결혼식이었죠. 신랑은 자기 소유 차 넉 대에 사람들을 백 명이나 싣고 와서 멀바크 호텔 한 층을 통째로 빌리고, 결혼식 전날에는 신부에게 삼십오만 달러나 하는 진주 목걸이를 선물했대요.

전 신부 들러리였어요. 피로연이 있기 삼십 분쯤 전에 신부 방에 들어가 보았더니 신부가 꽃무늬 드레스를 입은 채 유월 밤처럼 아름답게 침대에 누워 있었어요. 그런데 술에 곤죽이 되도록 취해 있지 뭐예요. 한 손엔 백포도주 병을, 한 손엔 편지 한 통을 들고 있었어요.

"축하해줘." 데이지가 혀꼬부라진 소리로 말하더군요. "술이라곤 마셔본 적 없는데, 아, 왜 이렇게 기분이 좋지."

"데이지, 무슨 일이에요?"

겁이 났어요. 정말이에요. 그렇게 취한 여자는 본 적이 없거든요.

"여기 말야." 그녀는 침대 위에 올려놓은 휴지통에 손을 넣어 뒤적이더니 진주 목걸이를 꺼냈어요. "이거 가지고 내려가서 주인에게 돌려줘. 주인이 누구든. 사람들한테 말해. 데이지가 마음을 바꿨다고. 말하라구. '데이지가 마음을 바꿨다'고 말이야!"

데이지는 울기 시작했어요. 하염없이 울어대더군요. 나는 뛰어

나가 데이지 어머니의 하녀를 찾아 데려왔어요. 우리는 문을 걸어 잠그고 데이지를 찬물을 채운 욕조에 집어넣었죠. 데이지는 손에 쥐고 있던 편지를 놓으려 하지 않았어요. 편지를 욕조 속에 가지고 들어가서 물에 젖은 그 편지를 손아귀에 움켜쥐고 쥐어짜더니 그게 결국 눈송이처럼 갈가리 조각나는 것을 보고서야 저더러 그걸 비누 접시에 버리라고 하더군요.

하지만 더는 한마디도 하지 않았어요. 우리는 데이지에게 암모니아수 냄새를 맡게 하고 이마에 얼음찜질을 해준 다음 다시 서둘러 드레스를 입혀주었지요. 그리고 삼십 분 뒤에 우리가 방에서 걸어 나왔을 때는 데이지의 목에 진주 목걸이도 제대로 걸려 있었고, 그렇게 해서 사건은 끝나고 말았어요. 다음날 다섯 시에 데이지는 떨리는 기색이라고는 조금도 없이 톰 뷰캐넌과 결혼식을 올렸고, 그러고 나서, 남태평양으로 석 달간의 신혼여행을 떠났지요.

두 사람이 여행에서 돌아왔을 때 나는 그네를 샌타바버라에서 보았어요. 남편에게 그처럼 미쳐 있는 여자는 처음 보는 거 같았어요. 남편이 잠시라도 방을 비우면 사방을 불안하게 두리번거리면서 이렇게 말하는 거예요. "톰이 어디 갔지?" 그러곤 남편이 문간에 나타날 때까지는 아주 멍청한 표정을 짓고 있는 거예요. 모래밭에서 남편의 머리를 무릎에 뉘고서는 한 시간은 족히 그렇게 앉아 있곤 했어요. 손가락으로 남편의 눈자위를 어루만지면서 내려다보는데 정말 얼마나 좋아하는지 알 수가 없을 지경이었죠. 두 사람이 함께 있는 모습을 보면 감동을 받지 않을 수 없었어요. 매혹되어 절로 조용한 웃음이 나오지요. 그때가 팔월이었어요. 제가 샌타바

버라를 떠난 지 일주일 뒤쯤이었던가 사고가 한 건 있었답니다. 어느 날 밤에 톰이 벤투라 가도를 달리다가 어떤 왜건을 들이받았는데, 차 앞바퀴가 떨어져나가버렸어요. 같이 타고 있던 여자 이야기까지 신문에 함께 나고 말았지 뭐예요. 그 여자 팔이 부러지는 바람에 말예요. 샌타바버라 호텔에서 객실 청소하는 여자였대요.

그 다음해 사월, 데이지가 딸을 낳았어요. 그러고는 프랑스로 건너가 일년간 머물렀지요. 어느 해 봄 칸에서 그 사람들을 보고 그 뒤엔 도빌에서 보았는데, 그 다음엔 시카고로 돌아왔어요. 아주 눌러 살 작정으로 말이에요. 아시다시피 데이지는 시카고에서 인기가 있었지요. 두 사람이 다 젊고 돈 많고 함부로 노는, 방탕한 무리와 어울려 다녔지만 데이지의 평판은 더없이 좋았어요. 술을 마시지 않아서 그랬나 봐요. 술꾼들 사이에서 술을 마시지 않는다는 건 굉장한 이점이거든요. 잠자코 입을 다물고 있을 수도 있고, 조금 도를 넘는 일을 하게 되더라도 적절하게 대처할 수 있으니까 말예요. 딴사람들이 다들 정신이 없어 보지도 못하고 관심도 없을 때 말입니다. 데이지야 바람 같은 것은 전혀 피워보지 못했을 거예요. ……하지만 이 여자의 목소리에는 뭔가가 있어요…….

그러다 육 주일 전쯤인가, 데이지가 몇 년 만에 처음으로 개츠비의 이름을 들은 거예요. 제가 당신에게 물었을 때 말이에요. 기억 나세요? 웨스트에그에 사는 개츠비라는 사람 아느냐고 물었잖아요. 당신이 집에 간 뒤에 내 방에 들어와 자는 사람을 깨우더니 "어떤 개츠비야?"라고 묻지 않겠어요. 제가 이러저러한 사람이라고 말해주니까ー그때 전 잠이 덜 깬 상태였는데ー아주 야릇한 목소리로 자기가 전에 알았던 남자가 틀림없다는 거예요. 그제야 전 이 개츠비란 사람을 전에 데이지의 하얀 자동차를 타고 있던 그 장교 와 연관시켜보았어요.

조던 베이커가 이 얘기를 마쳤을 때는 우리가 플라자 호텔을 떠 난 지 삼십 분이 지난 뒤였고 그때 우리는 빅토리아 마차〔플라자 호텔 앞에서 관광객을 태우려고 대기하던 마차〕에 몸을 싣고 센트럴 파크를 지나 고 있었다. 해는 이미 서부 50번가의 영화배우들이 사는 높은 아파 트 뒤로 넘어간 뒤였고, 벌써부터 풀밭의 귀뚜라미처럼 모여든 아 이들의 해맑은 목소리가 불타는 황혼을 뚫고 솟아오르고 있었 다.〔다음의 노래는 1921년에 유행한 팝송으로, 해리 비 스미스와 프랜시스 윌러가 작 사하고 테드 스나이더가 곡을 붙였다.〕

나는 아라비아의 족장
그대의 사랑은 나의 것
밤 되어 그대가 잠들면
그대 천막에 기어들리……

"묘한 우연이군요." 내가 말했다.
"하지만 우연이 아니었어요."
"아니라니요?"
"개츠비가 그 집을 산 것은, 데이지가 만 바로 건너편에 살고 있 기 때문이었어요."

108

그렇다면 유월 그날 밤 그가 동경했던 것은 별만이 아니었던가. 목적 없는 호화로움의 자궁에 갇혀 있던 그가 갑자기 그 자궁을 빠져나와 새로 태어난 모습으로 나에게 다가왔다.

"그 사람이 알고 싶어 해요." 조던은 말을 이었다. "……어느 날 오후에 당신이 데이지를 당신 집에 초대해놓고, 자기도 불러줄 수 있는지 말이에요."

부탁이 너무 시시하여 나는 움찔 놀랐다. 5년을 기다려 저택을 사서 그곳에서 기껏 우연히 날아드는 나방들한테 별빛을 나눠주고 있다니. 고작해야 어느 날 오후에 남의 집 정원에 초대받을 수 있기 위해서 말이다.

"고작 그런 걸 부탁하려고 이걸 다 제게 얘기해주어야 한단 말입니까?"

"그 사람은 두려워하고 있어요. 아주 오래 기다려왔거든요. 당신이 불쾌하게 여길지도 모른다고 생각하더군요. 하지만 알고 보면 이 문제에 아주 집요하게 매달려 있어요."

어쩐지 꺼림칙한 기분이 들었다.

"데이지 만나는 일을 왜 당신한테 부탁하지 않았지요?"

"데이지에게 자기 집을 보여주고 싶어 해요." 그녀가 설명했다. "그런데 당신 집이 바로 이웃이잖아요."

"아!"

"데이지가 어느 날 밤 우연히 자기 파티에 오게 되지 않을까 하고 생각했나 봐요." 조던이 말을 이었다. "하지만 오지 않았지요. 그래서 이제 사람들에게 지나가는 투로 그녀를 아는지 묻기 시작했어요. 그러다 처음으로 찾아낸 게 저였지요. 그게 댄스파티에서 사람을 시켜 나를 부르러 보냈던 그날 밤이었어요. 당신도 들어봤어야 하는데. 그 얘길 얼마나 조심스럽게 꺼냈는지 말예요. 물론 저는 뉴욕에서 점심을 하자고 당장에 제안을 했지요. ……그런데 말이에요. 전 이 사람이 미치지나 않았나 생각했어요.

'상식에서 벗어난 짓은 하기 싫습니다!' 계속 그렇게 말하는 거예요. '나는 그녀를 옆집에서 만나고 싶습니다'라고요.

당신이 톰의 각별한 친구라고 했더니 계획을 다 단념하려고 하더군요. 그 사람은 톰에 대해선 별로 아는 게 없어요. 혹시나 데이지 이름이 눈에 띄지나 않을까 하고 몇 년 동안 시카고 신문을 읽어 왔다고는 합니다만."

이제 어두워져 있었다. 어느 조그만 다리 아랫길로 들어섰을 때 나는 조던의 황금빛 어깨에 팔을 감아 내 쪽으로 끌어당기며 저녁을 먹자고 제안했다. 어느덧 데이지와 개츠비에 대한 생각은 사라지고 그 자리에 이 깔끔하고 매정하고 어딘가 부족한 사람, 만사에 회의적인 태도를 취하는 이 여자, 내 팔에 휘감긴 채 경쾌하게 몸을 기대고 있는 이 여자에 대한 생각이 들어차 있었다. 어떤 구절이 격렬하게 내 귓전을 두들겨대기 시작했다. "세상에는 쫓기는 자와 쫓는 자, 바쁜 자와 지친 자가 있을 따름이다."

"그리고 데이지의 삶에도 뭔가 있어야 해요." 조던이 나에게 중얼거렸다.

"데이지는 개츠비를 만나고 싶어 하나요?"

"데이지는 이 얘기들을 몰라야 해요. 개츠비가 모르길 원해요.

당신은 그저 데이지를 차 마시러 오라고 초대하기만 하면 되고요."

우리는 장벽처럼 늘어선 검은 나무들을 지나갔다. 그러자 은은하고 여린 빛의 한 구획을 이루고 있는 59번가 건물들의 밝은 전면이 공원 안을 환히 내리비추었다. 개츠비나 톰 뷰캐넌과는 달리 나에게는 어두운 처마 장식이나 휘황한 간판을 따라 얼굴이 떠오르는 여자가 없었다. 그래서 나는 내 곁의 여자를 끌어당겨 두 팔로 꼭 껴안았다. 경멸을 담은 그녀의 파리한 입술에 미소가 떠올랐다. 그래서 이번에는 그녀를 내 얼굴 쪽으로 더 바짝 끌어당겼다.

5

그날 밤 웨스트에그의 집에 돌아왔을 때 나는 한순간 내 집에 불이 난 줄 알았다. 새벽 두 시인데 반도의 한 모퉁이가 온통 불빛으로 환히 빛나고 있었던 것이다. 불빛은 덤불숲을 몽환적으로 내리비쳤고 길가의 전깃줄 위에서 가늘고 기다란 섬광을 번쩍거리게 했다. 모퉁이를 돌아서서야 나는 그게 지붕 꼭대기로부터 지하실까지 불을 밝힌 개츠비의 집이라는 걸 알았다.

처음에는 또 파티가 벌어졌구나 생각했다. 한바탕 왁자지껄하던 판이 '숨바꼭질'이나 '정어리 상자 놀이'로 바뀌어 다들 온 집안을 열어젖힌 채 그 놀이를 하고 있지 않나 하고 말이다. 그런데 아무 소리도 나지 않았다. 나무에서 나는 바람소리뿐이었다. 바람이 전깃줄을 흔들어 불을 껐다 켰다 하는 바람에 마치 집이 어둠에 대고 눈을 껌벅거리는 것 같았다. 내가 타고 온 택시가 신음 소리 같은 것을 내면서 떠났을 때 개츠비가 자기 집 잔디밭을 가로질러 나를 향해 걸어오는 모습이 보였다.

"댁의 집이 마치 세계박람회장 같군요." 내가 말했다.

"그래요?" 그는 멀거니 자기 집 쪽으로 눈을 돌렸다. "방들을 좀 기웃거려보고 오는 길입니다. 형씨, 우리 코니아일랜드〔뉴욕 브루클린 남쪽에 있는 대서양 해변 유원지. 널빤지 깔린 산책길로 유명하다〕에 갑시다. 내 차로 말이오."

"너무 늦었습니다."

"그럼 풀장에 한번 뛰어들어보는 건 어때요? 여름 내내 한 번도 이용해보지 못했습니다."

"전 좀 자야겠군요."

"알겠습니다."

그는 뭔가 조바심 나는 일을 참고 있는 것처럼 나를 바라보며 다음 말을 기다렸다.

"베이커 양과 얘기를 나눴습니다." 나는 잠시 뒤 말했다. "내일 데이지에게 전화해서 우리 집에 차를 마시러 오라고 할까 합니다."

"아, 그거 잘됐군요." 그는 덤덤하게 말했다. "당신에게 부담을 드리고 싶지 않습니다."

"언제가 좋겠습니까?"

"당신은 언제가 좋습니까?" 그는 얼른 내 물음을 되물었다. "정말 부담 드리고 싶지 않아요."

"모레가 어떻습니까?"

그는 잠시 생각해보는 듯했다. 그러고는 내키지 않는 듯 말했다.

"그날은 잔디를 깎을까 하는데요."

우리는 동시에 잔디밭을 바라보았다. 내 집의 더부룩한 잔디밭이 끝나고 그의 더 짙은 색의 잘 가꿔진 널따란 잔디밭이 시작되는 곳에 경계를 이루는 뚜렷한 선이 보였다. 그가 깎겠다는 것이 내 집 잔디가 아닌가 하는 생각이 들었다.

"별건 아니지만 한 가지가 더 있습니다." 그는 애매하게 운을 떼고는 뜸을 들였다.

"며칠 더 미루도록 할까요?" 내가 물었다.

"아, 그 얘기가 아닙니다. 적어도……." 그는 서두만 꺼내놓고는 우물쭈물했다. "뭐, 생각해보니…… 뭐랄까, 이봐요, 형씨. 형씨의 수입이 별로 많진 않지요?"

"별로 많진 않죠."

그렇게 말하자 확신이 생긴 듯 그는 더 자신 있게 말을 이어나갔다.

"그러리라 생각했습니다. 용서해주신다면 말입니다만…… 아시다시피, 내가 따로, 일종의 부업으로, 조그만 사업을 하나 하고 있죠. 그래서 생각해봤는데, 당신 벌이가 시원치 않다면……, 형씨, 증권 판매를 하고 계시지요?"

"그런 셈이지요."

"그렇다면 이 일에 구미가 당길지 모르겠군요. 시간을 별로 들이지 않고 돈을 꽤 벌 수 있는 일이 있어요. 사람들 앞에 내놓고 할 수 있는 일은 아니지만."

지금 돌아보면 이런 얘기가 다른 상황에서 나왔다면 그게 내 인생의 중대한 순간이 되었을지도 모른다는 생각이 든다. 하지만 그 제안은 내게 도움을 주려는 뜻이 분명한데다 방법도 서툴렀기 때문에 나로서는 그 자리에서 얘기를 끊는 것 말고는 달리 방법이 없었다.

"저는 지금 하는 일만으로도 벅찹니다." 내가 대답했다. "제의는

114

고맙지만 딴 일을 더 할 수는 없을 것 같군요."

"울프심과 거래할 일은 없을 겁니다." 그는 점심 먹을 때 나왔던 그 '거래선'이라는 말 때문에 내가 꺼리고 있다고 생각하는 게 분명했다. 나는 그건 아니라는 점을 확실히 해두었다. 그는 내가 뭔가 말을 꺼내주길 바라고 더 기다렸지만 내가 딴 데 마음이 쏠려 있어 반응을 보이지 않자 마지못해 집으로 돌아갔다.

그날 저녁 나는 마음이 가볍고 기분이 좋았다. 현관에 들어서면서 나는 그대로 깊은 잠 속으로 빠져들었던 것 같다. 그래서 나는, 그날 밤 개츠비가 코니아일랜드에 갔는지 어쨌는지, 그가 자신의 집에 휘황하게 불을 밝혀놓고 얼마나 오랫동안 '방들을 기웃거리고 다녔는지' 알지 못한다. 다음날 아침 나는 사무실에서 데이지에게 전화를 걸어 차 마시러 오라고 초대했다.

"톰은 데려오지 마." 나는 그녀에게 일러두었다.

"뭐라고요?"

"톰은 데려오지 말라고."

"'톰'이 누구죠?" 그녀가 순진하게 물었다.

약속한 날에 비가 퍼부어댔다. 열한 시에 비옷 입은 사내 하나가 잔디 깎는 기계를 끌고 와서 현관문을 두드렸다. 개츠비 씨가 내 집 잔디를 깎으라고 보냈다는 것이다. 그러자 문득 내 핀란드인 가정부에게 와달라고 일러두었어야 한다는 것을 깜박 잊어버리고 있었다는 생각이 났다. 그래서 나는 웨스트에그 빌리지로 차를 몰고 가서 비에 흠뻑 젖은 골목 안의 회칠한 집에 사는 그 여자를 찾아 내 말을 전한 다음, 컵과 레몬과 꽃을 조금씩 샀다.

꽃은 안 사도 될 뻔했다. 두 시쯤 개츠비네로부터 온실 하나쯤은 채울 만큼의 꽃이 무수한 꽃병과 함께 도착했기 때문이다. 한 시간 뒤에는 현관문이 초조하게 열리면서 흰 플란넬 양복에 은색 셔츠를 입고 금빛 넥타이를 맨 개츠비가 황급히 들어섰다. 얼굴빛이 창백했고, 잠을 자지 못한 듯 눈자위가 거무스레했다.

"준비는 다 잘되었나요?" 그가 대뜸 물었다.

"잔디밭이 보기 좋아졌습니다. 그걸 말하시는 거라면."

"무슨 잔디 말입니까?" 그는 멍청하게 물었다. "아, 뜰의 잔디 말인가요?" 그는 창밖의 뜰을 내다보았다. 하지만 표정으로 보아 그때 그의 눈에 뭐가 보였던 것 같지는 않다.

"보기 좋군요." 그는 애매하게 말했다. "신문에 보니까 네 시경에 비가 그칠 것 같다고 했던데.《저널》〔뉴욕에서 나오는 신문. 윌리엄 랜돌프 허스트가 소유한 신문 체인 가운데 하나〕에서 그런 것 같아요. 필요한 건 다 준비되었나요. 차를 마시는 데 필요한 거⋯⋯."

나는 그를 데리고 식료품 보관실로 갔다. 그는 그곳에 있던 핀란드인 가정부를 못마땅하다는 듯 쳐다보았다. 우리는 식품점에서 배달되어온 레몬 케이크 열두 개를 함께 낱낱이 살펴보았다.

"이거면 되겠나요?" 내가 물었다.

"그야, 물론이지요! 훌륭합니다!" 그러고 건성으로 "⋯⋯형씨" 하고 덧붙였다.

비는 세 시 반쯤이 되어 잦아들더니 축축한 안개로 바뀌었고, 그 속을 작은 빗방울들이 이따금 이슬처럼 떠다녔다. 개츠비는 멍한 눈으로 클레이의 《경제학(Economics)》〔헨리 클레이가 쓴 《일반 독자를 위한 경제학 입문)(1918)을 말한다]을 뒤적여보다가 핀란드인 가정부가 부엌 바닥을 쿵쿵거리며 걷는 소리에 화들짝 놀라기도 하고, 빗물에 흐릿해진 창을 가끔씩 물끄러미 바라보기도 했다. 보이지 않는 바깥에서 지금 놀라운 사건들이 일어나고 있다는 듯이. 마침내 그는 자리에서 일어나 내게 풀죽은 목소리로 집에 가겠노라 말했다.

"아니, 왜 이러세요?"

"차 마시러 오는 사람이 없잖소. 시간이 너무 늦었어요!" 그는 마치 다른 데 볼일이 있어 시간에 쫓기는 사람처럼 손목시계를 들여다보았다. "하루 종일 기다릴 순 없잖소."

"엉뚱한 소릴 하시는군요. 이제 겨우 네 시 이 분 전입니다."

그는 흡사 내가 밀치기라도 한 것처럼 비참하게 다시 주저앉았다. 바로 그때 내 집의 좁은 길로 돌아드는 자동차 소리가 들렸다. 우리는 둘 다 벌떡 일어섰다. 나는 약간 기분이 언짢은 채로 뜰로 나갔다.

물방울이 뚝뚝 듣는 잎 진 라일락 나무들 아래로 커다란 오픈카 한 대가 차고 앞길에 올라서고 있었다. 차가 멈추었다. 연보라색 삼각모자 아래에서 얼굴을 갸웃 기울인 데이지가 기쁨에 넘친 환한 미소를 띠며 나를 내다보았다.

"닉, 정말 여기 사시는 거예요?"

생기를 주는 잔물결 같은 그녀의 목소리는 빗속에서도 사람의 기운을 돋우는 힘이 있었다. 나는 오르내리는 그 목소리를 잠시 귀로만 따라갈 수 있었을 뿐 말을 꺼낼 수는 없었다. 젖은 머리카락 한 가닥이 푸른 물감으로 그어 내린 듯 뺨에 흘러내려 있었다. 그녀를 자동차에서 내려주면서 잡은 손을 보니 손이 빗방울에 젖어 반짝이고 있었다.

"저를 사랑하세요?" 그녀는 내 귀에 대고 소곤대듯 말했다. "아니면 왜 혼자만 오라고 했죠?"

"그건 랙렌트 성[마리아 에지워스가 쓴 고딕 소설을 언급한 것]의 비밀이지. 운전사더러 멀리 가서 한 시간만 있다 오라고 해."

"퍼디, 한 시간 뒤에 다시 와줘요." 그런 다음 그녀는 엄숙한 목소리로 중얼거렸다. "저 사람 이름이 퍼디예요."

"휘발유 냄새 때문에 저 사람 코도 어떻게 됐나."

"그렇진 않을 거예요." 그녀는 천진하게 말했다. "왜요?"

우리는 집 안으로 들어갔다. 놀랍게도 거실은 텅 비어 있었다.

"거 참 이상하군!" 내가 소리를 질렀다.

"뭐가 이상해요?"

그때 현관문에서 가볍게 두드리는 점잖은 노크 소리가 들려오자 그녀는 고개를 돌렸다. 나는 나가서 문을 열어주었다. 개츠비가, 시체처럼 창백한 얼굴로, 두 손을 무슨 쇳덩이나 되는 것처럼 옷주머니에 깊숙이 찔러 넣은 채 내 눈을 처연하게 쏘아보며 물구덩이 속에 서 있었다.

개츠비는 두 손을 여전히 주머니에 찌른 채 나를 지나쳐 현관으로 걸어 들어가, 줄에 매달린 인형처럼 획 돌아서더니 거실 안으로 사라졌다. 그 모습이 조금도 우습게 여겨지지 않았다. 나는 심장이 거세게 뛰는 것을 의식하며 거세지고 있는 빗줄기가 들이치지 않도록 현관문을 닫았다.

잠시 아무 소리도 나지 않았다. 그런 다음 거실에서 목 메인 듯한 웅얼거림과 한 토막의 웃음소리 같은 것이 들렸고, 이어서 맑은 가성으로 말하는 데이지의 목소리가 들려왔다.

"다시 만나게 되어 진짜 무척 기뻐요."

그러고는 침묵. 그 침묵이 견딜 수 없이 오래 갔다. 나는 복도에서 할 일이 없었기 때문에 방 안으로 들어갔다.

개츠비는 여전히 두 손을 주머니에 찌른 채 벽난로에 몸을 기대고 느긋한 척, 심지어는 따분한 척하는 태도를 억지로 꾸며대고 있었다. 몸을 너무 젖힌 나머지 머리가 벽난로 위에 놓인 고장 난 시계의 글자판에 닿아 있었다. 그런 자세에서 그는 착잡한 눈으로 데이지를 물끄러미 내려다보았다. 그녀는 놀란 표정으로, 그러나 우아한 자세로 딱딱한 의자 끝에 앉아 있었다.

"우린 전에 만난 적이 있어요." 개츠비가 웅얼거렸다. 그의 눈이 한순간 나를 힐끗 쳐다보았다. 입술은 웃으려다가 만 듯 벌어져 있었다. 다행히도 그 순간 시계가 그의 머리에 눌려 위험하게 기우뚱하자 그는 얼른 돌아서서 떨리는 손가락으로 시계를 붙잡아 제자리에 바로 세워놓았다. 그러고는 뻣뻣한 자세로 앉아 팔꿈치를 소파의 팔걸이에 올려놓고 손으로 턱을 고였다.

"시계를 건드려 미안해요." 그가 말했다.

내 얼굴은 그때쯤 검붉게 달아올라 있었다. 머릿속이 수천 가지 생각으로 꽉 차 있었지만 나는 어떤 시시껄렁한 말 한마디도 끄집어낼 수 없었다.

"고물시곈데요, 뭐." 나는 백치처럼 말했다.

잠시나마 우리는 모두 시계가 바닥에 떨어져 산산조각났다고 믿었던 것 같다.

"우린 몇 년 동안 만나지 못했어요" 하고 데이지가 말했다. 감정을 최대한 죽인 담담한 목소리였다.

"오는 십일월이면 오 년째죠."

개츠비가 너무 기계적으로 대꾸를 하는 바람에 우리는 적어도 일 분간은 말이 막히고 말았다. 내 딴에는 머리를 쥐어짜, 두 사람더러 식당에 가서 차 끓이는 일을 도와주지 않겠느냐고 하여 간신히 자리에서 일어나게 만들었는데, 하필이면 그때 핀란드 여자가 악마처럼 쟁반 위에 차를 받쳐 들고 왔다.

고맙게도 찻잔이며 케이크가 어지럽게 어우러지면서 절로 얼마간의 격식이 갖추어졌다. 개츠비는 불빛을 피해 그림자 진 곳에 자리를 잡고서, 데이지와 내가 말을 나누는 동안, 슬프고 긴장된 눈으로 우리 두 사람을 번갈아 진지하게 쳐다보았다. 그러나 그더러 침묵을 지키게 하는 것이 그 자리의 목적은 아니었기 때문에 나는 기회가 생기자마자 양해를 구하고 자리에서 일어섰다.

"어디 가시오?" 개츠비가 당장 불안해하며 물었다.

"다시 올 겁니다."

"나가기 전에 할 얘기가 좀 있어요."

그는 나를 따라 거친 걸음으로 식당으로 들어오더니, 문을 닫고서, 나직하게 부르짖었다. 비참한 목소리로 "오, 이런!" 하고.

"왜 그러십니까?"

"이건 끔찍한 실수예요." 그는 머리를 내저으며 말했다. "정말 끔찍하기 짝이 없는 실숩니다."

"그냥 당황하신 것뿐입니다." 그렇게 말하고서 나는 다행히도 다음 말을 덧붙여줄 수 있었다. "데이지도 당황한 건 마찬가지고요."

"당황해한다고요?" 그는 믿을 수 없다는 듯 내 말을 되뇌었다.

"당신만큼 말입니다."

"크게 말하지 말아요."

"꼭 어린아이처럼 구는군요." 나는 짜증을 내고 말았다. "게다가 무례해요. 데이지가 지금 저 방에 혼자 앉아 있지 않습니까."

그는 손을 들어 내 말을 막았다. 그러고는 잊어버릴 수 없는 표정으로 질책하듯 나를 쳐다보더니 조심스럽게 문을 열고 다시 거실로 돌아갔다.

나는 뒤안길로 걸어 나왔다. 바로 반시간 전에 개츠비가 초조하게 집 주위를 돌았을 때처럼 말이다. 그러고는 옹이가 진 검은 거목을 향해 달려갔다. 나무의 무성한 잎이 비를 막아주는 우산 노릇을 했다. 비가 다시 퍼부어대기 시작했다. 풀이 들쭉날쭉한 내 잔디밭은 개츠비의 정원사가 잘 깎아주긴 했지만, 진흙이 질척대는 작은 습지와 선사 시대의 늪지 같은 것들이 사방에 깔려 있었다. 나무 밑에서는 개츠비의 거대한 저택밖에는 구경할 만한 게 아무것도 없었다. 그래서 나는 교회의 뾰족탑을 바라보았던 칸트처럼 〔독일 철학자 임마누엘 칸트는 명상에 잠길 때면 교회의 뾰족탑을 쳐다보았다고 한다〕 삼십 분이나 그걸 물끄러미 바라보았다. 십 년 전 한 양조업자가 일찍이 '시대'의 유행에 따라 지었다는 집이었다. 전하는 얘기에 따르면 그 양조업자는 이웃의 조그만 집들에 사는 사람들이 모두

짚으로 지붕을 인다면 오 년 동안 대신 세금을 물어주겠다고 했다고 한다. 동네 사람들이 거절하는 바람에 한 가문을 세우려던 그의 계획은 핵심을 잃고 만 듯하다. 그는 당장 몰락의 길을 걷고 말았다. 그의 자식들은 검은 장의(葬儀) 화환이 아직 문간에 붙어 있는 채로 그의 집을 팔아버렸다. 미국인들은 농노이기를 원하고 심지어 농노이고 싶어 안달하면서도 늘 고집스럽게 소작농으로 남아 있어 왔다고 할 수 있다.

삼십 분이 지나자 다시 해가 빛나고, 식료품상의 자동차가 개츠비네 하인들의 저녁거리 재료를 싣고 저택의 차도를 돌아 들어왔다. 모르긴 몰라도 개츠비는 오늘 저녁 한 숟가락도 먹지 않을 것이다. 하녀 하나가 저택 위쪽 창문들을 열기 시작하느라 창문마다 잠깐씩 모습을 나타냈는데, 가운데 있는 커다란 퇴창에 이르러 몸을 밖으로 내밀더니 뭔가를 골똘히 생각하며 정원에 침을 탁 뱉었다. 이제 돌아갈 시간이었다. 비가 내리는 동안에는 빗소리가 마치 두 사람의 속삭임 소리 같았다. 두 사람의 감정이 때로 격앙되면 빗소리도 따라서 솟아올라서 넘실거렸다. 하지만 비가 그쳐 다시 조용해지자 집 안에도 적막이 내려앉은 것 같았다.

나는 안으로 들어갔다. 부엌에서 난로를 뒤집어놓지 않았을 뿐 일부러 온갖 소리를 다 내었다. 하지만 두 사람은 아무 소리도 듣지 못했던 것 같다. 그들은 소파의 양쪽 끝에 앉아 서로를 바라보고 있었다. 누가 무언가를 물어보았거나 묻고 있는 중인 것 같았다. 처음의 당황스러워했던 흔적은 어디에도 남아 있지 않았다. 데이지의 얼굴은 눈물로 얼룩져 있었는데 내가 들어가자 벌떡 일어나 거울 앞으로 가서 손수건으로 눈물 자국을 닦기 시작했다. 한편 개츠비에게는 어리둥절할 만한 변화가 일어나 있었다. 그의 얼굴은 그야말로 뜨거운 광채를 뿜어내고 있었다. 희열을 표현하는 말 한마디, 몸짓 하나 없었지만 그로부터는 새로운 행복감이 햇살처럼 퍼져 나와 그 작은 방을 가득 채우고 있었다.

"아, 어서 와요, 형씨." 그는 나를 몇 년 만에 처음 보는 사람처럼 말했다. 한순간 나는 그가 악수를 하려는 게 아닌가 하고 생각했다.

"비가 그쳤군요."

"그래요?" 그는 내가 무슨 말을 하는지 깨닫고는, 그리고 다음 순간 은빛으로 반짝이는 방 안의 햇살을 발견하고는, 마치 기상 통보관처럼, 마치 돌아온 햇빛의 열렬한 후원자처럼, 싱긋 미소 지으며 데이지에게 그 소식을 전했다. "어떻게 생각하십니까? 비가 그쳤답니다."

"기뻐요, 제이." 그녀의 목구멍은, 괴롭고 슬픈 아름다움이 깃든 목소리로 가득했지만, 뜻밖의 기쁨에 대해서만 말하고 있었다.

"두 분 다 제 집에 모시고 싶습니다." 그가 말했다. "데이지에게 집 구경을 좀 시켜주고 싶군요."

"나도 같이 가자는 것, 진심인가요?"

"그럼요, 형씨."

데이지는 얼굴을 씻으려고 위층으로 올라갔다. 나는 너무 늦게야 화장실의 수건이 생각나 얼굴이 화끈거렸다. 그녀가 내려오는 동안 개츠비와 나는 잔디밭에서 기다렸다.

"제 집 보기 좋지요, 안 그래요?" 그가 내게 물었다. "건물 정면이 햇살을 받고 있는 거 좀 보십시오."

나는 집이 훌륭하다는 데 동의했다.

"그래요." 그의 눈은 아치형 문 하나하나, 사각형 망루 하나하나를 다 살펴보았다. "저 집을 살 돈을 장만하는 데 꼬박 3년이 걸렸습니다."

"돈을 상속받은 걸로 알았는데요."

"그야 그랬지요, 형씨." 그가 기계적으로 대답했다. "하지만 대공황 때 거의 다 잃어버렸습니다. 전쟁의 공황 때 말입니다."

그때 그는 자기가 무슨 말을 하고 있는지 잘 몰랐던 것 같다. 내가 무슨 사업을 하느냐고 묻자 그는 "그건 제 일입니다"라고 대답했던 것이다. 그러고 나서야 그는 그게 적절한 대답이 아니었다는 사실을 깨달았던 모양이다.

"아, 여러 가지 일을 했지요." 그는 고쳐 말했다. "약국 사업〔금주법이 시행되던 때에도 약국에서는 의사의 처방으로 술을 팔 수 있었다. 그래서 약국은 때로 밀주 거래 장소로 이용되기도 했다〕도 했고, 나중엔 석유 사업도 좀 했습니다. 하지만 지금은 둘 다 그만두었죠." 그는 나를 좀 더 찬찬히 바라보았다. "요전날 밤 내가 제안한 것에 대해 그사이 생각을 좀 해보셨다는 말씀인가요?"

내가 미처 대답하기 전에 데이지가 집에서 나왔다. 그녀의 드레스에 두 줄로 달린 놋쇠 단추들이 햇빛에 반짝였다.

"저기 저 어마어마한 집인가요?" 그녀가 손가락으로 가리키며 소리쳤다.

"마음에 드나요?"

"멋져요. 하지만 어떻게 저런 데서 혼자 사시는지 모르겠군요."

"밤이고 낮이고 늘 재미있는 사람들로 바글거리게 해놓는 걸요. 재미있는 일을 하는 사람들, 유명한 사람들로 말입니다."

해변을 따라 지름길로 가는 대신 우리는 도로로 내려가 커다란 뒷문으로 해서 들어갔다. 데이지는 나지막하고 매혹적인 목소리로 혼잣말처럼 봉건 시대풍 건물이 하늘을 배경으로 그려놓은 실루엣의 이모저모에 탄성을 발했고, 정원에, 노랑수선화의 싸한 향기에, 산사나무와 자두꽃의 은근한 향기에, 오랑캐꽃의 엷은 금빛 향기에 탄성을 발했다. 이상한 것은, 우리가 대리석 계단에 거의 다 이를 때까지도 문을 들락거리는 화려한 드레스들의 움직임은 전혀 눈에 띄지 않았고 나무 위의 새소리밖에는 아무 소리도 들을 수 없었다는 점이다.

그런 다음 안에 들어가 우리는 마리 앙투아네트풍으로 된 음악실과 왕정복고 시대풍으로 된 살롱 등을 거쳐 이곳저곳을 돌아다녔는데 그때 나는 손님들이 소파와 테이블 뒤에 꼭꼭 숨어 우리가 다 지나갈 때까지 숨소리도 내지 말고 조용히 있으라는 명령을 받고 있지 않나 하는 생각이 들 지경이었다. 개츠비가 '머턴 대학 서재'〔옥스퍼드에 있는 단과대학의 하나〕의 문을 닫았을 때, 나는 전에 만났던 그 올빼미눈의 남자가 유령 같은 웃음을 터뜨리는 소리를 들었다고 단언할 수 있다.

우리는 위층으로 올라가 고풍스러운 침실들을 지났다. 그곳은 장밋빛과 연보랏빛 비단으로 휘감기고 새로 들여놓은 꽃들로 생기에 넘치고 있었다. 그 다음에는 의상실과 당구장, 그리고 움푹 파인 욕조가 있는 욕실들을 지났다. 그러는 중에 어떤 방에 불쑥 들어서기도 했는데 너저분해 보이는 한 사내가 파자마 바람으로 방바닥에서 운동을 하고 있었다. '하숙생' 클립스프링어였다. 나는 그날 아침 그자가 해변을 정신 없이 돌아다니고 있는 것을 보았었다. 마침내 우리는 개츠비의 방에 이르렀다. 침실과 욕실 그리고 애덤의 서재[애덤 형제 스타일로 꾸민 서재라는 뜻. 로버트 애덤과 제임스 애덤 형제는 18세기 스코틀랜드의 저명한 건축가이자 실내 장식가였다]로 이루어진 거처였다. 우리는 그 방에 앉아 그가 벽장에서 꺼내 온 샤르트뢰즈 포도주를 한 잔씩 마셨다.

그는 데이지한테서 한 번도 눈길을 떼지 않았다. 지금 생각해보면 그는 그녀의 사랑스러운 눈이 보여주는 반응의 정도에 따라 자기 집의 물건들을 죄다 다시 평가했던 것 같다. 어떤 때는 자신의 소유물들을 멍한 눈길로 찬찬히 돌아보기도 했다. 그녀라는 존재가 눈앞에 실재하는 놀라운 사건이 벌어진 이상 이제는 아무것도 더는 현실감을 주지 않는다는 듯이 말이다. 한번은 계단에서 굴러 떨어질 뻔하기도 했다.

그의 침실은 어느 방보다도 소박했다. 순금의 화장 세트로 장식한 화장대 부분만이 예외였다. 데이지가 좋아하며 브러시를 집어 머리를 빗어 내리자 개츠비는 자리에 앉아 눈을 가리고 웃기 시작했다.

"이거 정말 이상한 일입니다, 형씨." 그가 유쾌하게 말했다. "안 되겠어요…… 해보려고 해도……."

그가 이미 두 가지 단계를 통과했다는 것이 뚜렷했고, 이제 막 세 번째 단계에 들어서고 있었다. 처음의 당황스러움, 그리고 까닭 없는 기쁨을 지나 이제 그는 그녀가 그 자리에 있다는 사실에 대한 놀라움에 사로잡혀 있었던 것이다. 그때까지 그는 너무 오랫동안 그 생각만으로 꽉 차 있었고, 끝까지 그것만을 꿈꾸었으며, 이를 악물고—말하자면, 상상할 수 없을 만큼 극도의 긴장 상태에서— 그것을 기다려왔다. 이제 그 반작용으로 그는 너무 많이 감긴 시계태엽처럼 풀리고 있는 중이었다.

곧 제정신을 회복하고 그는 특허품인 커다란 옷장 두 개를 열어 보여주었다. 그 안에는 양복이며 실내복, 그리고 넥타이와 셔츠가 벽돌을 쌓아 올린 것처럼 열두 겹으로 차곡차곡 쌓여 있었다.

"영국에서 옷을 사 보내주는 사람이 있습니다. 봄가을로 철이 바뀔 때마다 물건을 골라서 보내주지요."

그는 셔츠 더미를 끄집어내어 하나씩 우리 앞에 내던졌다. 엷은 리넨 셔츠, 두꺼운 실크 셔츠, 고급 플란넬 셔츠가 떨어질 때마다 접힌 부분이 펴지면서 갖가지 색으로 어지럽게 테이블을 덮었다. 우리가 탄성을 내지르는 동안 그는 셔츠를 더 많이 가져왔고, 부드 럽고 값비싼 셔츠 더미는 점점 더 높이 쌓여갔다. 산호색, 푸른 사 과색, 라벤더색, 옅은 오렌지색 줄무늬, 소용돌이무늬, 체크무늬 셔츠들, 그리고 인디언 블루로 그의 이름의 머리글자 도안이 새겨 진 셔츠들이 줄줄이 나왔다. 갑자기 데이지가 기이한 소리를 내지 르며 셔츠에 머리를 파묻더니 엉엉 울어대기 시작했다.

"정말 멋진 셔츠들이에요." 그녀의 흐느낌은 두껍게 쌓인 셔츠

더미에 파묻혀 나직하게 들려왔다. "슬퍼져요. 이렇게…… 이렇게 멋진 셔츠는 본 적이 없거든요."

집 안 다음에는 집밖과 수영장을, 그리고 수상 비행기와 한여름의 꽃들을 구경하기로 되어 있었다. 그런데 개츠비네 창밖에서는 다시 비가 내리기 시작해서 우리는 창가에 나란히 서서 해협에서 굽이치고 있는 파도를 바라보았다.

"안개만 끼지 않았다면 바다 건너편 당신 집이 보였을 겁니다." 개츠비가 말했다. "그쪽 선창 끝에는 늘 초록색 불을 밤새 켜두더군요."

데이지가 불쑥 개츠비의 팔짱을 끼었다. 하지만 개츠비는 방금 자기가 한 말에 정신이 팔려 있는 것 같았다. 그 불빛의 엄청난 의미가 이제 영영 사라져버렸다는 생각이 문득 떠올랐던 것일까. 그를 데이지와 갈라놓았던 머나먼 거리와 비교해보면 그 불빛은 그녀와 아주 가까이에 있어 그녀에게 거의 닿을 것만 같았고 마치 달 옆의 별처럼 가까워 보였었다. 그러나 이제 그것은 다시 선창가의 초록 불빛에 지나지 않았다. 마법에 걸린 물건의 수가 하나 줄어들었던 것이다.

나는 방 안을 돌아다니며 어스름 속에서 흐릿하게 보이는 물건들을 이것저것 살펴보았다. 책상 위 벽에 걸려 있는, 요트복을 입은 한 노인의 커다란 사진이 눈길을 끌었다.

"이분은 누군가요?"

"그 사람이오? 댄 코디 씨예요, 형씨."

어슴푸레 귀에 익은 이름 같았다.

"죽었습니다. 몇 해 전만 해도 제 가장 친한 친구였지요."

개츠비의 작은 사진도 있었다. 커다란 사무용 책상 위에 놓여 있는, 역시 요트복 차림의 사진인데—개츠비는 도전적으로 머리를 뒤로 젖히고 있었다—열여덟 살 무렵에 찍은 게 분명했다.

"나 저거 좋아해요!" 데이지가 소리질렀다. "저 퐁파두르 스타일[이마에서 빗어 올린 머리 모양]말이에요! 저런 머리 했다는 말 한 적 없잖아요…… 요트도 그렇고."

"이것 보세요." 개츠비가 얼른 말했다. "신문 스크랩해둔 거 많아요…… 당신에 관한 기사 말입니다."

두 사람은 나란히 서서 스크랩을 살펴보았다. 내가 막 루비를 좀 보여달라고 말하려는 참에 전화벨이 울렸다. 개츠비가 수화기를 집어 들었다.

"네…… 그런데 지금은 얘기하기 곤란해요…… 지금은 얘기하기 곤란하다니까요, 형씨…… 내가 '작은' 도시라고 했잖소…… 어디가 작은지는 그자도 알아야 할 거 아뇨…… 글쎄, 디트로이트를 작다고 생각한다면 그런 사람 우리한테 쓸모없어요……."

그는 전화를 끊었다.

"빨리 와보세요!" 데이지가 창가에서 소리쳤다.

비는 여전히 내리고 있었지만 서쪽 하늘에서는 어둠이 사라져, 바다 위로 구름이 거품을 이루며 분홍빛, 금빛 놀처럼 굽이치고 있었다.

"저것 좀 봐요." 그녀는 속삭이듯 말했다. 그러고는 잠시 뒤에 덧붙였다. "저 분홍빛 구름 하나를 가져다가 당신을 태우고 이리저리 밀고 다니고 싶어요."

그때 나는 집에 가려고 했지만 그들은 놓아주려 하지 않았다. 내가 있어야 그들에게는 단 둘이 있다는 뿌듯한 느낌이 더해지는 모양이었다.

"이렇게 하지요." 개츠비가 말했다. "클립스프링어에게 피아노를 쳐달라고 합시다."

그는 "어윙!" 하고 부르면서 방을 나가더니 얼마 안 있어 난처해하는 표정의 청년 하나를 데리고 들어왔다. 그는 숱이 적은 금발에 얼굴은 약간 해쓱해 보였고 테가 조개껍데기로 된 안경을 쓰고 있었다. 청년은 이제 아까와는 달리 목이 트인 '스포츠 셔츠'에 희끄무레한 빛깔의 면바지를 입고 운동화를 신은 단정한 차림이었다.

"운동하시는 걸 우리가 방해했나요?" 데이지가 예의 바르게 물었다.

"자고 있었는 걸요." 그가 움찔 당황해서 큰 소리로 말했다. "그러니까, 잠을 자고 있던 참이었어요. 그러다 일어나서……."

"클립스프링어는 피아노를 칩니다." 개츠비가 청년의 말을 자르며 말했다. "그렇지, 어윙?"

"별로 잘 치지 못합니다. 별로…… 친다고 할 수준이 못 되지요. 연습을 전혀 못해서……."

"아래층으로 갑시다." 개츠비가 그의 말을 막았다. 그는 스위치를 올렸다. 집 안이 온통 불빛으로 가득 차면서 침침하던 창들이 순식간에 사라져버렸다.

음악실에 들어선 개츠비는 피아노 옆에 딱 하나 있는 등을 켰다. 그는 떨리는 성냥불로 데이지의 담배에 불을 붙여주고는 방 건너편에 멀리 떨어져 있는 소파에 가서 그녀와 함께 앉았다. 그곳에는 복도에서 들어와 바닥에 반사된 희미한 빛뿐 다른 빛이라고는 없었다.

클립스프링어는 〈사랑의 보금자리〉〔루이스 에이 허쉬와 오토 하박이 만든 팝송으로 1920년에 공연된 브로드웨이 뮤지컬 코미디 〈메어리〉에서 처음 불렸다〕를 치고 난 다음 의자에서 몸을 돌려 만족스럽지 못하다는 듯 어둠 속의 개츠비를 찾았다.

"보시다시피 연습을 통 못했어요. 그래서 못 치겠다고 했지요. 연습을 통⋯⋯."

"말이 너무 많소, 형씨." 개츠비는 명령하듯 말했다. "어서 쳐봐요!"〔다음 노래는 리처드 위팅이 만든 팝송 〈즐거웠지〉의 일부로, 브로드웨이 뮤지컬 코미디 〈1920년의 풍자〉에 나온다.〕

아침마다

저녁마다

즐거웠지⋯⋯.

바깥에서는 바람소리가 요란했고 해협을 따라 희미한 천둥소리가 들려왔다. 웨스트에그에 이제 불이란 불은 다 들어오고 있었다. 그리고 사람들을 실은 전철이 뉴욕을 떠나 빗속을 뚫고 집을 향해 돌진하고 있었다. 사람의 삶에 깊은 변화가 일어나는 시간이었다. 공기 중에 격정이 일고 있었다.

한 가지는 분명해, 그것만은 확실하지
부자들 더 잘살고 가난뱅이 애를 낳아
그러는 동안
그러는 사이…….

작별인사를 하러 다가갔을 때 보니 개츠비의 얼굴에는 또다시 당혹스러운 표정이 떠올라 있었다. 현재의 행복이 과연 진정한 것인지 일말의 의구심이 든다는 듯이 말이다. 오 년에 가까운 세월! 그날 오후만 해도 데이지는 그가 그리던 꿈을 충족시키지 못한 모습을 여러 차례 보여주었다. 그건 그녀가 잘못해서가 아니라 그가 품고 있던 환상의 활력이 너무 엄청났기 때문이었을 것이다. 그 환상은 이미 그녀를 넘어서고 모든 것을 넘어서 있었다. 그는 창조적인 열정을 바쳐 그 환상에 온몸을 내던져왔고, 그 환상을 계속 키워왔으며, 자신의 길 앞에 떠도는 모든 빛나는 깃털로 그 환상을 장식해왔다. 정열이나 순수함이 아무리 크다 해도 한 인간이 그 유령 같은 마음속에 품을 수 있는 것을 당해내지는 못하는 법이다.

지켜보고 있자니 그가 이제 얼마간 상황에 적응하고 있음을 알 수 있었다. 그는 그녀의 손을 꽉 잡고 있었고, 그녀가 그의 귀에 대고 뭔가를 나지막이 속삭이자 그는 감정이 솟구치는 듯 그녀를 향해 몸을 돌렸다. 그때 그를 사로잡았던 것은 무엇보다 열기로 들떠 물결처럼 파동치는 그녀의 목소리였던 것 같다. 왜냐하면 그것은 아무리 꿈꾸어도 더 꿈꾸고 싶은 목소리였기 때문이었다―그 목소리는 하나의 불멸의 노래였다.

그들은 나를 잊고 있었다. 이윽고 데이지가 나를 올려다보고 손을 내밀었다. 개츠비에게는 이제 내가 전혀 모르는 사람이었다. 나는 다시 한번 그들을 바라보았고, 그들은 삶의 강렬한 순간에 사로잡힌 채 저 멀리서 무심하게 나를 바라보았다. 나는 그들을 남겨둔 채 방을 나와 대리석 계단을 내려가서 빗속으로 걸어 들어갔다.

6

이 무렵 뉴욕의 어떤 야심 많은 젊은 기자 하나가 어느 날 아침 개츠비의 문간에 찾아와 그에게 무슨 할 말이 없는지를 물었다.

"할 말이라니 무슨 말 말입니까?" 개츠비가 정중하게 물었다.

"글쎄요……. 뭐든 밝히실 게 있으시면."

상황을 확인하기 위한 혼란스런 오 분이 지나서야, 이 사람이 자기 사무실에서 딴 일과 관련하여 개츠비의 이름을 들었다는 사실이 밝혀졌다. 이 딴 일이라는 것을 그는 드러내고 싶지 않거나 제대로 알고 있지 못한 게 분명했다. 쉬는 날이었음에도 불구하고, 그는 기특하게 솔선하여 진상을 '알아보려고' 급히 나왔던 것이다.

어림 사격인 셈이었지만 그 기자의 본능은 옳았다. 개츠비에게 대접받았던 수백 명의 사람들이 그의 전력에 대해 저마다 무슨 권위자나 된 양 소문을 퍼뜨리는 바람에 개츠비의 악명은 여름 내내 높아가다 급기야는 뉴스거리가 될 직전에 이르렀던 것이다. '캐나다로 연결된 지하 수송관'〔금주법이 시행되던 시기에 널리 떠돌던 소문 가운데 하나로, 술이 지하 파이프를 통해 캐나다에서 밀수된다는 것이었다〕 같은, 당시에 떠돌던 전설 같은 소문들이 개츠비에게 갖다 붙여졌고, 개츠비가 사는 곳은 실은 집이 아니라 집같이 생긴 배인데, 이 배가 롱아일랜드 해안을 몰래 오르내리고 있다는 이야기가 끈질기게 나돌았다. 이 지어낸 이야기들이 도대체 왜 노스다코타 주의 제임스 개츠를 만족시켰는지는 말하기가 쉽지 않다.

제임스 개츠—그것이 실은, 아니면 적어도 법률상으로는, 그의 이름이었다. 나이 열일곱에, 제 인생의 출발을 목격한 그 특별한 순간에 그는 이름을 바꾸었던 것이다. 그 순간이란 댄 코디의 요트가 슈피리어 호수에서 가장 위험한 여울에 닻을 내리는 것을 본 순간이었다. 그날 오후 찢어진 초록색 셔츠에 작업복 바지를 입고 호숫가 언저리를 빈둥거리고 있던 것은 제임스 개츠였다. 하지만 노 젓는 배를 빌려 투올로미 호(號)로 다가가 코디에게 반시간 뒤면 바람을 만나 변을 당할지도 모른다고 알려준 것은 이미 제이 개츠비였던 것이다.

그는 이미 오래전부터 그 이름을 준비해두었던 것 같다. 그의 부모는 능력도 없고 벌이도 신통치 않은 농사꾼들이었다. 마음속으로 그는 한 번도 그들을 진정한 부모로 받아들인 적이 없었다. 알고 보면, 롱아일랜드 웨스트에그의 제이 개츠비는 그가 자신에 대해 품었던 이상적인 모습에서 태어났다고 해야 옳았다. 그는 하느님의 아들이었다. 이 말에 무슨 의미가 있다면 그것은 바로 그를 뜻하는 것일 터이거니와 그는 '자기 아버지의 일',〔출처는 〈누가복음〉 2장 49절이다. "내가 내 아버지의 일에 관계하여야 될 줄을 알지 못하셨나이까 하시니"〕 즉 거대하고 속되고 겉만 그럴싸한 아름다움을 섬기는 일에 관계해야 했다. 그래서 그는 열일곱 살 소년의 상상력이라면 누구나 만들어낼 법한 유형의 제이 개츠비라는 인물을 만들어낸 다음, 그가 만들어낸 이 인물에 끝까지 충실했다.

일년이 넘도록 그는 슈피리어 남쪽 호숫가에서 조개를 캐고 연어를 잡거나, 숙식이 해결되는 일이면 아무 일이나 닥치는 대로 하면서 삶을 꾸려나가고 있었다. 그의 육체는 그을리고 단단해지면서 때로는 치열하게, 때로는 느슨하게 힘든 나날의 일과를 자연스럽게 견디어나갔다. 여자는 일찍부터 알았다. 그러나 여자들이 그를 망쳐놓았다고 생각하고 그들을 경멸하게 되었다. 처녀들은 무지하다고 경멸하게 되었고, 다른 여자들은 그가 당연하게 여기는 일들을 가지고 히스테리를 부린다 하여 경멸하게 되었다. 심한 자기도취에 빠져 있던 그는 여자들이 왜 그러는지 몰랐다.

그러나 그의 마음에는 늘 소란스러운 격랑이 일고 있었다. 밤에 잠자리에 누우면 더없이 기괴하고 환상적인 생각들이 그를 떠나지 않았다. 시계가 세면대 위에서 째깍거리고 달빛이 방바닥의 헝클어진 옷들을 촉촉이 적시면, 형언할 수 없이 현란한 우주가 그의 머릿속에서 끝없이 펼쳐져 나왔다. 졸음이 몰려와 생생한 장면을 망각으로 감싸 닫아버릴 때까지 그는 밤마다 그 환상의 형태를 늘려나갔다. 한동안 이런 몽상은 상상력의 출구가 되어주었다. 그것은 현실의 비현실성을 말해주는 흡족한 암시였고, 세상의 반석이 요정의 날개 위에 안전하게 잘 놓여 있다는 보증이었다.

미래의 영광을 감지한 그는 본능이 이끄는 대로 몇 달 전 미네소타 주에서 루터교 재단이 운영하는 세인트 올라프 칼리지라는 작은 대학에 들어갔었다. 그러나 그곳에 머문 기간은 이 주일뿐이었다. 그 이 주일 동안 그는 자신의 운명의 북소리, 아니 운명이라는 것 자체에 대해 학교가 보여준 끔찍한 무관심에 낙담했고, 생활비를 조달하느라 하지 않을 수 없었던 잡역부 일이 경멸스럽게만 여겨졌다. 학교를 집어치운 뒤 그는 다시 슈피리어 호수로 흘러들었고, 댄 코디의 요트가 호숫가 모래톱에 닻을 내렸던 바로 그날도 그는 뭔가 할 일을 찾고 있었다.

코디는 그때 나이 쉰 살이었다. 그는 네바다 주의 은광, 유콘 강, 그리고 1875년 이후에 계속된 광산을 향한 대이동이 만들어낸 인물이었다. 몬태나 주의 동광(銅鑛) 거래가 그를 백만장자로 만들어주기는 했지만 그 일을 하면서 그는 몸이 억세진 대신 마음은 사뭇 허약해지고 말았다. 이를 알아챈 여자들이 끊임없이 그에게서 돈을 뜯어내려고 했다. 유쾌할 것 없는 이런 일의 결과는 허풍이 심했던 1902년의 저널리즘이 너나없이 우려먹던 기삿거리였는데, 여기자 엘라 케이는 이를 빌미잡아 맹트농 부인〔맹트농 후작부인 프랑스와즈 도비네(1635~1719)를 말한다. 루이 16세의 두 번째 부인으로 왕에게 상당한 영향력을 행사한 것으로 알려져 있다〕처럼 그의 약점을 이용했고 결국 그를 요트에 태워 바다에 내보내고 말았다. 코디가 리틀걸 만에서 제임스 개츠의 운명으로 등장했을 때, 그는 5년 동안이나 그를 환영해주는 해안들을 따라 이곳저곳을 떠돌고 있던 중이었다.

노 젓는 것을 멈추고 난간을 두른 갑판을 올려다보던 젊은 개츠에게 그 요트는 이 세상의 모든 아름다움과 매력을 상징하는 것이었다. 나는 그때 그가 코디를 향해 미소를 지었을 것이라고 생각한다. 아마도 그는 자기가 미소를 지으면 사람들이 자기에게 호감을 갖는다는 사실을 알고 있었을 가능성이 크다. 어쨌든 코디는 그에게 몇 가지 질문을 던졌고 (그 질문에 대답하는 가운데 그의 새 이름이 나왔다), 이 청년이 기민하고 야심만만하다는 사실을 알아냈다. 며칠 뒤 코디는 그를 덜루스에 데리고 가서 푸른색 외투와 흰 면바지 여섯 벌, 그리고 요트 모자를 사주었다. 그리고 '투올로미'호가 서인도 제도와 바르바리 해안을 향해 떠날 때 개츠비도 함께 떠났다.

그는 개인적인 일을 하는 모호한 자격으로 고용되었다. 코디와 함께 있는 동안 그는 집사, 항해사, 선장, 비서, 심지어는 간수 역할까지 번갈아가며 했다. 술에 취하지 않았을 때의 댄 코디는 술에 취했을 때의 댄 코디가 곧 어떤 일을 마구잡이로 벌일지 잘 알고 있어, 개츠비에게 점점 더 많은 신뢰를 두어 그런 우발적인 사고에 대비했던 것이다. 그런 협정이 오 년 동안 계속되었고, 그동안 배는 대륙을 세 바퀴나 돌았다. 어느 날 밤 엘라 케이가 보스턴에서 승선한 뒤 일주일 만에 댄 코디가 무참하게 죽는 일만 없었더라면 그 여행은 한없이 계속되었을지도 모른다.

개츠비의 침실에 걸려 있던 그의 사진이 기억난다. 반백의 머리칼에 불그레한 안색의, 딱딱하고 무표정한 얼굴의 남자였다. 그는 개척지의 매춘굴과 술집의 험악한 폭력을 미국사의 어느 시기에 동부 연안에 되살려놓은 선구적 난봉꾼이었다. 개츠비가 거의 술을 마시지 않는 것도 간접적으로는 코디 때문이었다. 파티가 흥겹게 무르익어가면 이따금 여자들이 샴페인으로 그의 머리를 적시는 일이 벌어지기는 했다. 하지만 그 스스로는 술을 멀리하는 버릇을 들였다.

개츠비가 돈을 상속받은 것도 코디로부터였다. 그에게 남겨진 유산이 이만 오천 달러였다. 하지만 그는 그걸 받지는 못했다. 그는 자신에게 불리하게 적용된 법적 장치를 도무지 이해할 수 없었다. 하여간 수백만 달러 가운데 남은 돈은 고스란히 엘라 케이에게 넘어가고 말았다. 그에게 남겨진 것이라고는 유례없이 적절하게 이루어진 교육이었다. 모호했던 제이 개츠비의 윤곽에 한 인간의 견실한 내용이 채워져 있었던 것이다.

그가 이 모든 이야기를 들려준 것은 훨씬 나중의 일이다. 하지만 내가 그 얘기를 여기에 기록한 것은 처음에 떠돌던 그의 선조에 관한 터무니없는 소문이 다 엉터리임을 밝히기 위해서이다. 그건 전혀 사실이 아니었다. 더욱이 개츠비는 그 얘기를 내가 혼란에 빠져 있을 때 해주었다. 당시에 나는 그에 관한 일이 전부 믿어지기도 하고 하나도 믿어지지 않기도 하는 혼란 상태에 이르러 있었다. 그래서 나는, 말하자면, 개츠비가 한숨을 돌리고 있던 이 짧은 휴지 상태를 이용해서 이런 일련의 오해를 불식시키고자 하는 것이다.

개츠비의 일과 나와의 관계도 일종의 휴지기였다. 몇 주 동안 나는 그를 만나지 않았고, 전화로도 그의 목소리를 듣지 않았다—나는 조던과 사방을 쏘다니거나 그녀의 늙은 이모의 환심을 사느라 거의 뉴욕에 머물러 있었다—하지만 결국 어느 일요일 오후 나는 그의 집에 가게 되었다. 도착하여 이 분도 채 되지 않은 것 같은데 누군가가 톰 뷰캐넌을 데리고 술을 한잔 얻어 마시러 그 집에 왔다. 내가 놀란 건 당연했지만, 정말 놀랐던 것은 그런 일이 전에는 한 번도 없었기 때문이다.

손님들은 말을 탄 세 사람의 일행이었다. 톰과 슬로운이라는 남자, 그리고 갈색 승마복을 입은 예쁜 여자였다. 이 여자는 전에도 개츠비네 집에 온 적이 있었다.

"만나 뵈어 반갑습니다." 현관에 서서 개츠비가 말했다. "찾아주셔 고맙습니다."

그들이 그런 인사에 신경이나 쓰는 것처럼 말이다!

"앉으시죠. 궐련이나 시가를 한 대 피우시죠." 그는 종을 울리며 방 안을 분주히 돌아다녔다. "곧 마실 것을 내오겠습니다."

그는 톰이 왔다는 사실에 크게 동요하고 있었다. 하지만 그들이 찾아온 목적은 술뿐이라는 사실을 어렴풋이 깨닫고 있던 터라 그로서는 어쨌든 뭔가 내놓기 전까지는 마음이 놓이지 않은 듯했다. 슬로운은 아무것도 원하지 않았다. 레모네이드라도 한잔 하시겠습니까? 아뇨, 괜찮습니다. 그럼 샴페인을 좀 하시겠습니까? 아뇨, 고맙지만 아무것도 생각이 없습니다…… 죄송합니다.

"승마는 재밌었나요?"

"이 근방은 길들이 좋더군요."

"혹 자동차들이……."

"맞아요."

충동을 억누르지 못하고 개츠비는 처음 만나 소개받은 톰에게 고개를 돌렸다.

"뷰캐넌 씨, 전에 어디선가 뵌 적이 있는 것 같습니다."

"아, 예." 톰은 퉁명스러우면서도 정중하게 응수했지만 기억이 안 나는 게 분명했다. "그랬지요. 잘 기억하고 있습니다."

"2주쯤 전이던가요."

"맞아요. 여기 있는 닉이랑 계셨지요."

"부인 되시는 분을 알고 있습니다" 하고 개츠비가 말을 이었다. 거의 공격적이었다.

"그래요?"

톰이 나에게 고개를 돌렸다.

"닉, 자네 이 근방에 사나?"

"바로 옆집일세."

"그래?"

슬로운 씨는 대화에 끼어들지 않은 채 거만하게 몸을 뒤로 젖히고 의자에 기대 있었다. 여자도 아무 말을 하지 않았다. 그러나 하이볼을 두 잔 하고 나자 뜻밖에도 사근사근해졌다.

"개츠비 씨, 다음번에 파티를 여시면 우리가 다 참석하도록 할게요." 그녀가 말했다. "그래도 될까요?"

"그러셔야죠. 와주시면 기쁘겠습니다."

"고맙습니다." 슬로운 씨는 고맙게 여기지도 않으면서 그렇게 말했다.

"자, 그럼…… 이제 슬슬 일어서야겠군요."

"천천히 가시죠." 개츠비가 권했다. 그는 이제 자제력을 회복하고 있었고, 톰에 대해 더 알고 싶은 마음이 있었다. "왜, 괜찮으시면, 좀 더 계시다 저녁이라도 하고 가시잖고요. 뉴욕에서 딴 손님들이 더 찾아와도 놀라지 않을 테니까요."

"저희 집에 가서 저녁을 하세요." 여자가 열성적으로 말했다. "두 분 다 말씀이에요."

나도 같이 가자는 뜻이었다. 슬로운 씨가 자리에서 일어섰다.

"갑시다." 그가 말했다. 하지만 그녀에게만 하는 말이었다.

"진심이에요." 여자가 우겼다. "정말 모시고 싶어요. 자리는 넉넉해요."

개츠비는 내 생각을 묻듯 나를 쳐다보았다. 그는 가고 싶은 모양이었다. 하지만 슬로운 씨가 그가 와서는 안 된다고 결론짓고 있다는 사실을 알지 못했다.

"전 못 갈 것 같군요." 내가 말했다.

"그럼, 개츠비 씨라도 오세요." 그녀는 이제 개츠비만을 겨냥해서 재촉했다.

슬로운 씨가 그녀의 귀에 바짝 대고 뭐라고 속삭였다.

"지금 출발해도 늦지 않을 거예요." 그녀가 큰 소리로 우겼다.

"전 말이 없습니다." 개츠비가 말했다. "군에 있을 때 타긴 했는데, 말을 산 적은 없어요. 자동차로 뒤따라가야겠군요. 잠깐 실례하겠습니다."

나머지 일행은 현관으로 걸어 나갔다. 현관에서 슬로운과 여자가 한쪽에 비켜서서 격렬하게 말을 주고받기 시작했다.

"이런, 그 사람 정말 오려는가 보네요." 톰이 말했다. "이 여자 생각이, 오지 않았으면 하는 걸 모르나?"

"이 여자가 왔으면 좋겠다고 하지 않나."

"이 여자가 저녁 파티를 크게 열 참인데, 그자는 거기 가보았자

142

아는 사람이 하나도 없을걸." 그는 얼굴을 찌푸렸다. "도대체 이자는 데이지를 어디서 만났다는 거야? 정말이지, 내 생각이 고리타분한지 모르지만 요즘 여자들 너무 쏘다녀서 마음에 안 들어. 별 미친놈들을 다 만난다니까."

갑자기 슬로운 씨와 여자가 계단을 걸어 내려가 말에 올라탔다.

"갑시다." 슬로운 씨가 톰에게 말했다. "늦었어. 빨리 가야 해." 그러더니 나를 향해서 말했다. "그 사람에게 기다릴 수 없어서 갔다고 말해주시겠습니까?"

톰과 나는 악수를 했고, 나머지 사람들은 서로 냉랭한 목례를 주고받았다. 이들이 재빨리 말을 달려 차도를 내려가 팔월의 무성한 나뭇잎 밑으로 막 사라졌을 때쯤 개츠비가 모자와 가벼운 외투를 손에 들고 현관을 나왔다.

톰은 데이지가 혼자 돌아다니는 것에 당황했음이 분명했다. 다음 토요일 밤에 그가 그녀랑 개츠비의 파티에 왔던 걸로 보아 그렇다. 그가 참석함으로써 그날 저녁이 이상하게 답답한 분위기가 되었던 것 같다. 그래서 그런지 이날 저녁이 그해 여름 개츠비가 열었던 어느 파티보다도 유달리 또렷하게 기억에 남아 있다. 똑같은 사람들, 아니면 적어도 똑같은 부류의 사람들에다가, 흥청망청하는 샴페인도 똑같았고, 온갖 색깔 온갖 스타일의 법석이 일었던 것도 마냥 똑같았지만 이날 밤에는 전에 느껴지지 않았던 어떤 불쾌감 같은 것이 허공에 떠돌고, 어떤 역겨움 같은 것이 사방에 배어 있는 듯했다. 아니라면 내가 이미 이곳에 익숙해져 있고, 더 나아가 웨스트에그를 그 자체로 하나의 완벽한 세계로 받아들이는 데

익숙해져 있었던 것일까. 고유의 기준과 고유의 위대한 인물을 갖추고 있을 뿐만 아니라, 자체의 완벽성에 대한 의식이 없기 때문에 오히려 어느 것과도 비길 수 없는 세계로서 말이다. 그러다가 이제 와서 데이지의 눈을 통해 그 세계를 다시 바라보고 있는지도 몰랐다. 사람이 자기 나름의 힘으로 사물에 적응해오다가 그것들을 새로운 눈으로 다시 바라보게 된다는 것은 언제나 서글픈 일이 아닐수 없다.

그들은 땅거미가 질 무렵에 도착했다. 우리가 찬란한 빛을 발하는 수백 명의 사람들 속으로 어슬렁거리며 합류했을 때 데이지는 목구멍으로 한껏 기교를 부려 아름답게 속삭이고 있었다.

"이런 데 오면 정말 흥분이 돼요." 데이지가 속삭였다. "닉, 오늘 밤 나와 키스하고 싶으면 언제라도 말만 하세요. 기꺼이 해드릴 테니까. 제 이름만 대세요. 녹색 카드를 내보이거나. 지금 줄게요, 녹색……."

"좀 둘러보시지요." 개츠비가 제안했다.

"지금 둘러보고 있어요. 전 지금 근사한……."

"말로만 듣던 사람들 얼굴을 직접 보실 수 있을 겁니다."

톰의 거만한 눈이 사람들 무리를 둘러보았다.

"우린 별로 돌아다니는 사람들이 아니라서." 그가 말했다. "보아하니, 이곳에 내가 아는 사람은 하나도 없는 거 같군요."

"저 부인은 아실 겁니다." 개츠비가 하얀 오얏나무 밑에 위엄 있게 앉아 있는, 거의 인간이라고 하기 어려운, 아리따운 난초 같은 여자를 가리켰다. 톰과 데이지는 그녀를 바라보았다. 지금까지 흐

144

릿한 관념에 지나지 않았던 영화계의 유명인사를 알아봤을 때 따르게 마련인, 야릇하게도 현실이 아닌 것 같은 느낌을 받으며.

"예쁘군요." 데이지가 말했다.

"그 여자에게 몸을 구부리고 있는 사람은 영화감독입니다."

개츠비는 그들을 이 패거리에서 저 패거리로 데리고 다니면서 인사를 시켰다.

"여기는 뷰캐넌 부인…… 그리고 뷰캐넌 씨입니다……." 잠시 머뭇거리다가 그가 덧붙였다. "폴로 선수지요."

"아, 아니에요." 톰이 얼른 부정했다. "전 아닙니다."

하지만 그 말이 개츠비의 마음에 들었던 게 분명했다. 왜냐하면 톰은 그날 저녁 내내 '폴로 선수'가 되었기 때문이다.

"유명인사를 이렇게 많이 만나보긴 처음이에요." 데이지가 큰 소리로 말했다. "난 저 사람이 맘에 들었어요. 이름이 뭐였죠? 코가 파란 것 같은 저이 말이에요."

개츠비는 이름을 말해주고 대단찮은 제작자라고 덧붙였다.

"글쎄, 어쨌든 맘에 들었어요."

"난 폴로 선수가 아니었으면 좋겠소이다." 톰이 유쾌하게 말했다. "난 이 유명인사들을 그냥 구경하고 싶어요. 내 이름 따위 소개하지 말고 말이오."

데이지와 개츠비는 춤을 추었다. 지금도 기억에 남는 건 그의 우아하고 보수적인 폭스트롯 춤을 보고 놀랐던 일이다. 나는 그가 춤추는 걸 한 번도 본 적이 없었다. 춤을 끝내고 그들은 어슬렁거리며 내 집으로 건너가 계단 위에서 반시간 동안 앉아 있었다. 그동안 나는 그녀의 부탁을 받아 정원에서 망을 보았다. "불이 나거나 홍수가 날지 모르잖아요." 그녀가 설명했다. "다른 천재지변이 있을지도 모르고."

우리가 함께 저녁을 먹으려고 막 앉으려 할 때 혼자 떠돌던 톰이 나타났다. 그가 말했다. "여기 있는 분들과 식사를 해도 괜찮겠지? 재미있는 얘길 늘어놓는 사람이 있어서 거기 있었지."

"그러세요." 데이지가 상냥하게 말했다. "주소 같은 거 적어두고 싶으면 여기 내 금색 연필을 쓰시구요……." 그녀는 잠시 주위를 둘러보더니 나에게 그 아가씨가 "품위는 없지만 얼굴은 예쁘다"고 말했다. 나는 그녀가 개츠비와 단 둘이 있었던 반시간만을 빼고는 별로 즐거운 시간을 보내고 있지 못하다는 것을 알 수 있었다.

우리 테이블에는 유달리 취한 사람들이 많았다. 그건 내 잘못이었다. 개츠비는 전화를 받으러 가서 그 자리에 없었고, 그 자리의 사람들은 바로 두 주일 전에도 같이 어울렸던 사람들이었다. 하지만 전에는 재미있었던 것이 지금의 분위기에서는 역겹기만 했다.

"기분이 어때요, 베데커 양?"

베데커라고 불린 아가씨는 내 어깨 위로 자꾸 쓰러지려고 했지만 뜻대로 안 되고 있었다. 그녀는 물음을 받자 몸을 곧추세우고 앉아 감았던 눈을 떴다.

"뭐라……고요?"

덩치가 크고 굼떠 보이는 여자가 데이지에게 내일 지역 클럽에서 골프를 치자고 조르고 있다가 베데커 양을 옹호하고 나섰다.

"오, 그 앤 이제 괜찮아요. 저 앤 칵테일이 대여섯 잔만 들어가면

늘 저렇게 소리를 질러댄다우. 술을 멀리하라고 그렇게 일렀건만."

"술을 멀리하고 있어요." 꾸중받은 아가씨가 힘없이 우겼다.

"네가 소릴 질러대니까 내가 여기 계신 시벳 선생님께 부탁한 거야. '의사 선생님, 아무래도 여기 선생님 도움이 필요한 사람이 있군요' 하고 말이야."

"걔가 신세를 진 건 틀림없어요." 또 다른 친구가 말했으나 정작 고마울 것은 없다는 투였다. "하지만 당신이 그 애 머리를 풀장에 처박는 바람에 이 애 옷이 다 젖었잖아요."

"누가 풀장에 내 머리를 처박는 건 딱 질색이에요." 베데커 양이 웅얼거렸다. "뉴저지 주에선 사람들이 하마터면 나를 물에 빠뜨려 죽일 뻔한 적이 있다니까요."

"그러니까 술을 멀리해야 한다는 거예요." 시벳 의사가 면박을 주었다.

"제 앞가림이나 하시지 그래요!" 베데커 양이 난폭하게 소리질렀다. "손까지 떠시면서. 난 선생님한테는 절대 수술을 받지 않을 거예요!"

그런 식이었다. 거의 마지막으로 기억하는 건 내가 데이지와 함께 서서 영화감독과 그의 스타를 지켜보던 순간이다. 그들은 아직도 흰 오얏나무 아래에 있었는데, 그들의 얼굴은, 가늘고 창백한 한 줄기 달빛을 사이에 두었을 뿐, 거의 맞닿아 있었다. 그는 저녁 내내 그녀를 향해 조금씩 얼굴을 숙여 지금의 거리에 이르렀을 거라는 생각이 들었다. 내가 지켜보고 있던 바로 그때 그는 마지막 일 도를 굽혀 그녀의 볼에 입을 맞추고 있었다.

"저 여자 맘에 들어요." 데이지가 말했다. "예쁜 것 같아요."

하지만 나머지 다른 사람들은 데이지의 기분을 상하게 했다. 왜 그런지 따져볼 수 있는 문제는 아니었다. 행위의 문제가 아니라 감정의 문제였기 때문이었다. 그녀는 브로드웨이가 롱아일랜드의 한 어촌에 탄생시킨 이 유례없는 '장소' 웨스트에그에 오싹하는 두려움을 느꼈다. 진부한 완곡어법에 시달리고 있는 그 날것의 활기에, 그리고 지름길을 따라 이곳 사람들을 무(無)에서 무(無)로 몰아가는, 우격다짐으로 강요해오는 그 운명에 오싹해졌다. 그녀는 이해되지 않는 그 단순함에서 무서운 어떤 것을 보았던 것이다.

다들 자동차를 기다리는 동안 나는 그들과 함께 앞계단에 앉아 있었다. 그곳 앞쪽은 어두웠다. 불이 밝혀진 입구만이 십 평방 피트의 빛을 아침의 부드러운 어둠을 향해 내던지고 있었다. 위쪽 의상실 블라인드에서 이따금 그림자 하나가 움직이는 것이 비춰 보이더니 곧 다른 그림자로 바뀌고 이어 여러 그림자들이 흐릿하게 왔다 갔다 했는데 보이지 않는 거울 앞에서 루즈를 바르고 분을 두드리는 듯했다.

"도대체 이 개츠비란 자가 누구지?" 톰이 갑자기 물었다. "밀주업계의 거물쯤 되시나?"

"그 소리 어디서 들었나?" 내가 물었다.

"들은 게 아닐세. 짐작해본 거지. 이런 벼락부자들 중에 거물 밀주업자가 많아. 그렇잖나."

"개츠비는 아냐." 내가 잘라 말했다.

그는 잠시 입을 다물었다. 차도에 깔린 자갈이 그의 발 밑에서 자그락거렸다.

"아무튼 이 사람 이 별난 사람들 모으느라 애 많이 먹었겠어."

산들바람이 잿빛 안개 같은 데이지의 모피 옷깃을 가볍게 흔들어댔다.

"여기 오는 사람들은 적어도 우리가 아는 사람들보다는 재미있어요." 데이지가 자제력을 발휘하여 말했다.

"당신 별로 재미있어 보이지 않던데."

"재미있었어요."

톰은 웃더니 내게 얼굴을 돌렸다.

"그 아가씨가 데이지더러 찬물로 샤워시켜달라고 할 때 데이지 얼굴 표정 봤나?"

데이지가 허스키하고 율동감 있는 목소리로 속삭이듯 음악에 맞춰 노래를 부르기 시작했다. 그녀는 낱낱의 말에서 이전에도 없었고 앞으로도 없을 어떤 의미를 찾아내는 것만 같았다. 멜로디가 높아지면 그녀의 목소리도 콘트랄토 발성처럼 감미롭게 꺾였고, 노래에 변화가 있을 때마다 그녀의 따뜻하고 인간적인 마력이 허공에 조금씩 발산되어 나왔다.

"초대받지 않은 사람들도 많이 왔어요." 그녀가 갑자기 말했다. "그 아가씨도 초대받지 않았더라구요. 사람들이 그냥 들이닥쳐도 그 사람이 워낙 점잖아서 거절하지 못하는 거예요."

"난 이자가 누군지, 무얼 하는 자인지 알고 싶어." 톰이 고집스럽게 말했다. "반드시 알아내고 말겠어."

"내가 당장 말해줄까요." 데이지가 대꾸했다. "약국을 소유하고 있어요. 아주 많이 말예요. 다 혼자 세운 사업이래요."

리무진이 천천히 차도 위로 굴러 들어왔다.

"잘 자요, 닉." 데이지가 말했다.

그녀의 눈길은 나를 떠나 불이 켜진 계단 꼭대기로 향했다. 그곳
에서는 그해의 깔끔하고 슬픈 왈츠 소곡 〈새벽 세 시(Three O'
clock in the Morning)〉가 열린 문밖으로 흘러나오고 있었다. 따지
고 보면 개츠비의 파티에는 제대로 된 격식은 없었으나 그녀의 세
계에서는 전혀 찾아볼 수 없는 낭만의 가능성이 있었다. 위에서 들
려오는 노래의 그 무엇이 그녀를 다시 안으로 불러들이고 있었던
걸까? 예측 불가능한 그 어둑한 시간에 또 무슨 일이 일어날 수 있
을까? 꿈에도 생각하지 않았던 손님이 도착할지도 몰랐다. 모두를
놀라게 할 그지없이 귀한 사람이, 마법과 같은 한순간의 만남에서
개츠비에게 던지는 첫 눈길로써 굳세게 마음 바쳤던 오 년의 세월
을 깨끗하게 지워버릴, 진정 눈부시게 아름다운 아가씨가 도착할
지도 몰랐다.

그날 밤 나는 늦게까지 남아 있었다. 개츠비가 시간이 날 때까지
기다려달라고 부탁했던 것이다. 그래서 나는, 이번에도 어김없이
수영하러 나갔던 패거리가 몸을 떨면서 상기된 기분으로 깜깜한
해변에서 달려 올라올 때까지, 그리고 머리 위 객실들의 불이 다
꺼질 때까지 정원에서 빈둥거리고 있었다. 마침내 그가 계단을 내
려왔을 때 햇볕에 그을린 그의 얼굴은 살갗이 유난히 거칠어 보였
고 두 눈은 빛났지만 지쳐 있었다.

"그녀는 좋아하지 않더군요." 그가 대뜸 말했다.

"아뇨, 좋아했습니다."

"좋아하지 않았어요." 그가 고집스럽게 말했다. "재미없어 했습니다."

그는 입을 다물었다. 나는 그가 말할 수 없이 우울해하고 있다는 것을 짐작할 수 있었다.

"그녀가 멀게만 느껴집니다." 그가 말했다. "그녀를 이해시키기가 힘들군요."

"춤 말입니까?"

"춤이라고요?" 그는 손가락을 한 번 탁 튕김으로써 자신이 열었던 모든 무도회를 무시해버렸다. "형씨, 춤은 중요하지 않습니다."

그가 데이지에게 원하는 것이라곤 톰에게 가서 "난 당신을 사랑한 적이 없어요"라고 말하는 것뿐이었다. 그 말로 4년의 세월을 지워버린 다음에야 그들은 좀 더 실제적인 방법을 강구할 수 있었다. 그 방법 가운데 하나는, 그녀가 자유로워지고 난 뒤 함께 루이빌로 돌아가 그녀의 집에서 결혼식을 올리는 것이었다. 5년 전이라고 생각하고 말이다.

"데이지는 이해하지 못해요." 그가 말했다. "전에는 이해했었죠. 우린 몇 시간씩 함께 앉아……."

그는 갑자기 말을 멈추더니 과일 껍질이며 내버린 선물이며 짓이겨진 꽃들이 어지럽게 널린 을씨년스러운 길을 왔다 갔다 하기 시작했다.

"나라면 데이지에게 너무 많은 걸 요구하진 않을 겁니다." 내가 과감하게 말해보았다. "과거를 반복할 순 없습니다."

"과거를 반복할 수 없다고요?" 그는 믿을 수 없다는 듯 소리질렀다. "천만에요, 얼마든지 가능합니다!"

그는 마치 과거가 이곳 자기 집 어두운 그림자 속, 손에 금방 닿을 것 같은 거리에 숨어 있기라도 하듯이 거칠게 사방을 돌아보았다.

"모든 것을 이전과 똑같이 만들어놓을 작정입니다." 그는 결연하게 고개를 끄덕이며 말했다. "그녀도 알게 될 겁니다."

그는 과거에 대해 많은 이야기를 했다. 짐작컨대 그는 데이지를 사랑하는 데 쏟아부었던 어떤 것을, 아마도 그 자신에 관한 어떤 관념 같은 것을 회복하고 싶었던 듯했다. 그 뒤로 그의 삶은 혼란스럽고 무질서해졌지만, 다시 한번 출발점으로 돌아가 모든 것을 천천히 되짚어보면, 그는 그것이 무엇인지 찾아낼 수 있을지 모를 일이다…….

…… 오 년 전 어느 가을 밤, 그들은 낙엽 지는 거리를 걷고 있었다. 이윽고 그들은 나무가 하나도 없고 보도가 달빛으로 하얗게 젖어 있는 곳에 이르렀다. 그곳에서 그들은 걸음을 멈추고 서로를 마주 보고 섰다. 그때가 바로, 두 차례의 환절기에 찾아오는 저 신비스런 흥분이 어리는 서늘한 밤이었다. 집집마다 켜진 조용한 불들이 어둠을 향해 콧노래를 흥얼거리고 있었고, 별들 사이에서도 조금씩 술렁거림이 일고 있었다. 개츠비는 곁눈으로 보도의 블록들이 진짜 사다리가 되어 나무 위 은밀한 장소로 올라가는 것을 볼 수 있었다. 혼자라면 그곳에 올라갈 수 있을 것 같았다. 그리고 그곳에 오르기만 하면 삶의 젖꼭지를 물고 무엇에도 비길 수 없는 경

이(驚異)의 젖을 힘차게 빨아들일 수 있을 것 같았다.

데이지의 하얀 얼굴이 자신의 얼굴을 향해 올라오자 그의 가슴은 점점 더 빨리 뛰었다. 이 아가씨와 입을 맞추어 말로 표현할 수 없는 자신의 꿈을, 소멸하지 않을 그녀의 숨결과 영원히 합치게 되면, 그의 마음은 하느님의 마음처럼 다시는 뛰지 않으리라는 것을 그는 알고 있었다. 그래서 그는 소리굽쇠에 별이 부딪혀 내는 소리에 잠시 더 귀를 기울이며 기다렸다. 그러고는 그녀에게 키스했다. 그의 입술에 닿자 그녀는 그를 위해 꽃처럼 피어났고, 꿈의 육화(肉化)는 이루어졌다.

그가 해준 이 모든 이야기를 들으면서, 더 나아가 그의 놀라운 감상적 태도를 대하면서, 내게는 뭔가 떠오르는 것이 있었다. 붙잡을 수 없는 어떤 리듬, 어디선가 오래전에 들었지만 이제는 잃어버린 말들의 파편 같은 것이랄까. 한순간 어떤 말이 입 안에서 막 떠오르려 하면서 내 입술이 벙어리의 입술처럼 벌어졌다. 입은 놀란 숨을 뱉을 때보다 더 안간힘을 쓰는 듯했다. 하지만 입술은 소리를 내지 못했고, 내가 기억해낼 뻔했던 어귀는 영원히 전달할 수 없는 것이 되고 말았다.

7

개츠비에 대한 호기심이 최고조에 달했던 바로 그 무렵, 어느 토요일 밤인가 그의 집에 불이 들어오지 않았다. 그러고는 어둠에 싸여 시작되었던 트리말키오[로마 작가 페트로니우스의 작품 《사티리콘》에 등장하는 인물. 성대한 파티를 자주 여는 것으로 유명하다. 피츠제럴드는 한때 이 작품의 제목을 '트리말키오'로 하려 했었다. 개츠비와 트리말키오는 유사한 점이 많다]로서의 그의 경력은 시작과 마찬가지로 어둠 속에서 끝나고 말았다. 내가 차츰 알아차리게 된 것은 기대에 차서 그의 차도에 들어섰던 많은 자동차들이 그저 잠깐 머무른 뒤에 기분이 상한 듯 떠나버린다는 사실이었다. 나는 그가 병이라도 나지 않았는지 알아보려고 그의 집에 건너가 보았다. 얼굴이 험상궂은 낯선 집사 하나가 문간에서 의심쩍은 표정으로 나를 힐끗 내다보았다.

"개츠비 씨, 어디 편찮으신가요?"

"아뇨." 잠시 말을 멈춘 뒤 그는 마지못해 꾸물꾸물 "선생님"이라는 경칭을 붙여주었다.

"통 뵙지를 못해 걱정이 되어서요. 캐러웨이란 사람이 찾아왔었다고 전해주십시오."

"누구라고요?" 그가 무례한 태도로 물었다.

"캐러웨이입니다."

"캐러웨이. 네, 알았습니다. 그렇게 전하겠습니다."

그는 느닷없이 문을 쾅 닫아버렸다.

내 핀란드인 가정부가 알려준 바에 따르면, 일주일 전에 개츠비는 집에 두었던 하인들을 모두 해고하고 대신 다른 사람 대여섯 명을 새로 들였는데, 이들은 웨스트에그 빌리지에 나가 상인들에게 매수당하는 일 없이 필요한 물품을 집에서 적당량 전화로 주문한다는 것이다. 식료품 배달 소년은 부엌이 마치 돼지우리 같더라고 전했고, 마을 사람들의 대체적인 이야기는 개츠비 집에 새로 들어온 사람들은 전혀 하인들 같지 않다는 것이었다.

다음날 개츠비가 내게 전화를 걸어왔다.

"이곳을 떠나시는 겁니까?" 내가 물었다.

"아뇨, 형씨."

"하인들을 다 내보냈다면서요."

"입이 무거운 사람이 필요해서요. 데이지가 자주 오거든요. 오후에 말입니다."

그러니까 그녀의 못마땅해하는 눈빛 하나로 그 거대한 숙소가 온통 마분지로 만든 집처럼 폭삭 무너져내리고 만 셈이었다.

"울프심이 도와주고 싶어 했던 사람들입니다. 다 한식구 같은 사람들이죠. 조그만 호텔을 경영한 경험도 있고."

"알았습니다."

그는 지금 데이지의 부탁으로 전화를 걸고 있다면서 내일 그녀의 집에 점심식사를 하러 가지 않겠느냐고 물었다. 베이커 양도 갈 거라고 했다. 반시간 뒤 데이지가 직접 전화를 걸어왔고, 내가 가겠다고 하니 마음을 놓는 것 같았다. 무슨 일이 있는 것이 분명했다. 그러나 그들이 그 자리를 빌려 한바탕 소동을 벌이리라고는 꿈에도 생각지 못했다. 무엇보다 개츠비가 전에 정원에서 대충 말해준 바 있는 그 괴로운 소동을 말이다.

다음날은 푹푹 쪘다. 그해 여름의 막바지이면서, 제일 더운 날임이 분명했다. 기차가 터널을 빠져나와 햇빛 속에 들어서자 내셔널 비스킷 회사〔퀸즈에 있는 제과회사. 머리글자를 딴 이름 나비스코로 잘 알려져 있다〕의 기계들이 내는 뜨겁고 날카로운 소리만이 지글지글 끓는 정오의 고요를 깨뜨리고 있었다. 객차 안의 왕골 좌석은 금방이라도 불이 일어날 것만 같았다. 내 옆자리의 여자는 한동안 흰 셔츠 안으로 얌전하게 땀을 흘리고 있다가, 쥐고 있던 신문이 손가락 아래에서 축축하게 젖자 끝내는 더는 견딜 수 없다는 듯이 비참하게 외마디 소리를 내지르며 살인적인 열기 속에 몸을 풀어놓아버리고 말았다. 그녀의 손지갑이 바닥에 툭 떨어졌다.

"어머나!" 그녀는 헐떡거리며 소리쳤다.

나는 지친 몸을 굽혀 손지갑을 집어 든 뒤 다른 뜻은 없다는 것을 보여주려고 일부러 손지갑 끝을 잡고 팔을 쭉 뻗어 그녀에게 건네주었다. 그럼에도 불구하고 그 여자를 포함하여 가까이에 있는 사람들은 다들 나를 의심하는 듯했다.

"덥군요!" 차장이 낯익은 얼굴들을 향해 말했다. "대단한 날씹니다…… 더워요! ……더워! ……더워! ……손님 덥지 않아요? 덥

156

지요? 그렇죠?……"

내 정기 승차권이 그의 손에서 거뭇한 얼룩을 묻히고 돌아왔다. 하기야 이런 더위에서라면 그가 누구의 달아오른 입술에 키스를 한다 해도, 또는 누가 그의 가슴에 머리를 박아 셔츠 주머니를 땀으로 젖게 한다 해도 상관하겠는가!

……개츠비와 내가 문간에서 기다리고 있는 동안 뷰캐넌의 집 복도를 통해 불어온 한 줄기 가냘픈 바람이 바깥의 우리에게 전화 벨 소리를 전해주었다.

"주인 양반 시신이라구요!" 집사가 수화기에 대고 고함을 질렀다. "죄송합니다만 부인, 오늘은 그걸 해드릴 수가 없습니다. 너무 더워 이런 한낮에 손을 댈 수가 없습니다!"

그가 실제로 한 말은 "네…… 네…… 알아보겠습니다"였다.

그는 수화기를 내려놓고 땀이 배어 약간 번들거리는 얼굴로 우리에게 다가와 뻣뻣한 밀짚모자를 받아 들었다.

"부인께서 살롱에서 기다리십니다!" 그럴 것까지는 없는데 그가 방향을 가리키면서 소리쳤다. 이런 더위에는 쓸데없는 몸짓 하나하나가 일상의 삶의 양식에 대한 모독이었다.

차일에 잘 가려진 방은 어둑하고 서늘했다. 데이지와 조던은 커다란 소파 위에 앉아 있었다. 선풍기의 살랑거리는 바람에 날릴까 봐 흰 드레스를 내리누르고 있는 두 사람의 모습이 은으로 만든 한 쌍의 우상 같았다.

"꼼짝도 못하겠어요." 두 사람이 한꺼번에 말했다.

그을린 살에 흰 분을 바른 조던의 손가락이 잠깐 내 손 위에 놓였다.

"그리고 우리 운동선수, 톰 뷰캐넌 씨는?" 내가 물었다.

그렇게 묻는 순간 홀에서 전화를 걸고 있는 톰의 목소리가 들려왔다. 나직히 들려오는 퉁명스럽고 허스키한 목소리였다.

개츠비는 진홍색 카펫 한가운데 서서 매혹당한 눈으로 사방을 찬찬히 둘러보았다. 데이지는 그를 바라보며 웃었다. 가슴 설레게 하는 달콤한 웃음이었다. 그녀의 가슴에서 분가루가 뽀얗게 공중으로 날아올랐다.

"소문에 따르면……." 조던이 소곤거렸다. "지금 전화는 톰의 애인한테서 온 거래요."

우리는 입을 다물었다. 홀의 목소리는 짜증을 내며 더욱 높아졌다. "좋아, 그럼. 당신한테 차를 팔지 않겠어……. 내가 당신에게 빚진 거 없으니까…… 그리고 그런 문제로 점심 시간에 날 귀찮게 하는 건, 못 참겠단 말야!"

"수화기를 내려놓고 저런다니까." 데이지가 빈정거리듯 말했다. "아냐, 그렇지 않아." 나는 그녀에게 장담했다. "저거 진짜 거래야. 우연히 알게 됐지만."

톰이 문을 획 열어젖히고 잠시 육중한 몸뚱이로 문을 가리고 서 있더니 급하게 방 안으로 들어왔다.

"개츠비 씨!" 싫어하는 감정을 교묘히 감춘 채 그는 넓적한 손을 내밀었다. "반갑습니다…… 닉……."

"찬 음료수 좀 만들어줄래요." 데이지가 소리쳤다.

톰이 다시 방에서 나가자 그녀는 일어서서 개츠비에게 다가와 그의 얼굴을 끌어내리고 입에 키스를 했다.

"내가 당신을 사랑하는 거 아시죠?" 그녀가 나직이 속삭였다.

"이 자리에 다른 숙녀도 있다는 걸 잊어버렸군." 조던이 말했다. 데이지는 의아스럽다는 듯 돌아보았다.

"너도 닉에게 키스하지."

"이런 저속한 여자 봐!"

"저속해도 상관없어!" 데이지가 소리쳤다. 그러고는 벽돌 난로 위에서 경쾌하게 나막신 춤의 스텝을 밟기 시작했다. 그러다 더운 날이라는 데 생각이 미쳤는지 죄지은 사람처럼 소파에 가서 앉았다. 바로 그때 갓 세탁한 옷을 입은 보모가 조그만 여자 아이를 데리고 방으로 들어왔다.

"아휴, 귀여운 것!" 그녀는 팔을 벌리며 나직하고 다정하게 말했다. "너를 사랑하는 이 엄마에게 오렴."

보모에게서 풀려난 아이는 방을 뛰어 건너가 어머니 옷 속으로 수줍게 파고들었다.

"아휴, 귀여운 것! 엄마가 네 노란 머리카락에 분가루를 묻혔니? 자, 이제 일어나서 인사해야지. 안녕하세요, 하고."

개츠비와 나는 차례로 몸을 굽히고 아이가 마지못해 내민 작은 손을 잡았다. 그리고 나서도 개츠비는 놀랍다는 표정으로 계속해서 아이를 지켜보았다. 그때까지만 해도 아이의 존재를 진정으로 믿은 적이 없었던 것 같았다.

"점심 먹기 전인데 옷을 갈아입었어." 아이는 얼른 데이지에게 몸을 돌리며 말했다.

"엄마가 널 자랑하고 싶었거든." 그녀는 아이의 희고 작은 목에 잡혀 있는 한 가닥 주름에 얼굴을 묻었다. "애야, 넌 내 꿈이란다. 내 소중한 작은 꿈."

"네." 아이가 조용히 대답했다. "조던 아줌마도 흰옷을 입었네."

"엄마 친구들 마음에 드니?" 데이지가 아이를 돌려 세워 개츠비와 마주 보도록 했다. "아저씨들 이쁘지 않아?"

"아빠는 어딨어?"

"이 앤 아빠를 안 닮았어요." 데이지가 말했다. "날 닮았지요. 머리카락이랑 얼굴이랑 날 닮았어요."

데이지는 소파에 등을 젖히고 앉았다. 보모가 한 걸음 다가와 손을 내밀었다.

"가자, 패미."

"잘 가, 내 귀염둥이!"

교육을 잘 받은 아이는 가기 싫은 듯 뒤를 힐끗 돌아보며 보모의 손에 매달려 문밖으로 끌려 나갔고, 그때 톰이 얼음이 가득 찰랑거리는 진리키[진과 탄산수에 라임 과즙을 탄 음료] 넉 잔을 앞에 들고 돌아왔다.

개츠비가 잔을 집어 들었다.

"정말 시원해 보이는군요." 그는 눈에 띄게 긴장하며 말했다.

우리는 기갈 들린 사람들처럼 쭈욱 들이켰다.

"어디선가 읽었는데 태양이 해마다 더 뜨거워지고 있다면서요." 톰이 서글서글한 말투로 이야기했다. "얼마 안 있으면 지구가 태양에 빨려들어가버릴 거 같아요……. 아니, 가만…… 그 반대던가…… 태양이 해마다 식어가고 있다던가…….”

“나갑시다.” 톰이 개츠비에게 제안했다. “집 구경을 하시지요.”

나는 그들과 함께 베란다로 나갔다. 열기 속에 고여 있는 초록 해협에 작은 돛단배 하나가 더 싱싱한 바다 쪽을 향해 느릿느릿 움직이고 있었다. 한순간 개츠비의 눈이 그 배를 뒤쫓았다. 그는 손을 들어 만 건너편을 가리켰다.

“제 집은 이 집에서 곧바로 건너편입니다.”

“그런가요.”

우리는 눈을 들어 장미꽃밭 너머의 뜨거운 잔디밭과, 그 너머 해변을 덮은 삼복의 잡초 더미를, 그리고 그 너머를 바라보았다. 돛단배의 흰 날개가 푸르고 서늘한 수평선을 배경으로 느릿느릿 움직이고 있었다. 그 앞에 부채 모양의 대양과 축복받은 섬들이 점점이 놓여 있었다.

“기분 한번 내보고 싶지 않나요.” 톰이 고개를 끄덕이며 말했다. “이 친구와 한 시간쯤 저길 한번 나갔다 오고 싶군요.”

우리는 식당에서 점심을 들었다. 그곳 역시 덥지 않도록 어둡게 가려놓았다. 찬 맥주와 함께 우리는 불안한 흥겨움을 들이마셨다.

“오늘 오후에는 뭘 하죠?” 데이지가 소리쳤다. “그리고 내일은, 그리고 그 다음 삼십 년 동안은?”

“유난스레 굴지 마.” 조던이 대꾸했다. “가을이 되어 날이 서늘해지면 인생은 처음부터 다시 시작되니까.”

“하지만 너무 더워.” 우기고 있는 데이지는 금방이라도 눈물을 쏟을 것 같았다. “게다가 모든 게 혼란스러워. 우리 다 같이 시내에 나가요!"

그녀의 목소리는 더위를 파고들어가 더위와 맞부딪히며, 무의미
성에 형체를 부여하려고 안간힘을 썼다.

"마구간을 차고로 개조한단 얘기는 들어봤습니다." 톰이 개츠비
에게 말하고 있었다. "하지만 차고를 마구간으로 개조한 사람은 내
가 처음입니다."

"누구 시내 나갈 사람 없어요?" 데이지가 끈덕지게 물었다. 개츠
비의 시선이 그녀 쪽으로 흘러갔다. "아!" 그녀가 외쳤다. "당신 정
말 멋져 보여요."

그들의 눈길이 마주쳤고, 그들은 둘만의 공간에서 서로를 응시
했다. 그녀는 간신히 눈길을 식탁 아래로 떨구었다.

"당신은 언제나 멋져 보여요." 그녀가 되풀이해 말했다.

데이지의 그 말은 '나는 당신을 사랑한다'는 말이었다. 그 사실
을 알아차린 톰 뷰캐넌은 무척 놀랐다. 그는 입을 벌리고 개츠비를
쳐다보았고, 그런 다음 데이지를 쳐다보았다. 오래전에 알았던 사
람을 이제 막 알아본 사람처럼.

"당신은 광고에 나오는 그 남자 닮았어요." 그녀는 순진하게 말
을 계속했다. "광고에 나오는 그 남자 아시죠……."

"좋아." 톰이 재빨리 끼어들었다. "나도 시내 나가자는 데 전적
으로 찬성이야. 자, 다들 시내에 가기로 합시다."

그는 자리에서 일어섰다. 그의 눈이 아직도 개츠비와 아내 사이
에서 번쩍였다. 아무도 움직이지 않았다.

"자, 어서!" 그는 약간 짜증을 냈다. "도대체 왜들 이래? 시내에

갈 거면 지금 나가자구."

참느라 떨리는 손으로 그는 마지막 맥주잔을 입으로 가져갔다. 재촉하는 데이지의 목소리에 우리는 자리에서 일어나 뜨겁게 달아오른 자갈 차도로 나섰다.

"그냥 지금 출발한다는 거예요?" 그녀가 이의를 제기했다. "그냥 이렇게요? 담배 피울 사람은 담배라도 먼저 한 대 피우게 해야 하지 않아요?"

"점심 들면서 내내 피웠잖아."

"아, 우리 재미있게 놀아요." 데이지가 그에게 사정했다. "법석 떨기에는 너무 더워요."

톰은 아무 대답도 하지 않았다.

"당신 좋을 대로 하세요." 그녀가 말했다. "가자, 조던."

여자들은 외출 준비를 위해 위층으로 올라가고 그사이 우리 남자 셋은 그곳에서 기다리며 뜨거운 자갈들을 발로 툭툭 건드리고 있었다. 은빛으로 휘어진 달이 벌써 서쪽 하늘에 걸려 있었다. 개츠비가 무슨 말을 하려다가 마음을 바꿔 입을 다물려는 참이었다. 톰이 그보다 먼저 빙글 돌아서며 말을 기다린다는 듯이 그를 마주 보았다.

"여기에 마구간을 갖고 계신가요?" 개츠비가 힘들여 물었다.

"이 길 아래쪽 4분의 1마일쯤 되는 곳이죠."

"아."

잠시 침묵.

"시내엔 왜 가자는지 모르겠어." 톰이 별안간 거칠게 소리쳤다.

"여자들이라는 게 머릿속에 이런 생각이나 담아가지고 다닌단 말야……."

"뭐 마실 것 좀 가지고 갈까요?" 위쪽 창문에서 데이지가 소리쳤다.

"내가 위스키를 가져올게." 톰이 대답했다. 그는 안으로 들어갔다.

개츠비가 굳은 표정으로 나를 돌아보았다.

"이 집에서는 아무 말도 할 수 없군요, 형씨."

"데이지의 목소리엔 신중함이 없어요." 내가 말했다. "목소리에 온통……." 나는 말을 끊고 주저했다.

"목소리에 온통 돈이 가득 찼지요." 그가 불쑥 말했다.

바로 그것이었다. 그때까지만 해도 나는 깨닫지 못하고 있었다. 거기에는 돈이 가득 차 있었다. 하염없이 오르내리는 탕진되지 않는 매력이, 그 짤랑거림, 그 심벌즈의 음악이……. 하얀 궁전 저 높은 곳의 공주, 금빛 소녀가…….

톰이 술병 하나를 수건으로 감싸 쥐고 집에서 나왔고, 뒤따라 데이지와 조던이 금속 같은 천으로 된 작고 꽉 끼는 모자를 쓰고 팔에는 얇은 케이프를 걸치고 나왔다.

"다들 제 차로 가실까요?" 개츠비가 제안했다. 그는 뜨겁게 달궈진 녹색 가죽 시트를 만져보았다. "그늘에 세워둘걸 그랬습니다."

"표준 변속 기어인가요?" 톰이 물었다.

"예."

"그럼 당신이 내 쿠페를 운전하고 내가 당신 차를 시내까지 몰아

164

도 될까요."

개츠비는 이 제의가 언짢았다.

"휘발유가 충분하지 않을 텐데요." 개츠비가 반대 의사를 표시했
다.

"휘발유는 충분합니다." 톰이 큰 소리로 거들먹거리며 말했다.
그는 계기를 들여다보았다. "중간에 떨어지면 드럭스토어에 들르
면 되죠. 요즘에는 드럭스토어에서 뭐든지 살 수 있으니까."

적절하지 못한 것이 분명한 이 말 끝에 잠시 침묵이 뒤따랐다.
데이지가 찡그리며 톰을 쳐다보았고, 개츠비의 얼굴에는 뭐라 형
언할 수 없는 표정이 스쳐 지나갔다. 분명 낯설면서도 한편으로는
어렴풋이 알 것 같기도 한, 누가 얘기한 것을 말로만 들어본 듯한,
그런 표정이었다.

"자, 어서. 데이지." 톰이 그녀를 개츠비의 자동차 쪽으로 밀면
서 말했다. "당신을 이 곡마단 마차에 태워줄게."

톰이 차의 문을 열었지만 데이지는 그녀의 어깨를 두른 그의 팔
에서 빠져나갔다.

"당신이 닉하고 조던을 데리고 가세요. 우린 쿠페를 타고 따라갈
테니까."

그녀는 개츠비 쪽으로 가서 그의 외투에 손을 갖다 댔다. 조던과
톰과 나는 개츠비의 차 앞좌석에 올라탔고, 톰은 익숙지 않은 기어
를 실험 삼아 밀어보았다. 그런 다음 우리는 찌는 듯한 열기 속으
로 총알처럼 뛰쳐나갔다. 뒤에 남은 다른 사람들은 벌써 보이지 않
았다.

"자네 봤나?" 톰이 물었다.

"뭘 봐?"

나를 날카롭게 쏘아보는 것으로 보아 그는 조던과 내가 내내 알고 있었다는 것을 깨달은 모양이었다.

"내가 멍청하다고 생각하는 거지?" 그는 떠보듯 말했다. "허긴 그럴지도 모르지. 하지만 내게도…… 가끔 보이는 게 있어. 그래서 무얼 어떻게 해야 할지를 알고 있지. 믿지 않을지 모르겠지만 과학은……."

그는 말을 멈췄다. 발등에 떨어진 뜻밖의 일이 이론의 나락으로 떨어지려는 그를 간신히 붙잡은 모양이었다.

"이자에 대해 좀 조사해봤지." 그가 말을 이었다. "더 깊이 들어가볼 수도 있었어. 그걸 알기만 했더라면……."

"무당한테라도 가봤단 말이에요?" 조던이 장난스럽게 물었다.

"뭐라고?" 우리가 웃어대자 그는 어리둥절하여 우리를 빤히 쳐다보았다. "무당?"

"개츠비 일로 말이에요."

"개츠비 일로! 아냐, 그러진 않았어. 이자의 과거를 좀 조사해봤다고 했잖아."

"그럼 그 사람이 옥스퍼드 출신이란 것도 알아냈군요." 조던이 거들어주듯 말했다.

"옥스퍼드 출신이라고!" 그는 믿을 수 없다는 표정이었다. "그렇기도 하겠다! 그래서 핑크 정장을 하고 다니시는군."

"그래도 옥스퍼드 출신 맞아요."

"뉴멕시코 주 옥스퍼드겠지." 그는 경멸조로 콧방귀를 뀌었다. "아니면 뭐, 거 비슷한 거."

"이봐요, 톰. 그렇게 치사하게 굴려면 왜 그 사람을 점심에 초대했어요?" 조던이 심술이 나서 물었다.

"내가 아니고 데이지가 초대했지. 결혼 전에 알던 사람이라면서. 어디서 알았는지 알게 뭐야!"

맥주 기운이 떨어지면서 이제 다들 예민해져 있던 터라 그걸 깨닫고 우리는 잠시 말없이 달렸다. 이윽고 T. J. 에클버그 의사의 빛바랜 두 눈이 저편 길 아래에서 시야에 들어왔을 때 나는 문득 휘발유가 모자랄지 모른다던 개츠비의 말이 생각났다.

"시내까지 가는 데는 충분해." 톰이 말했다.

"그래도 바로 저기 주유소가 있잖아요." 조던이 이의를 제기했다. "이런 찜통더위에 오도가도 못하는 거 싫어요."

톰이 짜증을 내며 양쪽 브레이크를 한꺼번에 밟는 바람에 우리는 윌슨 정비소의 간판 밑으로 미끄러져 들어가 먼지를 일으키며 급정거를 했다. 잠시 뒤 주인이 정비소 안에서 나와 쑥 들어간 눈으로 물끄러미 자동차를 바라보았다.

"기름 좀 넣어주시오!" 톰이 거칠게 소리쳤다. "우리가 왜 이곳에 차를 세운 거 같소, 경치 감상하려고?"

"내가 병이 났어요." 윌슨이 꼼짝하지 않고 말했다. "하루 종일 앓았습니다."

"어떻게 된 거요?"

"탈진한 게지요."

"그럼 내가 직접 넣으란 말이오?" 톰이 물었다. "아까 전화할 때는 팔팔하더니만."

문간에 기대 서 있던 윌슨은 그늘에서 간신히 몸을 떼어 가쁜 숨을 몰아쉬며 탱크의 뚜껑을 열었다. 햇빛 속에서 보니 얼굴이 창백했다.

"점심식사를 방해할 생각은 없었어요." 그가 말했다. "하지만 돈이 급해서요. 당신이 전에 탔던 차를 어떻게 할 건지 궁금하기도 했고."

"이 차는 어떻소?" 톰이 물었다. "지난주에 산 건데."

"근사한 노란색 차군요." 윌슨이 힘겹게 펌프 손잡이를 잡아당기며 대답했다.

"살 생각 있소?"

"이건 용기가 필요해요." 윌슨이 희미한 미소를 지었다. "싫습니다. 저번 차는 돈이 좀 될 거 같지만."

"돈은 어디다 쓰려구, 갑자기?"

"여기 너무 오래 살았어요. 떠나고 싶어요. 집사람이랑 서부로 가고 싶습니다."

"부인이 그런단 말이오!" 톰이 놀라서 큰 소리로 외쳤다.

"그런 소리를 십 년 동안이나 해온 걸요." 그는 펌프에 기대어 눈을 가리고 잠깐 쉬었다. "이번엔 집사람이 원하든 원치 않든 갈 겁니다. 내가 집사람을 데리고 떠날 거예요."

쿠페가 먼지구름을 일으키며 우리 옆을 휙 지나갔고 창밖으로 흔드는 손도 휙 지나갔다.

"얼마요?" 톰이 퉁명스럽게 물었다.

"요 이틀 새에 이상한 걸 알게 되었거든요." 윌슨이 말했다. "그래서 떠나려는 겁니다. 그래서 자동차 문제로 귀찮게 해드렸고요."

"얼마냐잖소?"

"일 달러 이십 센트요."

무지막지한 열기에 머리가 어지러워지기 시작했기에, 그때까지도 윌슨의 의심이 톰에게까지 미치지는 않았다는 사실을 깨닫는 데는 시간이 좀 걸렸다. 그가 발견한 것은 머틀이 다른 세계에서 자기와는 동떨어진 삶을 살고 있다는 사실이었고, 그 때문에 충격을 받아 병이 나고 만 것이다. 나는 그와 톰을 번갈아 물끄러미 쳐다보았다. 톰 역시 그와 비슷한 종류의 발견을 한 지 한 시간도 지나지 않았다. 문득 지능이나 인종에는, 아픈 사람과 건강한 사람의 차이만큼 깊은 차이는 없다는 생각이 들었다. 윌슨은 너무 병이 심해 죄지은 사람처럼, 그것도 용서받지 못할 죄를 지은 사람처럼 보였다. 마치 어느 가엾은 소녀에게 아이라도 갖게 한 듯이 말이다.

"내 차를 당신에게 넘기겠소." 톰이 말했다. "내일 오후에 보내드리리다."

그 지역은 대낮에도 어딘지 모르게 늘 사람의 마음을 불안하게 만드는 데가 있었다. 나는 뒤를 조심하라는 경고를 받은 사람처럼 나도 모르게 뒤를 돌아다보았다. 잿더미 너머로 T. J. 에클버그 의사의 거대한 눈이 어김없이 우리를 지켜보고 있었다. 그러나 잠시 뒤 나는 또 다른 눈이 이십 피트도 떨어지지 않은 곳에서 우리를 뚫어져라 바라보고 있다는 것을 알아차렸다.

정비소 위층의 한 창문을 보니 커튼이 살짝 젖혀져 있고, 머틀 윌슨이 그곳에서 물끄러미 자동차를 내려다보고 있었던 것이다. 얼마나 정신없이 보고 있는지 그녀는 자신이 관찰당하고 있다는 사실을 전혀 의식하지 못했다. 그러면서 감정이 바뀌어감에 따라 그것들이 하나씩, 사진 필름에 사물이 서서히 현상되어 나오듯, 차례로 얼굴에 천천히 떠올랐다. 그녀의 표정은 이상하게도 낯익었다. 전에도 가끔 여자들의 얼굴에서 보았던 표정이지만 머틀 윌슨의 얼굴에 떠오른 그것은 의미도 없고 설명할 수도 없는 어떤 것이었다. 마침내 나는 질투와 공포로 휘둥그레진 그녀의 눈이 톰이 아니라 조던 베이커에게 붙박여 있음을 깨달았다. 그녀는 조던을 톰의 아내로 착각했던 것이다.

단순한 마음이 혼란스러워질 때처럼 혼란스러운 것도 없는 법이다. 우리 차가 그곳을 떠났을 때 톰은 매섭게 후려치는 공포를 느끼고 있었다. 한 시간 전까지만 해도 온전히 그만의 것이었던 아내와 정부가 느닷없이 그의 손아귀에서 빠져나가고 있었던 것이다. 데이지를 따라잡고 윌슨에게서 달아나고 싶다는 이중의 마음이 그로 하여금 본능적으로 액셀러레이터를 밟게 만들었다. 우리는 애스토리아를 향해 시속 오십 마일의 속도로 마구 달려 마침내 고가철도의 거미줄 같은 들보 사이를 느긋하게 달리고 있는 푸른색 쿠페를 발견할 수 있었다.

"50번가 근처의 큰 극장들이 시원해요." 조던이 말했다. "저는 사람들이 다 빠져나가버린 여름날 오후의 뉴욕이 좋아요. 뭔가 감각적인 데가 있어요. 무르익은 것 같은, 뭐랄까, 온갖 기이한 과일들이 우리 손에 금방이라도 떨어질 것 같은 때 있잖아요."

'감각적'이라는 말이 톰을 더 불안하게 만들어놓았지만, 그가 미처 뭐라고 대꾸할 말을 생각해내기도 전에 쿠페가 멈췄고 데이지가 우리더러 옆에 차를 세우라고 손짓을 했다.

"어디로 가죠?" 그녀가 소리쳤다.

"영화나 보는 게 어때?"

"너무 덥잖아요." 그녀는 불평했다. "당신들이나 가세요. 우리는 좀 돌아다니다가 나중에 합류할게요." 애를 쓰다 보니 그녀도 조금은 영리해졌다. "길모퉁이 같은 데서 만나요. 담배 두 대를 연거푸 피고 있는 사람이 있으면 그게 나인 줄 아세요."

"여기서 그런 걸 상의할 순 없어." 트럭 한 대가 뒤에서 욕질을 해대듯 경적을 울려대자 톰이 참지 못하고 말했다. "센트럴 파크 남쪽으로 해서 플라자 호텔 앞으로 날 따라와."

그는 몇 번이나 고개를 돌려 뒷차가 따라오는지 확인했고, 교통신호에 막혀 뒷차가 지체하면 차가 보일 때까지 속도를 늦추곤 했다. 그들이 샛길로 재빨리 꺾어 들어가 자신의 삶에서 영영 달아나 버릴까 봐 걱정이 되었던 듯하다.

하지만 그들은 달아나지 않았다. 그리고 우리 모두는 설명하기 어려운 방안을 선택했다. 그것은 플라자 호텔의 특실용 응접실을 빌린다는 것이었다.

한참이나 끌었던 소란스러운 입씨름은 결국 우리가 그 방으로 우르르 몰려 들어감으로써 간신히 끝났는데 그 내용은 이제 잘 생각이 나지 않는다. 하지만 그렇게 법석을 떠는 가운데 속옷이 계속 축축한 뱀처럼 다리를 휘감고 이따금 등줄기에 땀방울이 서늘하게 돋았던 몸의 기억만은 아직도 뚜렷하다. 하여간 그 생각은 애초에 욕실 다섯 개를 빌려 냉수욕을 하자는 데이지의 제안에서 나온 것이었는데, 그러한 발상이 나중에 '민트 줄렙〔위스키나 브랜디에 설탕과 박하 등을 탄 칵테일〕을 한잔 할 수 있는 장소'라는 좀 더 구체적인 모양을 갖추게 되었던 것이다. 우리는 저마다 그게 '터무니없는 발상'이라고 거듭해서 단정지었다. 그러고는 어리둥절해하는 호텔 직원에게 모두가 한꺼번에 방 있느냐고 물으면서 우리가 정말 웃기는 짓을 하고 있다고 생각했다. 아니면 그렇게 생각하는 척했거나……

　방은 컸지만 숨이 턱턱 막혔다. 그때가 이미 네 시였지만 창문을 열면 들어오는 건 공원의 뜨거운 관목숲에서 불어오는 바람뿐이었다. 데이지는 거울 앞으로 가서 우리에게 등을 돌린 채로 머리를 매만졌다.

　"정말 근사한 방이에요." 조던이 감탄하여 나직이 말하자 다들 웃어댔다.

　"창문 하나 더 열어." 데이지가 돌아보지도 않고 명령하듯 말했다.

　"창문이 더 없는걸."

　"그럼 전화를 걸어 도끼를 가져오라고 해야겠군……."

　"더울 때는 그냥 더위를 잊어버리는 게 상책이야." 톰이 참지 못하고 말했다. "덥다고 짜증내면 열 배는 더 더워져."

172

그는 위스키병을 싼 수건을 풀어 병을 테이블에 내려놓았다.

"그냥 모른 척하고 들어주지 그러오, 형씨." 개츠비가 말했다. "시내에 오자고 한 건 당신 아니었소."

잠시 침묵이 흘렀다. 못에 걸려 있던 전화번호부가 이유 없이 철썩 하고 바닥에 떨어지자 조던이 나지막이 "죄송해요"라고 말했다. 이번에는 아무도 웃지 않았다.

"내가 주울게요." 내가 나섰다.

"내가 주웠소." 개츠비는 끊어진 줄을 살펴보더니 흥미롭다는 듯 "흠!" 하고 소리를 내면서 전화번호부를 의자 위에 던졌다.

"그게 당신이 사용하는 고상한 말씨인가요?" 톰의 말엔 가시가 돋쳐 있었다.

"뭐 말입니까?"

"말끝마다 '형씨' 어쩌고 하는 거 말이오. 그거 어디서 주워들은 거요?"

"이것 봐요, 톰." 거울에서 돌아서면서 데이지가 말했다. "당신이 그런 인신공격이나 할 작정이면 난 여기서 일 분도 더 있지 않을 거예요. 전화를 걸어 민트 줄렙에 넣을 얼음이나 좀 주문하세요."

톰이 수화기를 들자 억눌려 있던 열기가 소리로 터져 나왔다. 우리는 아래층 무도장에서 장중한 화음으로 들려오는 멘델스존의 〈결혼 행진곡〉에 귀를 기울였다.

"이 더위에 결혼식을 올리다니!" 조던이 음울하게 말했다.

"하지만…… 나도 유월 중순에 결혼했어." 데이지가 생각났다는

듯이 말했다. "유월에 루이빌에서! 기절한 사람이 있었지! 기절한
게 누구였죠, 톰?"

"빌럭시였잖아." 그가 무뚝뚝하게 대답했다.

'빌럭시라는 남자였어. '블록스' 빌럭시. 상자 만드는 사람이었
지. 그래 맞아. 테네시 주 빌럭시 출신이었어."

"사람들이 그 사람을 우리 집으로 실어갔죠." 조던이 덧붙였다.
"우리 집이 바로 교회에서 두 집 건너에 있었거든요. 그런데 그 사
람이 우리 집에 3주일이나 눌러 있지 뭐예요. 보다 못해 아빠가 그
만 나가달라고 했죠. 그 사람이 나가고 난 바로 다음날 아빠가 돌
아가셨어요." 그녀는 잠시 뒤에 덧붙였다. "무슨 연관은 없었고
요."

"제가 아는 사람 중에도 멤피스 출신의 빌 빌럭시라는 사람이 있
었습니다." 내가 말했다.

"그 사람은 블록스 빌럭시의 사촌이에요. 그 사람이 우리 집에서
나가기 전에 집안 내력을 다 알게 되었어요. 제가 요즘 사용하는
그 알루미늄 골프채도 그 사람이 준 거예요."

결혼식이 시작된 듯 음악이 그치고 이번에는 긴 환성이 창을 통
해 흘러들었으며, 뒤이어 "거 좋다—!" 하는 외침 소리가 띄엄띄
엄 들려왔으며, 마침내 무도회가 시작되는지 재즈 음악이 터져 나
왔다.

"우리가 늙어가고 있나 봐." 데이지가 말했다. "젊다면 일어나
춤을 출 텐데."

"빌럭시를 생각해서 참아." 조던이 그녀에게 경고하듯 말했다.

"톰, 그 사람 어디서 알았죠?"

"빌럭시 말이오?" 그는 기억을 더듬느라고 애를 썼다. "난 모르던 사람이고 데이지의 친구였소."

"아녜요." 데이지는 부정했다. "그전엔 본 적이 없어요. 그 사람, 자가용을 타고 왔었죠."

"그런데, 그 사람이 당신을 안다고 했어. 루이빌에서 자랐다고 하면서. 에이서 버드가 막판에 데리고 와서 그자도 끼워줄 자리가 있느냐고 물었지."

조던이 웃었다.

"남의 차 얻어 타고 고향 가는 중이었나 보죠 뭐. 나한테는 당신 예일 대학 다닐 때의 학년회장이었다고 하던데."

톰과 나는 서로 멀거니 마주 보았다.

"빌럭시가?"

"우선, 우리에겐 회장 제도란 게 없었어……."

개츠비가 한 발로 짧고 불안하게 방바닥을 탁탁 두드렸다. 그러자 톰이 갑자기 그를 빤히 쳐다보았다.

"그런데 개츠비 씨, 옥스퍼드 출신이라고 알고 있소만."

"꼭 그렇다곤 할 순 없죠."

"아냐, 맞아요. 내가 알기로 당신은 옥스퍼드에 갔었어."

"그래요……. 갔었습니다."

잠시 침묵. 그러고선 도대체 믿을 수 없다는 투의 모욕적인 어조의 톰의 말.

"그럼 빌럭시가 뉴 헤이번에 갔을 무렵 당신은 옥스퍼드에 가신

175

게 틀림없겠군."

다시 침묵. 웨이터가 노크를 하고 들어와 잘게 부순 박하와 얼음을 갖다놓고 "감사합니다"라고 하면서 가만히 문을 닫고 나갈 때까지도 침묵은 깨어지지 않았다. 학벌에 관한 엄청난 사실이 마침내 밝혀질 수밖에 없는 순간이었다.

"거기 갔다고 하지 않았소." 개츠비가 말했다.

"알아들었습니다. 하지만 언제 갔는지 궁금하군요."

"1919년이었소. 다섯 달밖에는 머물지 않았소. 그래서 내가 진짜 옥스퍼드 출신이라고 할 수는 없다는 거요."

톰은 우리도 그 말을 믿지 못하리라 생각하고, 확인하듯 우리를 둘러보았다. 하지만 우리는 모두 개츠비를 바라보고 있었다.

"휴전이 되고 나서 일부 장교들에게 그런 기회가 주어졌지요." 그가 말을 이었다. "영국이나 프랑스에 있는 대학은 어디든 갈 수 있었소."

나는 자리에서 일어나서 그의 등이라도 두드려주고 싶었다. 전에도 여러 차례 그런 적이 있지만 이번에도 그에 대한 신뢰감이 완벽하게 되살아나는 것 같았다.

데이지가 회미한 미소를 띠며 일어서서 테이블 쪽으로 갔다.

"톰, 위스키나 따요." 그녀가 명령하듯 말했다. "내가 민트 줄렙 한 잔 만들어줄게요. 그럼 당신 보기에도 당신이 그렇게 바보 같아 보이진 않을 테니…… 어머, 이 민트 좀 봐!"

"잠깐 기다려봐." 톰이 불쑥 매섭게 말했다. "개츠비 씨에게 물어보고 싶은 게 하나 더 있어."

"하시지요." 개츠비가 점잖게 말했다.

"당신 도대체 우리 집에 무슨 분란을 일으키려는 거요?"

마침내 서로가 터놓고 맞서게 되자 개츠비는 오히려 만족스러워했다.

"분란을 일으키고 있는 건 저이가 아니에요." 데이지가 절망적으로 두 사람을 번갈아가며 바라보았다. "당신이 지금 분란을 일으키고 있어요. 제발 자제력을 좀 보이세요."

"자제력이라고!" 톰은 믿을 수 없다는 듯 그 말을 되풀이했다. "그래 요즘은 어디서 왔는지도 모르는 작자가 마누라와 붙어먹어도 가만히 앉아 구경하는 게 유행인가 보지. 글쎄, 그런 거라면 나는 유행에서 빠지겠어……. 요즘 사람들은 가정 생활이고 가족 제도고 다 비웃는 모양이던데, 이젠 다 내팽개치고 백인과 흑인이 인종 결혼을 하려 들겠지."

종잡을 수 없는 열변을 토하느라 벌겋게 달아오른 그는 자신이 문명의 마지막 보루에 홀로 서 있는 것처럼 여겨졌다.

"여기 있는 사람은 다 백인인데요." 조던이 중얼거렸다.

"내가 별로 인기가 없다는 거 나도 알아. 그래도 난 요란스런 파티 따윈 열지 않아. 친구를 사귀려면 자기 집을 돼지우리로 만들어야 하나 보지. 현대 사회에선 말이야."

다른 사람들과 마찬가지로 나는 화가 치밀었지만 그럼에도 불구하고 톰이 입을 열 때마다 웃음이 터지려고 했다. 톰은 난봉꾼에서 완벽한 도덕군자로 바뀌어 있었다.

"당신한테 말할 게 있어요, 형씨……." 개츠비가 입을 열기 시작했다. 데이지는 그가 무슨 말을 하려는지를 알아챘다.

"제발 그만두세요!" 그녀는 어쩔 줄 몰라하며 말을 막았다. "우리, 다 집에 가요. 다같이 집에 가는 게 어때요?"

"좋은 생각이야." 내가 일어섰다. "자, 어서. 톰, 여기 술 마실 사람 없어."

"개츠비 씨가 내게 하고 싶은 말이 뭔지 알고 싶군."

"당신 부인은 당신을 사랑하고 있지 않아요." 개츠비가 말했다. "당신을 한 번도 사랑한 적이 없어. 나를 사랑해."

"당신 미쳤군!" 톰이 반사적으로 부르짖었다.

개츠비가 튕기듯 일어섰다. 그는 격정에 넘쳐 있었다.

"당신을 한 번도 사랑한 적이 없단 말이오. 알겠소?" 그가 소리쳤다. "내가 가난했던 탓에 기다리다 지쳐 당신과 결혼했던 것뿐이오. 그건 엄청난 실수였소. 하지만 속으로는 나 말고 어느 누구도 사랑한 적이 없소!"

사태가 이쯤 되자 조던과 나는 그 자리를 뜨려고 했다. 하지만 톰과 개츠비는 경쟁이라도 하듯 완강하게 우리더러 그냥 있어달라고 했다. 두 사람 다 이제 감출 것이 없어진 마당에 자기들의 감정을 함께 나누는 것도 일종의 특권이 아니겠냐는 투였다.

"데이지, 앉아." 톰은 보호자 같은 어조로 말하려고 했지만 잘되지 않았다. "그동안 무슨 일이 있었다는 거야? 죄다 듣고 싶어."

"그동안 있었던 일을 내가 말했잖소?" 개츠비가 말했다. "지난 오 년 동안의 일 말이오……. 당신은 몰랐겠지만."

톰이 데이지를 향해 몸을 획 돌렸다.

"그래 지난 오 년 동안 이자를 만나고 있었다는 거야?"

"만났다는 게 아니오." 개츠비가 말했다. "우린 만날 수가 없었소. 하지만 형씨, 우린 그동안 내내 사랑했던 거고, 당신은 몰랐던 거요. 그래서 가끔 웃기도 했지……." 그러나 그의 눈에 웃음기라고는 없었다. "당신이 모르고 있다는 생각에."

"아, 그게 전부란 말이지?" 톰은 성직자들이 흔히 그러듯 두툼한 손가락 끝을 맞대고 의자 등에 기대앉았다.

"당신 미쳤어!" 그는 분통을 터뜨렸다. "오 년 전 일에 대해선 내가 뭐랄 수 없지. 그땐 내가 데이지를 몰랐으니까. 그런데 난 당신이 무슨 수로 이 여자 있는 곳에 이렇게 가까이 접근했는지 도대체 모르겠어. 뒷문으로 식료품 배달을 하지 않았다면 말이야. 하지만 나머진 죄다 빌어먹을 거짓말이야. 데이지는 나와 결혼할 때도 나를 사랑했고, 지금도 나를 사랑해."

"아니오." 개츠비가 고개를 저으며 말했다.

"사랑하는 걸 어떡해. 가끔 머릿속에 바보 같은 생각이 들어차서 자기가 무슨 짓을 하고 있는지 몰라서 탈이지만." 그는 분별력 있는 사람처럼 고개를 끄덕거렸다. "게다가 나도 데이지를 사랑해. 어쩌다 한번씩 몹쓸 난장을 벌이면서 바보짓을 하기도 하지만 언제나 다시 돌아왔어. 그리고 마음속으로는 항상 그녀를 사랑하고 있단 말이야."

"역겨워요." 데이지가 말했다. 그녀는 몸을 돌려 나를 향했다. 한 옥타브 낮춘 그녀의 목소리가 섬뜩한 경멸감으로 방 안을 꽉 채웠다. "우리가 왜 시카고를 떠났는지 아세요? 사람들이 왜 오빠에게 그 시시껄렁한 난장판 얘기를 해주지 않았는지 놀라워요."

개츠비가 뚜벅뚜벅 걸어가 그녀 옆에 섰다.

"데이지, 이제 다 끝났소." 그가 진지하게 말했다. "이제는 아무 상관 없어요. 저 사람에게 그냥 진실을 말하시오……. 한 번도 사랑한 적이 없다고. 그러면 그 일을 영원히 씻어버리게 되는 거요."

그녀는 멍청한 표정으로 그를 쳐다보았다. "아니…… 내가 어떻게 저 사람을 사랑할 수 있었겠어요……. 도대체 어떻게요?"

"당신은 저 사람을 한 번도 사랑한 적이 없소."

그녀는 주저했다. 호소하는 듯한 그녀의 눈길이 조던과 나를 향했다. 이제야 자기가 무슨 짓을 하고 있는지 깨달은 것 같은 눈빛이었다. 그런가 하면 자기는 처음부터 내내 어떤 행동도 의도한 적이 없었다고 말하는 것 같기도 했다. 그러나 이미 물 건너간 일이었다. 너무 늦어버렸다.

"저이를 한 번도 사랑한 적 없어요." 그녀가 말했다. 마지못해 말하는 기색이 그대로 배어 있었다.

"카피올라니〔하와이 군도의 호놀룰루 북쪽 오아후 섬에 있는 공원〕에서도 사랑하지 않았단 말야?" 톰이 갑자기 따져물었다.

"그래요."

아래층 무도장에서 숨을 막히게 하는 음악 소리가 뜨거운 바람결을 타고 가물가물 떠오르고 있었다.

"당신 신발 젖지 않게 하려고 펀치볼〔오아후 섬에 있는 산의 정상〕에서 당신을 안고 내려왔던 그날도?" 쉰 듯한 그의 어조에는 다정함이 배어 있었다. "……데이지?"

180

"제발, 그만해요." 그녀의 목소리는 냉랭했지만 거기에 앙심은 사라지고 없었다. 그녀는 개츠비를 쳐다보았다. "이봐요, 제이." 그녀가 말했다. 하지만 담배에 불을 붙이려는 그녀의 손은 떨리고 있었다. 갑자기 그녀는 담배와 불이 붙은 성냥개비를 카펫에 내동댕이쳤다.

"아, 당신은 바라는 게 너무 많아요!" 그녀는 개츠비에게 소리쳤다. "지금 난 당신을 사랑해요……. 그거면 되지 않아요? 지난 일은 나도 어쩔 수 없어요." 그녀는 어찌할 바를 모르고 흐느껴 울기 시작했다. "저 사람을 사랑했던 적이 있어요……. 하지만 당신도 사랑했어요."

개츠비는 눈을 크게 떴다 감았다.

"나도 사랑했다고?" 그가 되물었다.

"그것도 거짓말이야." 톰이 난폭하게 말했다. "데이지는 당신이 살아 있다는 걸 몰랐어. 어쨌든…… 데이지와 나 사이엔 당신이 알지 못할 일들이 많소. 우리 두 사람이 영원히 잊지 못할 일들 말이오."

이 말이 개츠비의 몸을 아프게 찔러대는 것 같았다.

"데이지와 둘이서만 얘기하고 싶소." 개츠비가 물러서지 않고 말했다. "지금 너무 흥분해 있어요……."

"둘이서만 얘기해도 톰을 사랑한 적이 없다고는 말하지 못해요." 그녀는 애처로운 목소리로 시인하고 말았다. "그렇게 말하면 사실이 아니니까요."

"당연히 그렇겠지." 톰이 맞장구를 쳤다.

그녀는 남편을 돌아보았다.

"그게 당신에게 중요한 문제라도 되는 것 같군요." 그녀가 말했다.

"당연히 중요하지. 지금부터는 당신을 좀 더 잘 돌봐줄 거야."

"당신은 뭘 잘 모르고 있소." 개츠비는 얼핏 당혹감을 내비치며 말했다. "당신은 이제부터 그녀를 돌봐주지 않아도 돼요."

"돌봐주지 않아도 된다?" 톰은 눈을 크게 뜨고 웃어댔다. 이제 그는 자제력을 보일 여유가 있었다. "그건 왜죠?"

"데이지는 당신과 헤어질 거요."

"말도 안 되는 소리."

"하지만 그럴 거예요." 그녀는 그렇게 말했지만 간신히 말하는 기색이 역력했다.

"나와 헤어지지 않을 거야!" 그러더니 톰의 말이 느닷없이 개츠비를 내리쳤다. "여자 손가락에 끼워준 반지까지 도로 훔쳐가는 소문난 사기꾼에게 가려고 나와 헤어지진 않아."

"정말 못 참겠어요!" 데이지가 소리쳤다. "아, 제발 여기서 나가요."

"당신 누구야, 도대체?" 톰이 갑자기 소리질렀다. "마이어 울프심과 어울려 다니는 패거리 중의 하나지…… 그 정도는 나도 알아. 당신 사업이라는 걸 좀 조사해봤으니까…… 내일은 좀 더 자세히 알아볼 테야."

"그거야 좋을 대로 하시지, 형씨." 개츠비가 동요치 않고 말했다.

"당신의 '약국'이라는 게 뭔지 알아냈지." 그는 우리에게 몸을 돌리더니 재빨리 말했다. "이 사람과 그 울프심이라는 자가 이 동네와 시카고 뒷골목 약국들을 잔뜩 사들이고는 거기서 에틸알코올을 소매로 팔았다더군. 그게 저 사람의 하찮은 재주 가운데 하나야. 난 저 사람을 처음 볼 때부터 밀주업자라는 걸 척 알아차렸다니까. 그다지 틀린 짐작이 아니었어."

"그게 어쨌다는 거요?" 개츠비가 점잖게 말했다. "당신 친구 월터 체이스는 자존심이 없어서 그 판에 끼었던가."

"그런데 그 친구가 궁지에 빠진 걸 당신네가 그냥 내버려두었다지, 아마? 뉴저지 주 감방에 보내 한 달 동안 썩게 두었어. 저런! 월터가 당신이란 사람에 대해 얘기하는 걸 들었어야 하는데."

"그 사람 우리한테 왔을 때 빈털터리였지. 손에 돈을 좀 쥐자 아주 좋아하더군, 형씨."

"날더러 형씨, 형씨 하지 마시오!" 톰이 버럭 소리질렀다. 개츠비는 대꾸하지 않았다. "월터가 당신네를 도박법에 걸어 넘길 수도 있었어. 하지만 울프심이 겁을 주어 입을 다물고 있었던 거지."

익숙지는 않지만 가끔 보았던 표정이 개츠비의 얼굴에 다시 돌아와 있었다.

"그 약국 사업이란 건 푼돈밖에 안 되었어." 톰이 천천히 말을 이었다. "헌데 당신에겐 지금 뭔가 있어. 월터가 겁이 나서 내게 말을 못하고 있지만."

나는 데이지를 힐끗 보았다. 그녀는 겁을 잔뜩 집어먹고 개츠비와 남편을 번갈아 응시하고 있었다. 그런 다음 나는 조던을 보았다. 언제부터인지 그녀는 턱 끝에 뭔가 보이지 않는 재미난 물건이라도 올려놓은 듯 그걸 떨어뜨리지 않으려고 애쓰고 있었다. 그러고 나서 나는 개츠비 쪽으로 다시 눈길을 돌렸다……. 나는 그의 표정에 깜짝 놀랐다. 그는 마치―이건 정원에서 사람들이 쑥덕거리던 험담 따위 깡그리 무시하고 하는 말인데―왕년에 정말 '살인을 했던' 사람 같은 표정을 짓고 있었다. 한순간 그의 얼굴 모습은 사람들이 수군대던 바로 그러한 괴이한 방식으로 묘사할 수 있을 것 같은 모습이 되었다.

그 표정은 사라졌다. 그리고 그는 이제 열띤 어조로 데이지에게 얘기하기 시작했다. 그는 모든 걸 부정했고, 아직 그 자리에서 나오지도 않은 비난에 대해서까지도 자신을 변명했다. 그러나 말 한 마디 한마디마다 그녀가 더욱더 깊이 움츠러들자 그는 결국 단념해버렸다. 어느덧 그날 오후가 이울어가는 동안 이제 그의 죽어버린 꿈만이 발버둥치고 있었다. 그의 꿈은 더는 만질 수 없는 것을 만지려고 애쓰면서, 비참하게, 하지만 절망에 빠지지 않고, 방 건너편의 길 잃은 목소리를 향해 끊임없이 다가가려고 허우적거리고 있었던 것이다.

그 목소리의 주인이 다시 한번 집에 가자고 간청했다.

"제발, 톰! 이제 더는 못 참겠어요."

겁에 질려 있는 그녀의 두 눈은, 여태까지 그녀가 어떤 의도를, 어떤 용기를 가지고 있었다 하더라도 이제는 그 모두가 다 사라지고 없다는 사실을 뚜렷하게 말해주고 있었다.

"당신들 둘이 먼저 출발해, 데이지." 톰이 말했다. "개츠비 씨 차로."

그녀가 왜 이러는가 하고 놀라서 톰을 쳐다보았지만 그는 경멸 어린 도량을 보이며 그렇게 고집했다.

"어서 가지그래. 저 사람이 당신을 괴롭히진 않을 거야. 그 뻔뻔하고 좀스런 연애질도 이제 다 끝났다는 걸 알아차린 것 같으니."

두 사람은 한마디 말도 없이 불쑥 나가버렸고, 그럼으로써 그들은 마치 유령처럼 우리가 연민조차 보낼 수 없는 딴 세계의 우연한 존재가 되어 사라져버렸다.

잠시 뒤 톰이 자리에서 일어나 미처 따지 못했던 위스키 병을 다시 수건에 싸기 시작했다.

"이거 좀 마실 거야? 조던? ……닉?"

나는 대답하지 않았다.

"닉?" 그가 다시 물었다.

"뭐?"

"마실 거냐고."

"아니…… 그러고 보니 오늘이 내 생일이야."

나는 서른 살이 되어 있었다. 내 앞에는 십 년이라는 새로운 세월의 길이 불길한 전조를 보이며 위협적으로 뻗어 있었다.

우리가 톰과 함께 쿠페에 올라타 롱아일랜드로 출발한 것은 일곱 시였다. 톰은 신명난 사람처럼 웃어대며 끊임없이 떠들어댔지만 그의 목소리는 조던과 나에게 보도에서 들려오는 낯선 소음이나 머리 위 고가철도에서 나는 굉음처럼 아득하게 여겨졌다. 인간의 공감에는 한계가 있는 법이다. 그래서 우리는 그들이 주고받은 비극적인 언쟁이 다 도시의 불빛처럼 등 뒤로 사라져가도록 기꺼이 내버려두었다. 서른 살—십 년 동안 외로울 것임에 틀림없고, 아는 사람 가운데 독신자는 줄어들 것이며, 열정의 서류 가방은 얄팍해질 것이고, 머리카락 또한 줄어들 것임이 분명했다. 하지만 내 곁에는 조던이 있었다. 데이지와는 달리 이미 잊혀버린 꿈 따위를 세월에서 세월로 지고 가기에는 너무 현명한 여자였다. 우리가 어두운 다리 위를 지나고 있을 때 그녀의 파리한 얼굴이 내 웃옷 어깨에 나른하게 기대왔고, 내 마음을 안심시키려는 듯 지그시 눌러오는 그녀의 손길에 서른 살의 무서운 충격은 어느덧 스러지고 말았다.

그렇게 우리는 식어가는 황혼을 뚫고 죽음을 향해 달려갔다.

재의 골짜기 옆에서 커피집을 하는 그리스 청년 미카엘리스가 사건 심리에서 가장 중요한 증인이었다. 그는 더운 한낮 동안 내내 잠을 자다 다섯 시가 되어서야 정비소로 어슬렁어슬렁 건너갔다가 조지 윌슨이 자기 사무실에서 병이 나 있는 것을 발견했다. 정말 병이 나 있었다. 그는 자신의 희부연 머리카락만큼이나 안색이 해쓱해져 온몸을 덜덜 떨고 있었던 것이다. 미카엘리스가 침대에 가 누우라고 타일렀지만 윌슨은 그러면 장사를 못해 손해가 크다며 말을 듣지 않았다. 이웃 청년이 이렇게 그를 설득하고 있는 중인데 머리 위에서 갑자기 요란한 소리가 들려왔다.

"집사람을 위층에 가둬놓았네." 윌슨이 덤덤하게 말했다. "모레까지 저렇게 가둬둘 생각이야. 그러고 나서 우린 이사를 갈 걸세."

미카엘리스는 깜짝 놀랐다. 사 년을 이웃으로 지내왔지만 윌슨이 그런 말을 할 수 있을 사람으로는 전혀 보이지 않았기 때문이다. 대체로 그는 어디서나 볼 수 있는 늘 지쳐빠진 사람 가운데 하나였다. 일을 하지 않을 때는 문간 의자에 앉아 길 가는 사람이나 지나가는 자동차를 넋 놓고 바라보았다. 누가 말이라도 걸라치면 그는 그때마다 어김없이 무표정하게 사람 좋아 보이는 웃음을 지어 보였다. 그는 아내의 뜻대로 살았지 제 뜻대로 사는 위인은 아니었다.

따라서 미카엘리스가 무슨 일이 있었는지 알아보려 한 것도 당연한 일이다. 하지만 윌슨은 한사코 한마디도 하지 않으려 했다. 오히려 이 청년에게 뭔가 알아내고 싶어 하는 듯한 의심쩍은 눈초리를 던지면서 어느 날 어느 시에 그가 무엇을 하고 있었는지 캐묻기 시작했다. 청년이 점점 거북한 기분이 들어갈 즈음 일꾼 몇 사람이 그곳 문간을 지나 그의 음식점 쪽으로 가는 것이 보였다. 그는 나중에 다시 와보리라 마음먹고 그 기회에 자리를 떴다. 그러나 다시 오지 못했다. 잊어버리고 말았던 모양이다. 그뿐이었다. 일곱 시가 조금 지나 그가 밖으로 다시 나왔을 때 정비소 아래층에서 윌슨 부인이 바락바락 욕설을 퍼붓는 소리가 들려와 그는 아까 나눴던 이야기를 생각해냈다.

"때려봐!" 그는 여자가 악 쓰는 소리를 들었다. "날 집어 던지고 때려보라니까. 이 더러운 겁쟁이야!"

잠시 뒤 그녀는 손을 내젓고 악을 쓰며 땅거미 속으로 뛰쳐나갔다. 그가 문간에서 발을 떼기도 전에 일은 다 끝나 있었다.

신문들이 '죽음의 자동차'라고 이름을 붙인 그 자동차는 서지 않았다. 그 차는 짙어가고 있던 어둠 속에서 달려 나와 한순간 비극적으로 비틀거리다가 다음 길모퉁이를 돌아 사라져버렸다. 미카엘리스는 자동차의 색깔조차 자신 있게 말할 수 없었다. 첫 번째 경찰관에게는 옅은 초록색이라고 말했다. 그때 뉴욕 방향으로 달리던 차가 있었는데 이 차는 백 야드가량 지나친 뒤 멈춰 섰다. 운전하던 사람은 급히 머틀 윌슨이 있는 곳으로 돌아왔다. 그녀는 생명의 불이 무참하게 꺼진 채 길 위에 엎어져 끈끈한 검붉은 피를 흙과 뒤섞고 있었다.

미카엘리스와 이 남자가 제일 먼저 그녀에게 간 사람들이었다. 하지만 그들이 아직 땀으로 축축한 블라우스를 찢어 젖혔을 때는 이미 왼쪽 젖가슴이 축 늘어져 흔들거리고 있어 그 아래 심장의 박동 소리는 들어볼 필요도 없었다. 입은 헤벌어진 채 양 귀퉁이가 조금씩 찢겨 있었다. 마치 오랫동안 축적해놓았던 엄청난 생명력을 쏟아버리면서 조금 숨이 막혀 입 안에 걸렸던 것처럼.

우리가 자동차 서너 대와 사람의 무리를 본 것은 아직도 상당한 거리를 둔 곳에서였다.

"사고로군!" 톰이 말했다. "잘됐어. 윌슨에게도 이제 일거리가 하나 생기게 됐으니."

그는 속도를 줄였지만 멈출 생각까지는 없었다. 그러나 더 가까이 다가가면서 정비소 문간에 모인 사람들이 뭔가에 골똘해서 숨죽이고 있는 모습을 보더니 그는 자기도 모르게 브레이크를 밟았다.

"무슨 일인지 보고 가자구." 그는 뭔가 이상하다는 듯 말했다.

"그냥 들여다보기만 하자고."

그제야 나는 정비소에서 끊이지 않고 흘러나오는 힘없는 탄식소리를 알아들을 수 있었다. 우리가 쿠페에서 내려 문간 쪽으로 걸어가면서 들어보니 그 소리는 헐떡이는 신음 속에서 되풀이하여 터져 나오는 "아이고, 하나님!"이라는 탄식의 말임을 알 수 있었다.

"무슨 사고가 단단히 나긴 났군." 톰이 흥분하여 말했다.

그는 발돋움을 하고 둘러선 사람들의 머리 너머로 정비소 안을 들여다보았다. 그곳을 밝혀주고 있는 것은 머리 위에서 흔들거리고 있는 철망 바구니 안의 노란 전등뿐이었다. 안을 들여다보던 톰은 갑자기 목구멍으로 괴이한 소리를 내더니 억센 두 팔로 사람들을 난폭하게 밀어젖힌 후 안으로 뚫고 들어갔다.

웅얼웅얼 꾸지람하는 소리가 쏟아지면서 구경꾼들의 간격은 다시 좁혀졌다. 잠시 동안 나는 아무것도 볼 수 없었다. 그러다 새로 온 사람들이 줄을 흐트러뜨려놓는 바람에 조던과 나는 갑자기 안으로 떠밀려 들어갔다.

담요에 싸인 머틀 윌슨의 시신은 이 뜨거운 밤에 오한이라도 염려된다는 듯 또 한 장의 담요에 한 겹 더 싸인 채 벽가 작업대 위에 놓여 있었고, 톰은 우리 쪽으로 등을 돌린 채 꼼짝하지 않고 시신을 굽어보고 있었다. 그의 곁에는 오토바이 경관 한 사람이 서서 땀을 뻘뻘 흘리며 수첩에 이름을 받아 적고 있었는데 뭐가 잘 안 되는지 자꾸 썼다 고쳤다 하고 있었다. 처음에 나는 그 황량한 정비소 안을 시끄럽게 울리고 있는, 그 높은 탄식의 말소리가 어디서 나는지 알아차리지 못했다. 그러다 윌슨이 턱이 높은 그의 사무실

문지방에 서서 몸을 앞뒤로 흔들어대면서 두 손으로 문기둥을 붙들고 있는 모습을 보았다. 어떤 남자 하나가 나지막한 소리로 그에게 뭔가를 얘기하면서 가끔 윌슨의 어깨에 손을 얹으려 했지만, 윌슨에게는 아무 소리도 들리지 않고 아무것도 보이지 않는 듯했다. 그의 눈길은 흔들거리고 있는 전등으로부터 천천히 떨어져내려 벽가의 시신이 놓인 작업대로 갔다가 다시 전등 쪽으로 휙 돌아오곤 했다. 그러고서 그는 커다란 목소리로 그 무서운 소리를 끊임없이 질러댔다.

"아이고, 하나님! 아이고 하나님! 아이고, 아이고 하나님!"

이윽고 톰은 머리를 휙 젖혀 들고 흐리멍덩한 눈으로 정비소 안을 찬찬히 둘러보더니 경찰관에게 뭐라고 종잡을 수 없는 말을 웅얼거렸다.

"마브一" 경찰관이 이름을 받아적고 있었다. "一오一"

"아니, '로' 예요⋯⋯." 청년이 고쳐주었다. "마브로一"

"내 말 좀 들어봐요!" 톰이 나직하고 사납게 말했다.

"르一" 경찰관이 소리내었다. "오一"

"그一"

"그一" 톰이 넓적한 손으로 어깨를 덥석 쥐자 경찰관이 고개를 쳐들었다. "뭡니까?"

"어떻게 된 겁니까? 나도 좀 알아야겠소."

"자동차에 치였소. 즉사했어요."

"즉사했다고?" 톰은 경관을 빤히 쳐다보며 되뇌었다.

"여자가 길바닥으로 뛰쳐나갔어요. 그 빌어먹을 자식은 차를 세우지도 않고 도망가고."

"차가 두 대였습니다." 미카엘리스가 말했다. "한 대는 오고, 한 대는 가고, 말입니다. 아시겠어요?"

"어느 방향으로 갔다고?" 경찰관이 날카롭게 물었다.

"서로 반대 방향으로 갔어요. 그러니까 저 여자가—" 그의 손이 담요 쪽으로 올라가다가 중간쯤에서 멈추더니 다시 옆구리로 내려 왔다. "—저 여자가 그쪽으로 뛰어나갔는데 뉴욕 쪽에서 오던 차가 정면으로 들이받았죠. 시속 삼사십 마일쯤은 달렸습니다."

"이 동네 이름이 뭐죠?" 경찰관이 물었다.

"이름 같은 건 없어요."

잘 차려입은 해쓱한 얼굴의 흑인 하나가 가까이 다가왔다.

"노란색 차였습니다." 그가 말했다. "커다란 노란색 차였어요. 새 차였죠."

"사고날 때 보았소?" 경찰관이 물었다.

"아뇨. 하지만 그 차가 저를 지나쳐 길 저 아래로 갔습니다. 사십 마일은 더 되었습니다. 오륙십 마일은 되었을 겁니다."

"이리 오시오. 이름을 좀 적읍시다. 자, 조심해주세요. 이 사람 이름을 좀 적어야겠어요."

이렇게 주고받는 말 몇 마디가 사무실 문간에서 비틀거리고 있 던 윌슨에게도 들린 게 틀림없었다. 헐떡이며 소리치고 있던 그가 갑자기 새로운 얘기를 끄집어냈던 것이다.

"그게 무슨 차인지 내게 말해줄 거 없어! 무슨 차인지는 내가 아 니까!"

톰을 지켜보고 있던 나는 그의 어깨 뒤쪽 근육 덩이가 웃도리 아래로 팽팽해지는 걸 볼 수 있었다. 그는 잰 걸음으로 윌슨에게 다가가 그 앞에 우뚝 서서 그의 양팔 위쪽을 두 손으로 억세게 거머쥐었다.

"이봐, 기운을 차려." 그는 무뚝뚝하면서도 진정시키는 투로 말했다.

윌슨의 눈길이 톰에게 떨어졌다. 발끝이 세워져 일으켜졌는데 그때 톰이 똑바로 붙잡아주지 않았더라면 그의 몸뚱이는 폭삭 주저앉고 말았을 것이다.

"내 말 들어보시오." 톰이 그를 약간 흔들어대며 말했다. "난 방금 뉴욕에서 오는 길이오. 우리가 말하던 그 쿠페를 가져오는 길이란 말이오. 오늘 오후에 내가 운전했던 그 노란 차는 내 차가 아니었소. 듣고 있소? 난 오후 내내 그 차를 못 봤단 말이야."

흑인과 나만이 그가 하는 말을 들을 수 있을 만큼 가까이 있었지만 경찰관이 그 어투에서 무슨 낌새를 챘는지 매서운 눈으로 훑어보았다.

"거 뭐 하는 겁니까?" 그가 물었다.

"난 이 사람 친구 됩니다." 톰이 고개를 돌렸지만 손은 계속해서 윌슨의 몸을 꽉 붙잡고 있었다. "이 사람이 사고 낸 차를 안답니다……. 노란색 차랍니다."

뭔가 어렴풋한 육감이 작동했는지 경찰관은 의심쩍게 톰을 바라보았다.

"당신 차는 무슨 색깔입니까?"

"푸른색입니다. 쿠페형이죠."

"우린 지금 뉴욕에서 바로 오는 길입니다." 내가 말했다.

우리보다 조금 뒤에서 차를 운전했던 사람이 이를 확인해주자 경찰관은 돌아섰다.

"자, 아까 그 이름을 다시 한번 정확하게 말씀해주시면⋯⋯."

톰은 윌슨을 인형처럼 들어 올려 사무실로 데리고 가서 의자에 앉혀놓고 나왔다.

"여기 누가 좀 와서 이 사람과 같이 있어주면 좋겠소." 그는 명령하듯 소리쳤다. 제일 가까이에 서 있던 남자 둘이 서로 힐끗 마주 본 후 마지못해 사무실로 들어가는 것을 그는 지켜보았다. 그런 다음 톰은 문을 닫아버리고는 작업대로부터 눈길을 피하며 층계를 한 단 내려왔다. 톰은 내게 바짝 다가와 지나치면서 소곤거렸다. "나가세."

톰이 위세 좋게 두 팔로 길을 내고, 우리는 사람들의 시선을 의식하며 아직도 모여들고 있는 군중 사이를 뚫고 나왔다. 그때 가방을 들고 황급히 들어오는 의사를 지나쳤다. 혹시나 하는 희망으로 반시간 전에 부른 의사였다.

길모퉁이를 돌 때까지 톰은 천천히 차를 몰았다. 모퉁이를 돌고 나서는 액셀러레이터를 세게 내려밟았다. 그의 쿠페는 밤의 어둠 속을 질주했다. 얼마 안 있어 쉰 듯한 목소리의 나직한 흐느낌이 들려왔다. 고개를 돌려보니 그의 얼굴에 눈물이 펑펑 쏟아지고 있었다.

"빌어먹을 겁쟁이 자식!" 그가 훌쩍이며 말했다. "차를 세우지도 않다니."

어둠 속에서 살랑거리는 나무들 사이로 불쑥 우리 앞에 뷰캐넌 부부의 집이 떠올랐다. 톰은 현관 앞에 차를 세우고 이층을 올려다 보았다. 담쟁이덩굴 사이로 두 개의 창에 불이 켜져 환히 빛나고 있는 것이 보였다.

"데이지가 집에 와 있군." 그가 말했다. 차에서 내리던 그는 힐끗 나를 쳐다보며 약간 얼굴을 찌푸렸다.

"닉, 웨스트에그에서 자네를 내려줄걸 그랬네. 오늘 밤엔 우리가 할 수 있는 일이 없네."

어느 사이 태도가 사뭇 달라져 있었다. 그의 말은 엄숙했고, 단호했다. 우리가 달빛에 젖은 자갈길을 건너 현관으로 가는 동안 그는 기세 좋은 몇 마디 말로 상황을 정리해버렸다.

"전화를 해서 자네가 타고 갈 택시를 불러주겠네. 기다리는 동안 자네와 조던은 식당에 가서 저녁을 차려달라고 하게. 생각이 있으면 말일세." 그는 문을 열었다. "들어오게."

"아냐, 괜찮네. 하지만 택시를 불러주면 고맙겠어. 밖에서 기다리겠네."

조던이 내 팔에 손을 얹었다.

"닉, 들어가지 않을 건가요?"

"아니, 괜찮아요."

나는 속이 좀 메스꺼운 기분이 들던 참이라 혼자 있고 싶었다. 그러나 조던은 잠시 더 머뭇거렸다.

"겨우 아홉 시 반이에요." 그녀가 말했다.

들어가느니, 차라리 지옥에 가는 게 낫겠다 싶었다. 그 정도면

꼬박 하루 동안 이들과 지겨울 만큼 같이 있었던 셈이었고, 갑자기 조던도 지겹다는 생각이 들었다. 그녀는 내 표정에서 뭔가 낌새를 챈 게 분명했다. 획 돌아서 현관 층계를 뛰어올라 집 안으로 들어가버렸다. 나는 주저앉아 몇 분 동안 손으로 머리를 감싸고 있었다. 마침내 안에서 전화기를 집어 드는 소리와 택시를 부르는 집사의 목소리가 들려왔다. 나는 정문에서 기다릴 셈으로 천천히 차도로 내려갔고 차츰 집에서 멀어졌다.

이십 야드쯤이나 갔을까. 어디선가 날 부르는 소리가 나더니 개츠비가 두 그루 덤불나무 사이에서 길로 걸어 나왔다. 이때쯤 나는 꽤 으스스한 기분에 사로잡혀 있었음에 틀림없다. 왜냐하면 달빛 아래 그의 핑크 양복이 번쩍이는 것만 의식했을 뿐 아무 생각도 나지 않았기 때문이다.

"여기서 뭐 하고 있는 겁니까?" 내가 물었다.

"그냥 서 있는 겁니다, 형씨."

왠지 그건 비열한 짓처럼 여겨졌다. 아무래도 그는 곧 그 집을 털 모양이었다. 그의 뒤쪽 컴컴한 덤불숲 속에서 험상궂은 얼굴들, '울프심의 사람들'의 얼굴이 보였다 해도 나는 놀라지 않았을 것이다.

"길에서 무슨 사고 난 것 보셨습니까?" 잠시 뒤 그가 물었다.

"예."

그는 머뭇거렸다.

"그 여자 죽었나요?"

"예."

"그러리라 생각했습니다. 데이지에게도 그랬을 거라고 했어요. 충격은 한꺼번에 받는 편이 낫죠. 데이지는 꽤 잘 견뎠습니다."

중요한 것은 오로지 데이지의 반응밖에 없다는 듯이 그가 말했다.

"샛길로 해서 웨스트에그로 갔지요." 그는 계속해서 말했다. "차는 차고에 넣어두었습니다요. 우릴 본 사람은 없는 것 같지만 장담할 수야 없지요."

이쯤 되자 나는 그가 얼마나 밉살스러워지는지 그가 잘못했다고 말해주어야 한다는 생각조차 하지 못했다.

"그 여자가 누굽니까?" 그가 물었다.

"윌슨이라는 여자예요. 남편이 정비소 주인이고. 도대체 어쩌다 그런 일이 났습니까?"

"그러니까 내가 운전대를 꺾으려고 했죠……." 그가 말을 뚝 멈추었고, 나는 불현듯 진실을 직감할 수 있었다.

"데이지가 운전을 하고 있었나요?"

"그래요." 잠시 뒤 그가 대답했다. "하지만 물론 내가 운전했다고 할 겁니다. 아시다시피, 뉴욕에서 출발할 때 데이지는 신경이 바짝 곤두서 있었는데 운전을 하면 마음이 좀 가라앉을 거라고 생각했어요. 그런데 우리가 맞은편에서 오는 차를 막 비켜가려는 순간 이 여자가 뛰쳐나와 우리한테 달려든 겁니다. 이게 다 순식간에 일어났죠. 그런데 내 생각에는 그 여자가 우리에게 무슨 말을 하려고 했던 것 같았어요. 우릴 아는 사람인 줄 알았나 봅니다. 글쎄, 처음엔 데이지가 그 여자를 피하려고 마주 오던 차 쪽으로 운전대를 꺾었죠. 그런데 순간 겁을 먹고 다시 반대로 꺾고 말았습니다. 내가 막 운전대를 잡은 순간 충격이 느껴졌어요. 아마 즉사했을 겁니다."

"온통 갈가리 찢겨서……."

"그만하시오, 형씨." 그는 움츠렸다. "어쨌든…… 데이지는 그냥 액셀러레이터를 밟았어요. 내가 세우려고 했지만 세우질 못하더군요. 그래서 난 사이드 브레이크를 당겼습니다. 그랬더니 데이지가 내 무릎 위에 쓰러졌어요. 그러고서는 내가 차를 몰았지요."

"데이지는 내일이면 괜찮을 겁니다." 이윽고 그가 말했다. "난 그냥 이곳에 있으면서 혹 그자가 오늘 오후에 있었던 불쾌한 일로 데이지를 괴롭히지나 않는지 지켜보려고 합니다. 데이지는 방에 들어가 문을 잠가놓고 있어요. 그자가 무슨 난폭한 짓이라도 하려 들면 불을 껐다가 다시 켜기로 했습니다."

"톰이 데이지에게 손을 대진 않을 겁니다." 내가 말했다. "지금은 데이지는 안중에도 없으니까."

"난 그 사람 믿지 않아요, 형씨."

"얼마나 기다리고 있을 겁니까?"

"필요하다면 밤새라도 기다려야죠. 아무튼 모두 다 잠자리에 들 때까지는."

내게 새로운 관점의 생각이 떠올랐다. 운전한 사람이 데이지였다는 사실을 톰이 알아낸다면? 그는 이 사건에 어떤 상관 관계가 있다고 생각할 가능성이 있었다. 그가 어떤 생각을 할지 모를 일이었다. 나는 그의 집을 바라보았다. 아래층에 불 밝힌 창이 두어 개

있었고, 2층 데이지의 방에서는 분홍색 불빛이 흘러나오고 있었다.

"여기서 기다리시죠." 내가 말했다. "혹 무슨 소동이 날 조짐이 있는지 알아보겠습니다."

나는 잔디밭 가장자리를 따라 뒤로 돌아가 자갈길을 가만가만 가로질러 발끝으로 베란다 층계로 올라갔다. 거실 커튼은 열려 있고 방은 텅 비어 있었다. 석 달 전, 유월의 그날 밤 우리가 저녁식사를 함께했던 현관을 가로질러 나는 식료품 저장실 창문이라고 짐작되는, 조그만 장방형 불빛에 이르렀다. 블라인드가 내려져 있었지만 창턱에서 나는 틈을 하나 발견했다.

데이지와 톰은 부엌 식탁에서 식어버린 닭튀김 한 접시와 맥주 두 병을 사이에 두고 마주 앉아 있었다. 그는 탁자 건너편의 그녀를 향해 뭔가를 열심히 말하고 있었는데 열중하는 가운데 그의 손이 내려와 그녀의 손을 움켜쥐고 있었다. 그녀는 이따금 그를 올려다보며 알았다는 듯이 고개를 끄덕였다.

그들은 행복하지 않았다. 두 사람 다 닭튀김이나 맥주에는 손도 대지 않았다. 그러나 그들은 불행하지도 않았다. 그 장면에는 누가 보아도 놓칠 수 없는 자연스러운 친밀감이 감돌고 있었다. 그리고 그 장면을 목격한 사람이라면 누구라도 그들이 지금 뭔가를 모의하고 있다고 말했을 것이다.

발끝으로 걸어서 현관을 나오고 있을 때 내가 타고 갈 택시가 어두운 길을 더듬어 집을 향해 오고 있는 소리가 들렸다. 개츠비는 우리가 헤어진 차도의 그 자리에서 기다리고 있었다.

"거기 위쪽은 다 조용하던가요?" 그가 걱정스럽게 물었다.

"예, 다 조용합니다." 그러고서 나는 머뭇거렸다. "집에 돌아가 좀 주무시는 게 좋을 텐데요."

그러나 그는 고개를 내저었다.

"데이지가 잠자리에 들 때까지 여기서 기다리고 싶습니다. 잘 가 시오, 형씨."

그는 외투 주머니에 두 손을 집어넣고, 마치 내가 그 자리에 있 는 것이 그 불침번의 신성함을 망치기라도 한다는 듯이, 집을 감시 하기 위해 진지하게 돌아섰다. 그래서 나는 그가 그곳 달빛 아래 서서 아무것도 아닌 것을 지켜보도록 남겨둔 채 혼자 걸어 나왔다.

8

나는 밤새 잠을 이룰 수 없었다. 해협에서는 안개 경보가 신음소리처럼 끊임없이 울려댔다. 나는 괴기스런 현실과 포악하고 무서운 꿈 사이에서 반쯤 앓으면서 뒤척였다. 새벽녘에 개츠비의 차도로 택시 한 대가 올라가는 소리가 들려 나는 곧바로 침대에서 뛰쳐나와 옷을 입었다. 그에게 뭔가 말해주어야 할 것 같았다. 조심하라는 말을. 아침이 되면 너무 늦을지 몰랐다.

그의 집 잔디를 건너가 보니 앞문이 아직 열려 있고, 그가 홀의 테이블에 기대어 서 있었다. 기분이 우울해서인지 잠을 못 자서인지 맥이 없어 보였다.

"아무 일도 없었습니다." 그는 지친 듯 말했다. "계속 기다렸지요. 새벽 네 시쯤에 데이지가 창가로 오더니 잠시 서 있다가 불을 끄더군요."

우리는 담배를 찾느라 커다란 방들을 헤맸는데 내게는 그 집이 그날 밤만큼 엄청나게 커 보인 적이 없었다. 우리는 커다란 천막 같은 커튼을 옆으로 열어젖히고 한없이 넓은 깜깜한 벽을 더듬어 전등 스위치를 찾았다. 한번은 내가 허깨비 같은 피아노 건반 위로 털버덕 넘어지기도 했다. 사방에 이루 말할 수 없을 만큼 많은 먼지가 쌓여 있었고 환기를 며칠이나 시키지 않았는지 방에서는 곰팡이 냄새가 났다. 나는 낯선 테이블 위에서 담배 상자를 찾아냈다. 그 안에 김빠지고 말라버린 담배 두 개비가 들어 있었다. 우리는 거실 유리문을 열어 젖히고 나란히 앉아 어둠을 향해 담배 연기를 내뿜었다.

"이곳을 떠나야 합니다." 내가 말했다. "사람들이 틀림없이 당신 자동차를 찾아낼 겁니다."

"당장 떠나란 말이오, 형씨?"

"애틀랜틱 시에 일주일쯤 가 있거나, 몬트리올에 올라가시든지."

개츠비에게는 그럴 생각이 없었다. 데이지가 어떻게 할 작정인지 알기 전에는 도저히 떠날 수 없다고 했다. 그는 마지막 희망을 부여잡고 있었고, 나는 차마 그걸 팽개치고 달아나라고 할 수가 없었다.

그가 나에게 댄 코디와 함께 보냈던 젊은 시절의 기이한 얘기를 들려준 것은 바로 그날 밤이었다. 그가 나에게 그 얘기를 해준 것은, '제이 개츠비'가 톰의 단단한 적개심을 만나 유리처럼 부서져버렸기 때문이었다. 그리고 그럼으로써, 그 길고 은밀했던 광상극(狂想劇)이 막을 내려버렸기 때문이었다. 일이 이렇게 되고 보니 그는 무엇이든 다 숨김없이 털어놓을 수 있다고 여겼던 것 같은데 무엇보다 데이지에 대해 얘기하고 싶어 했다.

그녀는 그가 살면서 처음 만난 '고상한' 여자였다. 그는 이런저런 숨은 재주를 발휘하여 고상한 사람들과 접촉하긴 했지만 그들과의 사이에는 늘 보이지 않는 철조망이 가로놓여 있었다. 그녀는 마음 설레게 할 정도로 탐나는 대상이었다. 처음에는 캠프 테일러의 다른 장교들과 함께, 나중에는 혼자서 그녀의 집을 찾았다. 그는 그녀의 집에 놀랐다. 그처럼 아름다운 집에 들어가보기는 처음이었다. 그러나 그가 그곳에서 숨 막힐 것 같은 강렬한 분위기를 느꼈던 것은 데이지가 거기에 살고 있다는 사실 때문이었다. 그녀에게 그 집은 하나의 예사로운 집이었다. 부대 안의 텐트가 그에게 예사로운 것이었던 것처럼 말이다. 그 집에는 어딘가 무르익은 신비스러움이 있었다. 어쩐지 위층에는 어떤 침실보다 더 아름답고 시원한 침실이 있을 것만 같았고, 복도에서는 흥겹고 화려한 일들이 벌어지고 있을 것만 같았으며, 이미 깊이 챙겨둔 곰팡내 나는 로맨스 말고 번쩍이는 새 차처럼 싱싱하게 숨쉬는 향기로운 로맨스가 있을 것만 같았고, 시들지 않는 꽃처럼 싱싱한 춤들이 있을 것만 같았다. 데이지가 이미 많은 남자들의 사랑을 받았다는 사실 또한 그를 설레게 했다. 그럴수록 그의 눈에는 그녀가 더 귀중한 존재로 보였다. 그는 그 남자들의 존재를 집 구석구석에서 느낄 수 있었다. 그들은 아직도 떨리는 감정의 그림자와 메아리로 대기를 가득 채우고 있었다.

그러나 그는, 자신이 데이지의 집에 들어가게 된 것이 엄청난 우연이었음을 알고 있었다. 제이 개츠비로서의 장래가 얼마나 화려할지는 몰라도 그는 그때 아무런 전력도 없는 무일푼의 청년이었다. 투명한 위장이 되어준 그의 제복도 언제 어느 때 그의 어깨에서 흘러내려버릴지 모를 일이었다. 그래서 그는 자신의 시간을 최대한 이용했다. 그는 자신이 얻을 수 있는 것이면 무엇이든 게걸스럽게, 거리낌없이 가졌다. 그리하여 마침내 시월 어느 조용한 밤 그는 데이지를 손에 넣고 말았다. 그녀의 손을 만질 권리조차 없었기에 그는 그녀를 가지고 말았던 것이다.

그가 자신을 경멸했을지도 모른다. 분명히 속임수로 그녀를 차지했기 때문이다. 이것은 그가 있지도 않은 수백만 달러를 미끼 삼아 그렇게 했다는 뜻이 아니라, 계획적으로 데이지로 하여금 안심해도 된다는 느낌을 갖게 했다는 뜻이다. 그는 자신이 그녀와 비슷한 계층 출신인 것처럼 믿게 했고, 충분히 그녀를 보살펴줄 능력이 있다고 믿도록 만들었다. 실은 그에게는 그러한 능력이 없었다. 그에게는 풍족한 집안의 뒷받침도 없었고, 그는 개인의 운명에는 아랑곳 없는 정부의 변덕에 따라 언제 어느 때 세계의 어느 곳으로 불려갈지 모를 처지였다.

그러나 그는 자신을 경멸하지도 않았고, 일이 그가 상상한 대로 돌아가지도 않았다. 그가 가질 수 있는 것만 가지고서 떠나버릴 의도가 없었다고 할 수도 없었다. 그러나 이제 와서 보니 그는 자신이 온 마음을 바쳐 하나의 성배(聖杯)를 뒤쫓아왔다는 것을 깨닫게 되었다.〔서양에는 성배(The Holy Grail)의 전설이 있다. 이 성배는 그리스도가 최후의 만찬에서 사용했고 십자가 수난 때 그의 피를 담았다는 컵으로 어디론가 사라져버렸다. 중세의 기사들에게는 이 성배를 되찾는 것이 큰 과제였다.〕 그는 데이지가 유다른 사람이라는 것을 알고 있었지만 '고상한' 여자가 도대체 얼마만큼이나 유다를 수 있을지는 깨닫지 못했다. 그녀는 부유한 자기 집 안으로, 자신의 부유하고 풍요한 삶 속으로 사라져버렸다. 개츠비에게는 아무것도 남겨두지 않았다. 그는 그녀와 결혼이라도 한 기분이었지만, 그것이 전부였다.

이틀 뒤 그들이 다시 만났을 때 숨이 가빴던 사람은, 어떻게 당했는지도 모르게 배신을 당하고 만 사람은 개츠비였다. 그녀의 집 현관은 돈을 주고 사들인 별빛처럼 호사스런 물건들로 휘황찬란했다. 그녀가 그에게로 몸을 돌리고, 그가 그녀의 진기하고 아름다운 입술에 키스를 하는 동안 고리버들로 만든 긴 의자의 장식이 우아하게 삐걱거렸다. 그녀는 감기에 걸려 있었는데 그 때문에 그녀의 목소리는 어느 때보다 더 허스키하고 매력적이었다. 개츠비는 재력이 가두어 보호해주는 젊음과 신비, 산뜻하기만 한 수많은 새옷들, 그리고 가난한 자들의 치열한 생존 싸움을 벗어난 저 높은 곳에서 안전하고도 자랑스럽게 은처럼 빛나고 있는 데이지의 존재에 대해 사무치게 깨닫고 있었다.

"내가 그녀를 사랑하고 있다는 걸 깨닫고 얼마나 놀랐는지 그걸 말로 다 표현할 수가 없어요, 형씨. 한동안은 차라리 그녀가 나를 버려주었으면 하고 바라기까지 했죠. 하지만 그녀는 그러지 않았습니다. 그녀도 나를 사랑하고 있었으니까요. 그녀는 내가 뭘 많이 아는 사람이라 생각했습니다. 자기가 모르는 것을 안다고 말이에요……. 그런데 나는 순간순간 더 깊이 사랑에 빠져들면서 내 야망과는 멀어지고 있었습니다. 그러다 갑자기 에라 모르겠다 하는 생각이 들더군요. 그녀에게 내가 할 일을 얘기해주면서 더 좋은 시간을 보낼 수만 있다면, 거창한 일을 한들 무슨 소용이 있겠느냔 생각이 들더란 말입니다."

그가 외국으로 떠나기 전날의 마지막 오후 그는 데이지를 껴안고 오랫동안 말없이 앉아 있었다. 쌀쌀한 가을날이었다. 불을 지핀 방 안에서 그녀의 뺨은 붉게 달아올라 있었다. 이따금 그녀가 몸을 움직이면 그는 팔의 위치를 조금씩 바꾸어주었다. 한번은 그녀의 반짝이는 검은 머리카락에 입을 맞추기도 했다. 그 오후는 그들을 한동안 차분하게 만들어주었다. 마치 이튿날 기약된 긴 이별에 앞서 깊은 추억을 마련해주려는 듯싶었다. 그들이 사랑했던 한 달 동안, 데이지의 말없는 입술이 그의 웃옷 어깨를 스칠 때보다, 혹은 그녀가 잠들어 있기라도 한 듯 그가 가만히 그녀의 손끝을 만질 때보다 그들이 더 가깝게 느껴지고, 서로가 더 깊이 마음이 통했던 적이 없었다.

전쟁 동안 그는 특출한 활약을 보여주었다. 전선에 나가기 전에 대위였던 그는 아르곤 전투를 치르고는 소령으로 진급하여 사단 기관총 부대의 지휘관이 되었다. 휴전이 되고 나서는 귀국하기 위해 미친 듯이 애썼지만 무슨 행정의 착오 때문인지 오해 때문인지는 몰라도 옥스퍼드로 가게 되어버렸다. 그는 이제 걱정이 되기 시작했다. 데이지의 편지에 초조한 절망의 기색이 묻어 있었던 것이다. 그가 왜 오지 못하는지 그녀로서는 알 수 없었다. 그녀는 바깥 세상의 압력을 느끼고 있었고, 그래서 그를 만나 그가 자신의 곁에 있음을 느끼고 싶었고, 결국은 자기가 옳은 일을 하고 있다는 확신을 얻고 싶어 했다.

데이지는 젊었고, 그녀의 인공적인 세계는 난초와, 기분 좋고 유쾌한 속물성과, 오케스트라의 냄새를 풍겼으며, 이런 것들이 삶의 슬픔과 암시를 새로운 곡조로 요약하여 한 해의 리듬을 정해주었다. 색소폰이 밤새도록 〈빌 스트리트 블루스〉의 절망적인 넋두리를 울부짖는 동안 수백 켤레의 금빛 은빛 무도화들이 반짝이는 먼지를 일으키며 스텝을 밟았다. 차를 마시는 희끄무레한 시간이면 으레 이처럼 달콤한 미열에 들떠 쉴 새 없이 맥박 치는 방들이 어딘가 있게 마련이었고, 그러는 동안에도 플로어에서는 싱싱한 새 얼굴들이 구슬픈 호른 소리에 휘날리는 장미 꽃잎처럼 이리저리 떠돌았다.

사교 시즌이 되면서 데이지는 다시 이 황혼의 세계 속에서 돌아다니기 시작했다. 그녀는 다시 하루에 예닐곱의 사내와 예닐곱 번의 데이트를 하는 생활을 했고, 새벽이 되어서야 침대 곁 방바닥의 죽어가는 난초들 사이에 구슬 장식이 달린 시폰 이브닝드레스를 아무렇게나 벗어던진 채 졸다가 잠에 빠져들었다. 그러는 동안에도 내내 마음속에서는 뭔가 결단을 내리라고 소리치고 있었다. 이제 그녀는 자신의 삶에 당장 명확한 형태가 갖추어지기를 바랐다. 결단은 어떤 힘에 의해 이루어질 수밖에 없었다. 사랑이나 돈, 또는 명백한 현실성 같은, 무엇이든 가까이 있는 것에 의해서.

봄이 한창일 무렵 그 힘은 톰 뷰캐넌이 출현하면서 모습을 갖추었다. 그의 풍채나 지위에는 어딘가 건강한 부피감이 있어 보였고, 그래서 데이지는 우쭐한 기분이 들었다. 얼마간의 갈등과 얼마간의 안도감이 있었을 것이라는 데는 의심의 여지가 없다. 개츠비에게 그 편지가 온 것은 아직 그가 옥스퍼드에 있을 때였다.

이윽고 롱아일랜드에 새벽이 돌아와, 우리는 아래층의 나머지 창문들도 다 열어 젖히고, 희끄무레하게 변했다가 이어서 금빛으로 변하는 햇빛으로 집 안을 가득 채웠다. 나무 그림자 하나가 별안간 이슬 위로 길게 드리워지고 유령 같은 새들이 푸른 나뭇잎 사이에서 울어대기 시작했다. 바람이라고는 할 수 없는 느리고 기분 좋은 움직임이 대기에 일어 서늘하고 멋진 날씨를 약속해주었다.

"난 데이지가 그자를 사랑한 적이 있다고 생각지 않습니다." 개츠비는 창문에서 몸을 돌려 아무래도 자신이 옳다는 태도로 나를 쳐다보았다. "어제 오후에는, 형씨, 그녀가 몹시 흥분한 상태였다는 걸 기억해야 합니다. 그자가 그런 얘길 꺼내 겁을 집어먹게 했어요. 내가 무슨 치사한 사기꾼이나 되는 것처럼 만들면서요. 그 때문에 데이지는 자기가 무슨 말을 하고 있는지 잘 몰랐던 겁니다."

그는 우울하게 자리에 앉았다.

"하기야 신혼 당시엔 잠깐 사랑했을지도 모르지요……. 그때도 물론 나를 더 사랑했을 거고요. 아시겠어요?"

느닷없이 그는 야릇한 말을 꺼냈다.

"어쨌든 그건 개인적인 문제인 겁니다."

그 말을 어떻게 이해해야 좋았을까? 가늠하기 불가능한 일을 두고 그가 좀 과장되게 생각하는 게 아닐까 하고 의심해볼 수밖에.

그가 프랑스에서 돌아왔을 때도 톰과 데이지는 아직 신혼여행 중이었다. 그는 군대에서 받은 마지막 봉급으로 루이빌을 향해 비참하지만 억제할 수 없는 여행을 떠났다. 그곳에서 한 주일 동안 머물면서 그는 두 사람이 십일월 밤을 함께 딸각거리는 소리를 내며 걸었던 거리를 걸었고, 그녀의 하얀 자동차를 타고 돌아다녔던

외딴 곳들에 다시 가보았다. 그전에 데이지의 집이 여느 집보다 늘 더 신비롭고 즐거워 보였던 것처럼, 지금도 그녀는 비록 그곳에 없었지만, 그 도시 자체를 생각하기만 해도 그의 마음속에는 우울한 아름다움이 가득 찼다.

더 열심히 찾았더라면 그녀를 찾을 수 있었을지도 모른다는 생각을 하면서 그는 그곳을 떠났다. 어쩐지 그녀를 뒤에 남겨두고 떠나는 느낌이었다. 일반 객실 안은—이제 그는 빈털터리가 되어 있었다—몹시 더웠다. 그는 객차 끝의 연결 통로에 나가 접는 의자를 펴고 앉았다. 정거장이 미끄러지듯이 멀어지고 낯선 건물들의 뒷모습이 스쳐 지나갔다. 이윽고 봄 들판으로 들어선 기차는 노란 전차 한 대와 경주라도 하듯 나란히 달렸다. 전차에 탄 사람들은 어쩌다 거리를 지나면서 데이지의 하얗고 매혹적인 얼굴을 한 번쯤 보았을지도 모를 일이었다.

철길이 구부러지면서 기차는 이제 태양에서 점점 멀어지고 있었다. 태양은 차츰 가라앉으며 그녀가 숨을 들이켜던, 사라져가는 도시 위로 축복의 빛살을 펼치는 것 같았다. 그는 한 가닥 공기라도 움켜쥐려는 듯, 그녀가 그를 위해 아름다운 곳으로 만들어주었던 그곳의 한 조각이라도 간직하려는 듯 필사적으로 손을 내뻗었다. 그러나 이제 눈물로 흐릿해진 눈이 바라보기에는 모든 것이 너무 빨리 지나가고 있었고, 그는 도시의 그 부분, 가장 싱싱하고 가장 아름다운 부분을 영원히 잃고 말았다는 사실을 깨달았다.

우리가 아침식사를 마치고 현관으로 나왔을 때는 아홉 시가 되어 있었다. 밤사이에 날씨가 심하게 바뀌어 대기에는 가을 기운이 감돌았다. 개츠비의 예전 하인 가운데 마지막 남은 정원사가 층계 밑으로 다가왔다.

"개츠비 씨, 오늘 풀장 물을 뺄까 합니다. 나뭇잎이 곧 떨어지기 시작할 텐데요. 그러면 꼭 배수관에 문제가 생기거든요."

"오늘은 하지 마시오." 개츠비가 대답했다. 그는 미안하다는 듯이 나를 돌아보았다. "그런데 말씀이죠, 형씨, 여름 내내 풀장을 한 번도 이용하지 못했거든요."

나는 시계를 들여다보고 자리에서 일어났다.

"기차 시간 12분 전입니다."

나는 시내에 나가고 싶지 않았다. 나는 점잖은 일을 할 만한 자격을 갖추지 못한 기분이었다. 그러나 그것 때문만은 아니었다. 나는 개츠비를 두고 떠나고 싶지 않았다. 나는 기차를 놓쳐버렸고, 다음 기차도 놓치고 나서야 간신히 자리에서 일어섰다.

"전화하겠습니다." 마침내 내가 말했다.

"그래 주시오, 형씨."

"열두 시쯤에 걸겠습니다."

우리는 천천히 계단을 걸어 내려갔다.

"데이지도 전화를 할 겁니다, 아마." 내가 그걸 확인해주길 바라는 듯이 그는 걱정스런 표정으로 나를 쳐다보았다.

"그럴 겁니다."

"그럼…… 잘 가십시오."

악수를 나눈 뒤 나는 걸어 나왔다. 생울타리에 거의 다 왔을 때 문득 생각나는 것이 있어 돌아섰다.

"그 인간들 썩어빠진 족속이에요." 나는 잔디밭 건너편으로 소리 쳤다. "당신은 그자들을 하나로 합쳐놓은 것만 합니다."

나는 지금까지 그 말을 하길 잘했다고 생각하고 있다. 그것이 내 가 그에게 한 유일한 칭찬이었다. 나는 처음부터 끝까지 그에 관한 것을 인정해본 적이 없기 때문이다. 처음에 그는 점잖게 고개를 끄덕이더니 다음 순간에는 얼굴에 환한 공감의 미소를 떠올렸다. 그 사실을 두고서는 우리가 언제나 신명나게 죽이 맞기라도 했던 것처럼. 그의 현란한 분홍색 양복이 흰 계단을 배경으로 선명한 색깔의 무늬를 만들었다. 그걸 보자 나는 석 달 전 처음으로 그의 저택을 방문하던 날 밤이 생각났다. 잔디밭과 차도에는 그를 부패한 사람으로 여기는 사람들의 얼굴이 바글거리고 있었다……. 그리고 그는 저 계단 위에 서서, 부패할 수 없는 그의 꿈을 감춘 채, 그들에게 손을 흔들어 작별인사를 보냈었다.

나는 그의 환대에 고마움을 표시했다. 우리는 항상 그의 환대에 고마움을 표시하고 있었다. 나도, 다른 손님들도 모두.

"안녕히 계시오." 내가 소리쳤다. "아침 잘 먹었어요, 개츠비."

뉴욕에 올라와 나는 한동안 끝도 없는 주식의 시세표를 작성해 보려고 애쓰다 회전의자에 앉은 채 잠들어버리고 말았다. 정오 직전 전화벨 소리가 나를 깨웠다. 놀라서 벌떡 일어나보니 이마에 땀이 배어나오고 있었다. 조던 베이커였다. 그녀는 이 시간이면 이따금 내게 전화를 걸어오곤 했다. 호텔과 클럽과 사람들의 집을 전전하는 자신의 움직임을 그녀 자신도 종잡지 못해 내쪽에서는 달리 그녀에게 연락할 방법이 없었기 때문이다. 보통 때 그녀의 목소리는, 골프채에 튕긴 잔디 조각이 푸른 골프장에서 사무실 창문으로 날아 들어오듯, 전화선을 타고 싱싱하고 서늘한 느낌으로 들려왔는데, 오늘 아침에는 그 소리가 거슬리고 메마르게 여겨졌다.

"데이지네 집에서 나왔어요." 그녀가 말했다. "지금 헴스테드에 있어요. 오늘 오후에 사우샘프턴〔롱아일랜드 동남쪽 해안에 있는 마을로 주로 부유층이 모여 산다〕으로 내려갈 작정이에요."

데이지의 집에서 나온 것은 아마도 요령 있는 결정이었을 것이다. 하지만 나는 그녀의 그러한 행동이 언짢았고, 그녀의 다음 말을 듣고는 몸이 굳어버리고 말았다.

"어젯밤 내게 별로 친절하시지 않더군요."

"그 상황에서 그게 그렇게 중요합니까?"

잠깐 동안의 침묵. 그런 다음.

"하지만…… 당신을 만나고 싶어요."

"나도 만나고 싶습니다."

"제가 사우샘프턴에 가지 않고 오후에 시내로 나가면 어떨까요?"

"아뇨…… 오늘 오후는 안 될 것 같아요."

"좋아요."

"오늘 오후엔 불가능해요. 여러 가지……."

얼마 동안 우리는 그런 식으로 이야기했다. 그러다 갑자기 할 말이 없어지고 말았다. 둘 중에 누가 철컥 전화를 끊어버렸는지 모르겠다. 하지만 그때 난 별 신경을 쓰지 않았음을 알고 있다. 다시는

211

이 세상에서 그녀와 말을 못하게 된다고 해도 그날만은 차 테이블을 사이에 두고 그녀와 이야기를 나누고 있을 수가 없었다.

몇 분 후에 나는 개츠비 집에 전화를 걸었지만 통화 중이었다. 네 번이나 걸어보았다. 마침내 화가 치민 교환원이 그 전화선은 디트로이트에서 올 장거리 전화를 기다리고 있는 중이라고 알려주었다. 나는 기차 시간표를 꺼내 3시 50분 기차에 조그맣게 동그라미를 쳐두었다. 그러고는 의자에 기대앉아 생각을 해보려고 애썼다. 이때가 바로 정오였다.

그날 아침, 기차로 재의 골짜기를 지날 때 나는 일부러 반대편 칸으로 건너갔다. 짐작컨대 그곳에는 하루 종일 호기심 많은 사람들이 모여들 테고 그들을 따라온 아이들은 흙먼지 속에서 검은 얼룩을 찾을 것이다. 그리고 수다스러운 어느 사내는 사건에 대한 얘기를 끊임없이 되풀이하여 지껄여댈 것이고, 그러다가 마침내는 그 일이 자신에게도 점점 현실 같지 않게 되어 더는 얘기를 할 수 없게 될 것이며, 결국 머틀 윌슨이 이룬 비극적 성취도 잊혀지고 말 것이다. 그런데 나는 여기서 시간을 약간 거슬러 올라가 전날 밤 우리가 정비소를 떠난 뒤 그곳에서 무슨 일이 일어났는지를 이야기하고 싶다.

사람들은 머틀의 여동생 캐서린의 소재를 파악하느라 애를 먹었다. 그날 밤 그 여자는 술을 마시지 않는다는 규칙을 깨뜨린 것이 분명했다. 그녀가 나타났을 때 그녀는 술에 취해 제정신이 아니어서 앰뷸런스가 이미 플러싱으로 떠났다고 해도 그 말을 알아듣지 못했던 것이다. 사람들이 그것이 무슨 말인지 납득시켜주자 그녀는 즉시 기절해버렸다. 마치 그것이 이 사건에서 견딜 수 없는 부분이라도 되는 듯이 말이다. 누군가가 친절함에서인지 호기심에서인지 그녀를 자기 차에 태워 언니의 시신이 간 길을 따라 데려다주었다.

자정이 훨씬 지난 시간까지 계속 새 구경꾼들이 정비소 앞에 밀어닥쳤고, 그러는 동안에도 윌슨은 정비소 안의 소파에 앉아 몸을 앞뒤로 흔들어대고 있었다. 사무실 문이 한동안 열려 있었다. 따라서 정비소 안에 들어온 사람은 누구나 자기도 모르게 문 안을 기웃거려 보지 않을 수 없었다. 결국 누군가 그건 부끄러운 일이라고 하면서 문을 닫아주었다. 미카엘리스와 다른 몇 사람이 윌슨과 함께 있었다. 처음에는 너덧 명이었던 것이 나중에는 두어 명으로 줄어들었다. 더 시간이 지난 뒤에 미카엘리스는 맨 마지막까지 남은 낯선 남자에게 십오 분만 거기에 더 있어달라고 부탁하고 자기 가게에 돌아가 커피 한 주전자를 끓여오지 않을 수 없었다. 그러고 나서는 그는 동틀 때까지 윌슨과 단 둘이 그곳에서 있었다.

세 시 무렵이 되자 종잡을 수 없던 윌슨의 중얼거림에 변화가 일어났다. 한결 차분해진 태도로 노란 자동차 이야기를 하기 시작한 것이다. 그는 노란 차가 누구 것인지 알아내는 방법이 있노라 단언하고, 그런 다음에는 두 달 전에 아내가 뉴욕에 다녀왔는데 얼굴에 멍이 들고 코가 부어서 왔더라는 말을 자기도 모르게 불쑥 내뱉었다.

그러나 그는 자기가 한 말을 깨닫고 움찔하더니 또 다시 신음 소리를 내며 "아이고 하나님!" 하고 부르짖기 시작했다. 미카엘리스가 서툴게나마 그의 마음을 돌려보려고 애를 썼다.

"아저씨, 결혼하신 지는 얼마나 되셨나요? 아니, 제발 그러지 마시고. 잠시라도 좀 가만히 앉아서 제가 묻는 말에 대답 좀 해보시겠어요. 결혼하신 지는 얼마나 되셨죠?"

"십이 년 됐어."

"아이는 없고요? 제발, 아저씨, 가만히 좀 계세요……. 제가 묻고 있잖아요. 아이는 없으시냐고요."

껍데기가 단단한 갈색 딱정벌레들이 흐릿한 전등에 끊임없이 몸을 부딪혔다. 밖에서 자동차가 도로를 질주하는 소리가 들려올 때마다 마이클리스에게는 그 소리가 몇 시간 전에 멈추지 않고 달아나버렸던 자동차 소리같이만 여겨졌다. 그는 정비소 안으로 들어가기가 싫었다. 시체가 놓여 있던 작업대가 피로 얼룩져 있었기 때문이다. 그래서 그는 사무실 안을 안절부절못하고 이리저리 서성이기만 했다―그래서 아침이 오기도 전에 사무실 안에 그가 모르는 물건이 없게 되었다―그러면서 이따금 윌슨 곁에 앉아 그를 더 진정시켜보려고 애를 쓰기도 했다.

"아저씨, 가끔 나가시는 교회 없어요? 나가신 지 한참 오래된 교회라도 아마 있겠죠? 제가 그 교회에 전화를 걸어 목사님을 오시라고 해서 아저씨와 얘기를 좀 나누어보시게 하면 어떨까요?"

"아무 교회에도 안 나가."

"교회에 나가야 해요. 아저씨. 이런 때를 위해서 말이에요. 아저씨도 전에는 분명히 교회에 나가셨을 거예요. 교회에서 결혼식을 올리지 않으셨어요? 이보세요, 아저씨, 제 말 좀 들어봐요. 교회에

214

서 결혼식을 올리지 않으셨냐고요?"

"오래전 일이지."

대답하려고 애쓰느라 몸을 흔들어대던 리듬이 깨져버렸다. 잠시 동안 그는 입을 다물었다. 그런 다음 반은 정신이 있고 반은 어리벙벙한 이전의 표정이 그의 흐리멍덩한 눈에 다시 돌아왔다.

"저기 서랍 안을 좀 봐." 그는 책상을 가리키며 말했다.

"무슨 서랍 말예요?"

"그 서랍, 그것 말이야."

미카엘리스는 자기 손에서 가장 가까이 있는 서랍을 열었다. 서랍 안에는 가죽과 은실을 꼬아 만든, 값나가 보이는 조그만 개줄 말고는 아무것도 들어 있지 않았다. 보아 하니 새것이었다.

"이것 말입니까?" 그것을 들어 올리며 그가 물었다.

윌슨은 쳐다보고는 고개를 끄덕였다.

"어제 오후에 그걸 처음 봤어. 마누라는 무슨 구실을 대려고 했지만 난 그게 좀 수상쩍었지."

"아주머니가 이걸 사셨다는 말인가요?"

"포장지에 싸서 그걸 옷장 위에 놓아두었더라고."

미카엘리스는 그게 왜 이상한지 알 수 없었다. 그래서 윌슨에게 그의 아내가 개줄을 살 만한 이유를 열 가지 이상이나 말해주었다. 그러나 윌슨은 머틀에게서도 그런 설명 가운데 몇 가지는 이미 들었던 모양이다. 그는 또다시 "아이고, 하나님!" 하고 웅얼거리기 시작했던 것이다. 위로가 될 만한 몇 가지 설명이 더 있었지만 미카엘리스는 그만 입을 다물고 말았다.

"그러니까 그놈이 죽었어." 윌슨이 말했다. 갑자기 그의 입이 쩍 벌어졌다.

"누가 죽었다고요?"

"다 알아내는 방법이 있어."

"아저씨는 지금 제정신이 아니에요. 이 일로 너무 긴장해서 지금 무슨 말을 하는지도 모르고 있어요. 아침까지 조용히 앉아 계시는 게 좋겠어요."

"그놈이 죽었어."

"아저씨, 그건 사고였어요."

윌슨은 머리를 내저었다. 미간이 찌푸려지고 입이 약간 벌어지면서 내가 더 잘 안다는 투로 "흠!" 하는 소리를 냈다.

"알고 있어." 그가 단정적으로 말했다. "나는 아무나 잘 믿는 사람이야. 그리고 아무도 해코지할 생각이 없어. 하지만 내가 뭘 알아내면 그건 진짜로 맞는 거라고. 그 차에 탄 작자가 맞아. 마누라가 그놈에게 무슨 말을 하려고 뛰어나갔는데 그놈이 차를 세우지 않은 거야."

미카엘리스도 그 장면을 보았다. 하지만 거기에 무슨 특별한 의미가 있었으리라는 생각은 떠오르지 않았다. 그는 윌슨 부인이 어떤 차를 세우려고 했다기보다 남편에게서 달아나던 중이었다고 생각했던 것이다.

"어째서 그랬을까요?"

"앙큼한 여자니까." 그것으로 대답이 된다는 듯 윌슨이 대답했다. "아아······."

그는 다시 몸을 흔들어대기 시작했고 미카엘리스는 손에 쥔 개줄을 꼬며 서 있었다.

"아저씨, 제가 전화를 걸어드릴 만한 친구는 아마 있으시겠죠?"

그것은 부질없는 희망이었다. 윌슨에게는 친구가 한 명도 없는 게 거의 분명했다. 아내 하나도 제대로 감당 못하는 위인이었다. 미카엘리스는 조금 후 방 안의 변화를 알아차리고 반가워했다. 창에 푸른빛이 되살아나고 있었다. 새벽이 멀지 않았던 것이다. 다섯 시경이 되자 전등을 꺼도 될 만큼 밖이 희번해졌다.

윌슨의 흐리멍덩한 눈길이 창밖의 잿더미를 향했다. 잿빛의 작은 먼지구름들이 기기묘묘한 형상들로 가냘픈 새벽 바람결에 이리저리 흩날리고 있었다.

"내가 마누라에게 말했지." 그가 한참 동안의 침묵 끝에 중얼거렸다. "나를 속일 수 있을진 몰라도 하나님은 속이지 못한다고. 나는 마누라를 창문으로 데리고 갔어……." 그는 간신히 일어나 뒤쪽 창으로 걸어가더니 얼굴을 창에 갖다 대고 섰다. "그러고는 말했어. '하나님은 당신이 무슨 짓을 하고 있는지 다 알아. 당신이 하고 있는 짓을 다 안단 말이야. 당신이 날 속일진 몰라도 하나님은 못 속여!' 하고 말이야."

그의 등 뒤로 다가선 미카엘리스는 윌슨이 T. J. 에클버그 의사의 눈을 바라보고 있다는 것을 알고 움찔 놀랐다. 의사의 눈은 어둠이 엷어지면서 그 희끄무레하고 거대한 모습을 막 드러낸 참이었다.

"하나님은 못 보는 것이 없어." 윌슨이 되뇌었다.

"저건 광고예요." 미카엘리스는 그에게 분명하게 말해주었다. 무엇이 생각났는지 그는 창에서 눈길을 돌려 다시 방 안을 둘러보았다. 그러나 윌슨은 유리창에 얼굴을 바싹 들이대고 여명을 향해 고개를 끄덕이며 한참이나 그 자리에 그대로 서 있었다.

여섯 시가 되었을 즈음에는 미카엘리스도 지칠 대로 지쳐 있었다. 그래서 밖에서 자동차 서는 소리가 들리자 반가운 마음이 들었다. 전날 밤에 같이 자리를 지켰던 일행 중 하나로 다시 오겠다고 약속했던 사람이었다. 그는 세 사람분의 아침식사를 만들어왔다. 미카엘리스와 남자는 함께 음식을 먹었다. 윌슨은 이제 한결 조용해졌고, 미카엘리스는 집에 돌아가 잠을 잤다. 그가 네 시간 뒤 다시 깨어나 허겁지겁 정비소로 돌아와보니 윌슨은 어디론가 사라지고 없었다.

윌슨의 행적은—그는 내내 걸어 다녔다—나중에 추적되었는데, 처음에 포트 루스벨트로 간 다음 거기서 갯스힐〔롱아일랜드에 이런 지명을 가진 곳은 없다. '개츠비'라는 이름을 이용해서 만들어낸 듯하다〕로 갔고, 그곳에서 샌드위치 한 개와 커피 한 잔을 샀는데 샌드위치는 먹지 않았다. 정오까지 갯스힐에 도착하지 못한 것으로 보아 지쳐서 천천히 걸었던 게 분명하다. 거기까지는 그가 어떻게 시간을 보냈는지 설명하기가 어렵지 않았다. '미친 사람처럼 행동하는' 남자를 보았다는 아이들이 있고, 그가 길가에서 이상한 표정으로 자기를 빤히 쳐다보더라는 자동차 운전사들도 있었다. 그러고는 세 시간 동안 그는 사람의 눈길에서 사라져버렸다. 그가 미카엘리스에게 한 말, 곧

"찾아내는 방법이 있다"고 했던 말을 근거로 경찰은 윌슨이 인근 정비소를 돌아다니며 노란 자동차에 대해 묻고 다니는 데 그 시간을 보냈을 것이라고 추측했다. 한편으로 그를 봤다는 정비소 사람은 한 명도 나타나지 않았다. 그러고 보면 윌슨에게는 자기가 알아내고 싶은 것을 찾아내는 더 쉽고 확실한 방법이 있었던 것 같다. 두 시 반이 되기까지 그는 웨스트에그에 도착해 있었고, 그곳에서 누군가에게 개츠비의 집으로 가는 길을 물었다. 그러니까 그때쯤해서 그는 이미 개츠비의 이름을 알고 있었던 셈이다.

두 시에 개츠비는 수영복으로 갈아입고 누구든 전화를 하면 풀장에 있을 테니 알려달라고 집사에게 일러두었다. 그는 여름에 손님들을 즐겁게 했던 공기 매트리스를 가지러 차고에 들렀고, 운전기사가 바람 넣는 일을 도와주었다. 그런 다음 그는 무슨 일이 있어도 오픈카를 밖에 꺼내놓지 말라고 운전사에게 지시했는데 앞쪽 우측 펜더를 수리해야 한다고 생각하고 있던 운전사는 약간 이상하다고 느꼈다.

개츠비는 매트리스를 어깨에 메고 풀장 쪽으로 갔다. 그는 한번 걸음을 멈추고 매트리스를 약간 옮겨 멨다. 운전사가 도움이 필요하냐고 물었으나 그는 머리를 내저으며 노랗게 물들어가는 나무들 사이로 이내 사라져버렸다.

전화는 오지 않았다. 하지만 집사는 낮잠도 못 자고 네 시까지 기다렸다. 전화가 왔다 해도 그걸 받을 사람이 없어진 지 한참 뒤까지도. 개츠비 자신도 전화가 오리라 믿지 않았고 아마 거기에 더는 신경을 쓰지 않았을 것이라는 생각이 든다. 그랬다면 그는 이미 옛날의 따뜻한 세계를 잃어버렸다고 느꼈음에 틀림없다. 단 하나의 꿈에 너무 오래 매달려 살아왔기에 그것에 비싼 대가를 치렀다고. 그는 장미꽃이 얼마나 기괴한 것이며, 갓 돋은 풀잎에 햇빛이 얼마나 가혹하게 내리쬐는지를 알았을 때, 소름 끼치는 나뭇잎 사이로 낯선 하늘을 올려다보며 몸서리를 쳤음에 틀림없다. 하나의 새로운 세계, 실재하지 않으면서도 구체적이며, 가엾은 허깨비들이 공기처럼 꿈을 숨쉬며 정처 없이 떠도는 세계가 다가왔다……. 형체가 뚜렷하지 않은 저 나무들 사이로 그를 향해 미끄러지듯 다가오는 잿빛의 저 기묘한 형상처럼.

운전사는—그는 울프심의 부하 가운데 하나였다—총소리를 들었다. 나중에 그가 고작 말할 수 있었던 것은 그 총소리를 대수롭지 않게 생각했다는 것뿐이었다. 나는 역에서 내리자마자 곧장 개츠비의 집으로 차를 몰았다. 내가 불안한 마음으로 허겁지겁 앞쪽 층계를 뛰어 올라갔을 때에야 사람들은 비로소 놀라는 듯했다. 하지만 그때 그들은 사실을 다 알고 있었다고 나는 굳게 믿는다. 운전사, 집사, 정원사 그리고 나, 이렇게 네 사람은 거의 한마디 말도 없이 황급히 풀장으로 내려갔다.

풀장 한쪽 끝에서 흘러나오는 맑은 물이 반대쪽 배수구로 몰려가느라 물이 보일락 말락 어렴풋이 움직이고 있었다. 물결이라고도 할 수 없는 잔 물살을 따라 짐이 실린 매트리스는 풀장 아래쪽으로 불규칙하게 움직이고 있었다. 가볍게 인 한줄기 바람이 수면에 주름다운 주름조차 만들어내지 못했지만 우연한 짐을 실은 매트리스의 정처 없는 행로 정도는 얼마든지 방해할 수 있었다. 물 위에 떠 있던 나뭇잎 더미에 닿자 매트리스는 천천히 돌면서 컴퍼스의 다리처럼 물 위에 가늘고 붉은 원을 그려놓았다.

우리가 개츠비를' 메고 집 쪽으로 출발한 뒤에야 정원사가 조금 떨어진 풀밭에서 윌슨의 시체를 발견했고, 그렇게 하여 대학살 사건은 완결되었다.

9

이 년이 지난 지금, 그날의 나머지 시간, 그리고 그날 밤, 그리고 그 이튿날을 돌이켜보면 내게는 그때 일어났던 일이 오직 개츠비의 집 현관을 쉴 새 없이 들락거렸던 경찰과 사진기자와 신문기자들의 끝없는 훈련 같은 것으로밖에는 기억되지 않는다. 정문 앞에 줄을 치고 경찰관 한 사람이 옆에 서서 구경꾼들을 막았지만 아이들은 곧 내 집 마당을 통해 안으로 들어갈 수 있다는 것을 알아냈고, 그래서 풀장가에는 항상 아이들 몇 명이 입을 벌린 채 모여 있었다. 그날 오후, 형사처럼 보이는 사람 하나가 윌슨의 시체를 들여다보며 자신만만한 태도로 '미치광이'라는 표현을 사용했는데, 우연히 그의 목소리가 권위 있게 들리게 되면서 그 표현은 다음날 아침 신문 기사의 기조를 이루고 말았다.

기사들의 대부분은 악몽 같았다. 괴기스럽고, 시시콜콜하고, 들떠 있었으며, 사실과 맞지 않았다. 심문 때 나온 미카엘리스의 증언을 통해 윌슨이 아내를 의심했다는 사실이 밝혀졌을 때, 나는 이야기 전체가 곧장 선정적인 풍자거리로 요리되어 나올 것임을 짐작할 수 있었다. 그런데 캐서린은, 뭔가 할 말이 있을 법했으나, 한마디도 하지 않았다. 뿐만 아니라 그녀는 사건과 관련하여 놀랄 만큼 꿋꿋한 태도를 보여주었다. 새로 그린 눈썹 아래에서 단호한 눈으로 검시관을 쳐다보면서 그녀는 자기 언니가 개츠비를 한 번도 만난 적이 없고, 남편과는 더할 나위 없이 행복했으며, 언니는 어떤 부정한 짓도 저지른 적이 없노라 단언했던 것이다. 그녀는 자기가 한 말을 스스로 확신하게 된 나머지 조금만 이상한 말이 나와도 견딜 수 없다는 듯 손수건에 얼굴을 파묻고 울었다. 그 결과 윌슨은 "슬픔을 견디지 못해서 정신 이상이 생긴" 사람으로 축소 해석되고, 사건은 결국 가장 단순한 형태로 남게 되었다. 그리고 지금까지도 그런 식으로 남아 있다.

하지만 사건의 이 대목은 모두 핵심에서 동떨어져 있고 본질적인 것 같지도 않았다. 뒤에 보니 나는 개츠비 편이었고, 그의 편은 오로지 나 하나뿐이었다. 내가 대참사의 소식을 웨스트에그 마을에 전화로 알린 순간부터 그에 관한 모든 추측, 모든 실질적 질문에 대한 확인과 조회가 나에게로 왔다. 처음에는 놀랍고 혼란스러웠다. 나중에는 차츰, 개츠비가 몇 시간이고 집 안에 누워 움직이지도 못하고 숨을 쉬지도 못하고 말을 하지도 못하고 있으니 내가 그 일을 책임져야 하지 않겠느냐는 생각이 들었다. 다른 사람은 아무도 관심을 두고 있지 않았기 때문이다. 막연하기는 하지만 사람은 누구나 최후의 순간에는 다른 사람으로부터 강한 인간적인 관심을 받을 권리가 있다고 본다. 내가 말하는 관심이란 그런 관심을 말하는 것이다.

개츠비를 발견하고 나서 삼십 분 뒤 나는 데이지에게 전화를 걸었다. 아무런 망설임 없이 본능적으로 건 전화였다. 그러나 그녀와 톰은 그날 오후 일찍부터 나가고 없었고, 짐까지 꾸려서 나갔다고 했다.

"연락처는 안 남겨놓았나요?"

"아뇨."

"언제 오겠다는 말은 하던가요?"

"아뇨."

"어디 있는지 혹 짚이는 데가 없습니까? 어떻게 연락을 할 수 있지요?"

"모릅니다. 말씀드릴 수 없어요."

나는 개츠비를 위해 누구든 데려오고 싶었다. 그가 누워 있는 방으로 들어가 이렇게 안심시키고 싶었다. "개츠비, 당신을 위해 누구든 데려오겠소. 걱정 말아요. 그저 나만 믿고 있어요. 내가 당신을 위해 누구든 데려올 테니……."

마이어 울프심의 이름은 전화번호부에 없었다. 집사가 브로드웨이에 있는 그의 사무실 주소를 가르쳐주었다. 안내에 전화를 걸었다. 하지만 내가 전화번호를 알았을 즈음에는 이미 다섯 시가 훨씬 넘었던 터라 아무도 전화를 받지 않았다.

"신호를 한 번 더 보내주시겠습니까?"

"세 번이나 보냈는 걸요."

"아주 중요한 일입니다."

"죄송합니다. 아무도 없나 봅니다."

나는 응접실로 돌아왔다. 그리고 거기서 나는 공무로 와서 갑작스레 그 방을 꽉 채우고 있는 사람들, 그들은 결국 무심하게 가버릴 우연한 방문객들에 지나지 않을 뿐이라는 생각을 한순간 했다.

그들이 시트를 걷어 올리고 움찔 놀란 눈으로 개츠비를 바라보았지만 개츠비는 계속해서 내 머릿속에서 이의를 제기하고 있었다.

"이봐요, 형씨, 나를 위해 누구든 좀 데려다주셔야겠소. 애를 좀 써주셔야겠어요. 혼자서는 이 모든 걸 견딜 수 없어요."

누군가 내게 질문을 하기 시작했지만 나는 뿌리치고 위층으로 올라가 그의 책상 서랍 가운데 잠겨 있지 않은 곳들을 급히 뒤져보았다. 그는 내게 부모가 죽었다는 말을 뚜렷하게 한 적이 없었던 것이다. 그러나 거기엔 아무것도 없었다. 잊혀버린 격렬한 시절의 기념품이라고 할 댄 코디의 사진만이 벽에서 내려다보고 있을 뿐이었다.

이튿날 아침 나는 집사를 뉴욕에 보내 울프심에게 편지를 전하게 했다. 편지의 내용은 개츠비에 관한 정보를 달라는 것과 다음 기차로 급히 와주기를 바란다는 것이었다. 그렇게 쓰면서도 그것이 불필요한 부탁인 것만 같았다. 나는 그가 신문을 보는 대로 출발할 거라고 확신하고 있었기 때문이다. 정오가 지나기 전에 데이지에게서 전화가 올 거라고 확신하고 있었던 것처럼. 그러나 전화도, 울프심도 오지 않았다. 경찰과 사진사와 기자 들이 더 몰려왔을 뿐 아무도 오지 않았다. 집사가 울프심의 답장을 가지고 왔을 때 나는 일종의 반항심이 느껴지기 시작했고, 개츠비와 내가 한편이 되어 그들 모두에 맞서 그들을 경멸해주고 싶다는 마음이 들기 시작했다.

친애하는 캐러웨이 씨. 이번 일은 내 평생 가장 끔찍한 충격이어서 사실인지 믿기조차 어렵습니다. 그자가 저지른 그런 미친 행동은 우리 모두에게 생각할 바를 남겨주고 있습니다. 저는 사업상 아주 중요한 일로 꼼짝할 수 없기에 지금은 갈 수 없으며, 지금으로서는 이 일에 연루되고 싶지 않습니다. 시간이 흐른 뒤에 제가 할 수 있는 일이 있으면 에드거를 통해 편지로 알려주시기 바랍니다. 이런 소식을 듣고 저는 어찌해야 좋을지 정신을 차릴 수 없을 지경이며 완전히 쓰러져 넋을 잃은 상태입니다.

마이어 울프심

그리고 서둘러 덧붙인 글귀가 그 아래에 있었다.

장례식 등에 대해서 알려주십시오. 그의 가족에 대해선 전혀 아는 바가 없습니다.

그날 오후 전화가 울리고 장거리 전화국이 시카고에서 온 전화라고 했을 때 나는 마침내 데이지에게서 전화가 왔다고 생각했다. 그러나 연결된 것은 멀리서 들려오는 듯한 아주 희미한 남자 목소리였다.

"슬레이글입니다……."

"예?" 못 들어본 이름이었다.

"전화 감이 왜 이래요? 제 전보 받았나요?"

"아무 전보도 못 받았습니다."

"파크 녀석에게 일이 났어요." 그가 급하게 말했다. "증권을 넘기다(증권거래소에서 팔지 않고 훔친 증권을 증권거래업자가 직접 파는 것을 뜻한다) 붙잡혔습니다. 바로 오 분 전에 뉴욕에서 증권 번호를 알리는 회람이 도착해서요. 그 관계로 뭐 아는 거 없어요? 이런 촌구석에서는 도무지 뭘 알 수가 있어야지……."

"이봐요!" 나는 숨을 죽이고 말을 끊었다. "이봐요. 난 개츠비 씨가 아니오. 개츠비 씨는 죽었어요."

전화선 저쪽 끝에서 한참 동안 침묵이 흘렀다. 이어 짤막한 외침…… 그런 다음 한마디 빠르게 내뱉는 불평과 함께 전화 연결이 끊겨버렸다.

미네소타의 한 읍에서 헨리 C. 개츠라는 사람에게서 전보 한 장이 날아온 것은 사흘째 되는 날이었다고 생각된다. 전보의 내용인즉 발신인이 즉시 출발할 터이니 도착할 때까지 장례식을 연기해 달라는 것이었다.

그 사람은 개츠비의 부친으로, 근엄한 노인이었는데 어찌할 바를 모르며 움츠러들어 있었고, 푸근한 구월 날씨에도 기다랗고 두터운 싸구려 외투로 몸을 감싸고 있었다. 감정이 북받치는지 그의 눈에서는 쉴 새 없이 눈물이 흘러내렸다. 그의 손에서 가방과 우산을 받아 들자 그가 성긴 반백의 턱수염을 끊임없이 쓸어내리기 시작하는 바람에 나는 그의 외투를 벗기느라 애를 먹지 않을 수 없었다. 그는 금방이라도 쓰러질 것 같았다. 그래서 나는 그를 음악실로 데리고 가서 자리에 앉힌 뒤 사람을 시켜 먹을 것을 가져오게 했다. 그러나 그는 먹으려 들지 않았고, 손이 떨려 우유가 잔에서 쏟아졌다.

"시카고 신문에서 보았소이다." 그가 말했다. "시카고 신문에 다 났어요. 신문을 보자마자 출발했소."

"어떻게 연락해야 할지 몰랐습니다."

눈에 들어오는 것이 아무것도 없는데도 그는 끊임없이 방 안을 두리번거렸다.

"미치광이 짓이야." 그가 말했다. "틀림없이 미쳤던 게야."

"커피 좀 드시겠습니까?" 나는 그에게 권했다.

"아무것도 생각 없소. 난 이제 괜찮소이다. 성함이……."

"캐러웨이라고 합니다."

"그래, 난 이제 괜찮소이다. 지미는 어디다 두었소?"

나는 그를 아들이 누워 있는 거실로 데리고 가서 그곳에 남겨두고 나왔다. 아이들 몇 명이 계단을 올라와서 홀 안을 기웃거리고 있었다. 내가 아이들에게 방금 도착한 사람이 누구인지 말해주자 아이들은 마지못해 돌아갔다.

얼마 뒤에 개츠 씨가 문을 열고 나왔다. 입이 벌어지고 얼굴이 약간 상기된 채로 눈에서는 이따금씩 눈물이 새어 나오고 있었다. 그는 이미 죽음이 섬뜩하게 놀라운 사건이 못 되는 나이에 이르러 있었다. 이제야 비로소 주위를 돌아보기 시작하던 그는 높고 화려한 천장과, 여러 방으로 이어지도록 되어 있는 커다란 방들이 눈에 들어오자 슬픔 가운데서도 자못 자랑스러운 생각이 들기 시작한 모양이었다. 나는 그를 부축하여 위층 침실로 올라갔다. 그가 외투와 조끼를 벗는 동안 나는 그가 올 때까지 모든 일처리를 연기해놓았노라고 말했다.

"어떻게 하고 싶어 하실지 몰라서요. 개츠비 씨……."

"내 이름은 개츠요."

"……개츠 씨, 저는 어르신께서 시신을 서부로 옮겨 가실 거라고 생각했습니다만."

그는 머리를 내저었다.

"지미는 항상 여기 동부를 더 좋아했소. 이만한 자리에 오른 것도 동부거든. 당신은 내 아이 친구였소?"

"친한 친구였습니다."

"앞날이 창창한 아이였소. 나이는 아직 젊었지만, 이 머리 쓰는 게 대단했지."

그는 인상적인 동작으로 머리에 손을 갖다 댔고 나는 고개를 끄덕였다.

"살았다면 큰 인물이 되었을 거요. 제임스 J. 힐〔캐나다 출신 미국의 철도 재벌로 북서부의 철도 사업을 장악했다. 피츠제럴드의 고향인 미네소타 주 세인트 폴에 살았다〕 같은 인물 말이오. 나라 발전에도 한몫 했을 거고."

"맞습니다." 나는 불편한 마음으로 맞장구를 쳤다.

그는 침대에서 수놓은 침대보를 더듬더듬 벗겨내려고 하다가 그냥 나무토막처럼 누워버렸다. 그러고는 금세 잠들어 버렸다.

그날 밤 어떤 사람이 놀란 기색이 완연한 채 전화를 걸어와서 자기 이름은 대지도 않고 나에게 누구냐고 물었다.

"캐러웨이라고 합니다." 내가 말했다.

"아!" 그는 마음을 놓은 듯했다. "전 클립스프링어입니다."

나 역시 마음이 놓였다. 개츠비의 무덤에 올 만한 친구가 하나 더 생긴 것 같았기 때문이다. 나는 신문에 부고를 내어 구경꾼들을 불러 모으고 싶지는 않아서, 몇몇 사람에게 직접 전화 연락을 하고 있던 중이었다. 그런데 올 만한 사람을 찾아내기가 쉽지가 않았다.

"장례는 내일입니다." 내가 말했다. "오후 세 시에 여기 이 집에서 합니다. 오실 만한 분이 있으면 연락해주셨으면 합니다."

"아, 그러지요." 그가 냉큼 대답했다. "하긴 만날 사람이 있을 것 같지는 않습니다만 혹 만나게 되면 그렇게 하죠."

그의 어조에 미심쩍은 생각이 들었다.

"물론 당신은 오시겠지요?"

"그야, 당연히 그러도록 해봐야죠. 제가 전화한 건……."

"잠깐만요." 나는 그의 말을 막았다. "오시겠다고 말씀해주시지요."

"글쎄, 사실은…… 사정을 솔직히 말씀드리면, 제가 지금 여기 그리니치[코네티컷 주에 있는 부유한 마을]에 있는데, 일행이 있어서요. 이 사람들이 내일 제가 자기들하고 같이 있어주었으면 해요. 실은 야유회인가 뭔가가 있거든요. 물론 최선을 다해서 빠져나오도록 하겠습니다."

나는 나도 모르게 "흥!" 하는 소리를 내뱉었고, 뒤이은 그의 말이 조급해진 것으로 보아 그가 그 소리를 들은 것이 틀림없었다.

"제가 전화를 드린 건, 제가 거기에다 신발 한 켤레를 두고 와서요. 번거로우실지 모르지만 집사를 시켜 보내주실 수 있을까 해서요. 테니스 신발인데, 그게 없으면 제가 꼼짝도 못하거든요. 제 주소는 B. F.……."

나머지 주소는 듣지 못했다. 수화기를 놓아버렸기 때문이다.

그러고 나서 나는 개츠비에게 좀 면목이 없었다. 내가 통화했던 한 신사는 개츠비가 그렇게 되어 마땅하다는 식으로 말했다. 그자는 개츠비의 술을 마시고 그 술의 힘을 빌려 개츠비에 대해 아주 신랄하게 이죽거렸던 사람 가운데 하나였던 것이다. 그런 사람에게 전화를 건 것이 어리석은 일이었다.

장례식날 아침, 나는 마이어 울프심을 만나기 위해 뉴욕으로 갔다. 달리 그와 접촉할 방법이 없을 것 같았다. 엘리베이터 보이가 귀띔해준 대로 그냥 밀고 들어간 문에는 '스와스티카 지주회사'라는 간판이 붙어 있었고, 얼핏 보기에는 안에 아무도 없는 것 같았다. 그러나 내가 몇 번 "여보세요"라고 소리치고 났을 때, 칸막이 저편에서 갑가지 말다툼 같은 것이 벌어졌다. 그러고 나서 이윽고 예쁜 유대인 여자가 안쪽 문에서 나타나더니 적의를 품은 검은 눈으로 나를 찬찬히 뜯어보았다.

"안에 아무도 없어요." 그녀가 말했다. "울프심 씨는 지금 시카고에 가시고 안 계셔요."

안에 아무도 없다는 말은 분명 거짓이었다. 누군가 안에서 〈로사리오(Rosary)〉〔에설버트 네빈과 로버트 캐머론 로저스가 1898년에 만든 노래로 1920년대에도 유행했다〕를 음정도 맞지 않게 휘파람으로 부르기 시작했기 때문이다.

"캐러웨이란 사람이 만나 뵙고 싶어 한다고 전해주십시오."

"그분을 시카고에서 데려올 순 없잖아요?"

바로 그 순간 울프심의 것임에 분명한 목소리가 문 저쪽에서 "스텔라!" 하고 불렀다.

"책상 위에 성함을 남겨두고 가시죠." 그녀가 재빨리 말했다. "돌아오시면 전해드릴게요."

"하지만 저 안에 계신 거 알아요."

그녀는 나에게 한 걸음 다가서더니 몹시 화가 난 듯 두 손으로 엉덩이를 위아래로 쓸어내리기 시작했다.

"당신네 젊은 사람들은 아무 때나 밀고 들어올 수 있다고 생각한단 말이야." 그녀가 꾸짖었다. "우린 그런 게 이제 아주 신물이 나요. 내가 시카고에 있다고 하면, 시카고에 있는 거예요."

나는 개츠비의 이름을 댔다.

"저런!" 그녀는 나를 다시 한번 훑어보았다. "그러니까 저…… 성함이 뭐라고 하셨지요?"

그녀는 사라졌다. 곧 마이어 울프심이 근엄하게 문간에 나와 두 손을 내밀었다. 그는 경건한 목소리로 지금은 우리 모두에게 슬픈 때라고 말하면서 나를 사무실로 끌고 들어가서 시가를 한 대 권했다.

"뒤돌아보니 이 사람을 처음 만났을 때가 생각나오." 그가 말했다. "군대에서 막 제대한 젊은 소령이었지. 전쟁 때 받은 훈장을 주렁주렁 달고 있었소. 돈에 쪼들려서 계속 군복만 입고 다녔어요. 평상복을 사 입을 수 없었던 거요. 내가 이 사람을 처음 본 게 그가 43번가에 있는 와인브레너 당구장에 들어와 일자리를 찾을 때였소. 이틀간을 꼬박 아무것도 먹지 못했다더군. 내가 '자, 이리 와 나랑 점심이나 합시다' 했지. 이 사람이 삼십 분 만에 음식을 사 달러어치가 넘게 먹어치웁디다."

"선생께서 그 사람을 사업계에 내보내셨나요?" 내가 물었다.

"내보냈냐고! 내가 그를 키웠소."

"아, 예."

"그야말로 아무것도 없는 데서, 시궁창에서 건져낸 거요. 나는 이 사람이 잘생기고 점잖은 젊은이란 걸 당장 알아봤소이다. 또 오 그스퍼드 출신이라고 해서 이자를 잘 써먹을 수 있겠다 싶었소. 나는 이 사람을 미국 재향군인회에 들어가게 했고, 이 친구는 한때 거기서 높은 자리에 있기도 했다오. 그러고는 곧 올버니에서 내 의뢰인을 위해 일을 좀 했소. 우린 만사에 그처럼 긴밀했지." 그는 볼록한 손가락 두 개를 들어 올렸다. "……언제나 우린 함께였소."

나는 그런 동업 관계가 1919년의 월드 시리즈 사업에서도 맺어지고 있었는지 궁금했다.

"이제 그 사람은 죽었습니다." 잠시 뒤 내가 말했다. "선생께선 그 사람과 가장 가까운 친구셨습니다. 그러니, 오늘 오후에 있는 그 사람 장례식에 오시고 싶어 하실 줄 압니다."

"가고 싶소이다."

"그럼 오십시오."

그의 콧수염이 약간 떨렸다. 머리를 가로로 젓는 그의 눈에 눈물이 가득 고였다.

"가지 못하오……. 그 일에 말려들고 싶지 않소이다." 그가 말했다.

"말려들고 말고 할 게 없습니다. 이제 다 끝났습니다."

"사람 죽는 일이 생기면 난 어떤 식으로든 말려들고 싶지가 않아요. 물러나 있는 거요. 나도 젊을 때는 그렇지 않았소. 친구가 죽으면 어떻게든 끝까지 함께했었소. 감상적이라고 생각할지 모르지만 진심이었소. 최후가 비참하더라도 말이오."

그가 나름대로 이유가 있어 장례식에 오지 않겠다고 결심했음을 확인하고 나는 자리에서 일어났다.

"당신은 대학 나왔소?" 그가 느닷없이 물었다.

한순간 나는 그가 '거래선' 얘기를 꺼내려는 게 아닌가 하고 생각했지만 그는 고개를 끄덕이며 그저 내 손을 흔들었을 뿐이다.

"누구에게든 죽은 뒤가 아니고 살아 있을 때 우정을 보여주는 법을 배웁시다" 하고 그는 말했다. "친구가 죽고 나서의 내 규칙은 만사를 그대로 두는 것이오."

그의 사무실에서 나왔을 때 하늘은 침침해져 있었고, 나는 가랑비를 맞으며 웨스트에그로 돌아왔다. 옷을 갈아입고 이웃집에 건너갔더니 개츠 씨가 흥분해서 홀 안을 왔다 갔다 하고 있었다. 아들과 아들의 재산에 대한 자부심이 점점 더해가고 있던 중이었다. 이제 나에게 뭔가 보여줄 것이 있는 듯했다.

"지미가 이 사진을 나한테 보냈소." 그는 떨리는 손으로 지갑을 꺼냈다. "이것 좀 보시오."

저택을 찍은 사진이었는데 귀퉁이들에 금이 가고 여러 사람의 손때가 묻어 더러웠다. 그는 사진 안의 것들을 하나하나 가리키며 열심히 설명했다. "이것 좀 보시오." 이렇게 말하고 그는 내 눈에서 감탄하는 기색을 찾으려 했다. 사람들에게 틈만 나면 사진을 보여주다 보니 그에게는 이제 사진이 실제 집보다 더 현실감 있게 여겨졌던 것 같다.

"지미가 이걸 나한테 보내줬단 말이오. 이거 참 멋지게 잘 나온 사진 같아. 아주 잘 나왔어."

"잘 나왔군요. 최근에 아드님을 만나신 적이 있습니까?"

"두 해 전에 나를 보러 와서 내가 지금 살고 있는 집을 사주었소. 물론 그놈이 집을 나갔을 때는 우리 사이도 틀어졌지만, 이제 와선 그럴 만한 이유가 있었다는 걸 알겠소. 그 애는 제 앞날이 창창하다는 걸 알고 있었던 거요. 출세하고 나서부터는 이 애가 나한테 아주 잘해주었소."

사진을 치우는 것이 내키지 않는 듯, 그는 미적거리며 잠시 또 내 눈앞에 사진을 들어 보였다. 그런 다음 지갑을 집어넣고 이번에는 호주머니에서 너덜너덜한 헌책 한 권을 꺼냈다. '호필롱 캐시디'〔클래런스 멀포드의 소설에 나오는 인물. 와일드 빌 히콕, 존 웨슬리 하딘을 모델로 한 카우보이다. '호필롱 캐시디'라는 제목의 소설은 1910년에 나왔기 때문에 여기서 말하는 1906년이라는 연도는 잘못된 것이나 피츠제럴드는 내용상 중요하다고 보아 일부러 사용한 듯하다〕라는 제목이 붙어 있었다.

"이것 봐요. 그 애가 어렸을 때 갖고 있던 책이오. 보면 왜 보여주는지 알 거요."

그는 뒤표지를 펼친 다음 내가 볼 수 있도록 책의 방향을 돌려주었다. 마지막의 여백 페이지에 '계획표'라는 단어와 1906년 9월 12일이라는 날짜가 적혀 있었다. 그리고 그 밑에 씌어 있는 것.

기상	오전 6:00
아령 운동과 벽 타기	오전 6:15~6:30
전기학 및 기타 공부	오전 7:15~8:15
일	오전 8:30~4:30

야구와 스포츠	오후 4 : 30～5 : 00
웅변 연습, 자세 연습	오후 5 : 00～6 : 00
발명에 관한 공부	오후 7 : 00～9 : 00

결심

— 새프터스 또는 ○○○〔무슨 이름인데 읽을 수 없었다〕에서 시간을
낭비하지 말 것.

— 피는 담배, 씹는 담배 모두 끊을 것.

— 이틀에 한 번씩 목욕할 것.

— 교양 쌓는 데 도움이 될 만한 책이나 잡지를 매주 한 권씩 읽을 것.

— 매주 5달러〔줄을 그어 지웠다〕 3달러씩 저축할 것.

— 부모님께 잘할 것.

"이 책은 우연히 발견했소이다." 노인이 말했다. "보니까 알 수
있지 않소?"

"그렇군요."

"지미는 틀림없이 출세할 아이였소. 늘 이런 결심 같은 걸 하고
있었지. 그 애가 교양 쌓는 데 얼마나 마음을 두고 있었는지 아시
겠소? 그 점에선 언제나 대단했소. 한번은 나더러 돼지처럼 먹는다
고 하지 않겠소. 그래서 두들겨 패준 적이 있지만."

그는 책을 덮기가 못내 아쉬운 듯 항목 하나하나를 소리 내어 읽
은 다음 무슨 반응을 열심히 기대하면서 나를 쳐다보았다. 내가 그
목록을 베껴놓았다가 이용하기를 바랐던 것 같다.

세 시가 조금 못 되어 플러싱에서 루터교 목사가 도착했다. 나는 혹 다른 차들도 오지 않나 하고 나도 모르게 창밖을 내다보기 시작했다. 개츠비의 아버지도 마찬가지였다. 시간이 흘러 하인들이 들어와 홀에서 기다리고 서 있자 노인은 불안하게 눈을 깜박거리기 시작했고 걱정스런 목소리로 우물쭈물 비 탓을 했다. 목사가 몇 번이나 힐끗거리며 시계를 들여다보기에 나는 그를 한쪽으로 데리고 가 삼십 분만 더 기다려달라고 부탁했다. 그러나 소용없는 짓이었다. 아무도 오지 않았다.

다섯 시쯤 석 대의 자동차 행렬이 묘지에 도착하여 굵은 가랑비를 맞으며 입구에 멈췄다. 맨 앞에는 소름 끼칠 만큼 검은, 비에 젖은 영구차가, 그 다음에는 리무진을 탄 개츠 씨와 목사와 내가, 그리고 잠시 뒤에는 너덧 명의 하인들과 웨스트에그에서 온 우편 집배원 한 명이 개츠비의 스테이션왜건을 타고 다들 속까지 흠뻑 젖은 채 도착했다. 정문을 통과해 묘지 안으로 막 들어갔을 때 차 한 대가 멈추는 소리가 들리고 이어 누군가 젖은 땅 위를 절벅거리면서 우리를 뒤따라오는 소리가 들렸다. 나는 돌아보았다. 그것은 석달 전 어느 날 밤 개츠비의 서재에서 서가의 책들을 보고 경탄해 마지않았던 그 올빼미눈 안경을 쓴 남자였다.

서재에서 만난 뒤로 그 사람을 만난 적이 없었다. 지금도 나는 이 사람이 장례식에 관해 어떻게 알았는지 알 수 없다. 심지어는 그의 이름조차 모르고 있다. 그의 두툼한 안경에 비가 쏟아져 내렸다. 개츠비의 무덤을 가릴 천막이 펼쳐지자 그는 그것을 보려고 안경을 벗어 닦았다.

나는 그때 잠시나마 개츠비에 관해 생각해보려고 했다. 하지만 그는 이미 너무 먼 곳에 있었다. 데이지가 전보도 꽃도 보내지 않았다는 사실만이 떠올랐으나 아무런 분노도 느껴지지 않았다. 누군가 "죽은 자에게 비가 내리니 복이 있도다" 하고 나지막이 중얼거리는 소리가 희미하게 들려왔고, 이어 올빼미눈의 남자가 용감한 목소리로 "그러길 비나이다, 아멘" 하고 말했다.

우리는 뿔뿔이 흩어져 빗속을 뚫고 급히 자동차 있는 곳으로 갔다. 올빼미눈이 입구에서 나에게 말을 걸었다.

"집에는 가볼 수 없었습니다." 그가 말했다.

"딴 사람도 아무도 오지 않았습니다." 내가 대답했다.

"설마!" 깜짝 놀란 그가 말했다. "저런, 그럴 수가! 몇백 명이나 거길 드나들었는데."

그는 안경을 벗어 다시 한번 안팎을 골고루 닦았다.

"불쌍한 자식." 그가 말했다.

내가 무엇보다 생생하게 기억하고 있는 일 가운데 하나는 크리스마스 휴가 때 대학 예비학교에서 서부로, 그리고 나중에는 대학에서 서부로 돌아가던 일이다. 시카고보다 더 먼 곳으로 가는 사람들은 십이월 어느 날 저녁 여섯 시에 시카고 친구들 몇 명과 함께 낡고 침침한 유니언 역에 모이곤 했는데 저마다 벌써부터 휴가의 즐거움에 들떠 서둘러 작별인사를 주고받았다. 그와 함께 생각나는 것은 이런저런 여학교에서 돌아오는 여학생들의 털외투, 얼어

238

붙은 입김을 내뿜으며 지껄이던 잡담, 아는 친구가 눈에 띄면 머리 위로 손을 흔들던 일, "오드웨이네 집에 갈 거니? 허시네 집에는? 슐츠네 집에는?" 하고 서로 초대 일정을 맞춰보던 일, 그리고 장갑 낀 손으로 꽉 움켜쥐고 있던 길쭉한 초록색 기차표 같은 것들이다. 마지막으로, 역 입구 옆 철로에 서 있던 '시카고, 밀워키 앤 세인트 폴' 철도회사의 진한 노란색 기차들이 그게 바로 크리스마스이기 라도 한 것처럼 흥겨워 보이던 것이 생각난다.

기차가 역을 빠져나와 겨울밤 속으로 들어선 뒤 창가로 우리네 눈 풍경, 눈다운 눈 풍경이 펼쳐지면서 눈이 창문에 반사하여 반짝 이기 시작하면, 그러다 이윽고 조그만 위스콘신 역의 흐릿한 불빛 들이 스쳐 지나가고 나면, 공기 중에는 갑자기 거세게 조여오는 듯 한 기운이 감돌았다. 우리는 식당차에서 저녁을 먹고 싸늘한 연결 통로를 지나 걸어오면서 그 공기를 깊이 들이마셨다. 그러면서 말 로는 표현할 수 없었지만 우리는 어쩐지 이 낯선 한 시간 동안 이 시골 지역과 하나가 되어 있음을 느낄 수 있었고, 그러고는 다시 우리는 그 공기 속에 녹아들어가 분간할 수 없게 되어버렸다.

그것이 나의 중서부이다. 밀밭이나 평원이나 스웨덴 사람들의 사라진 타운이 아니고, 마음 설레던 내 젊음의 귀향 기차, 서리 내 린 밤의 가로등과 썰매의 종소리, 불 밝힌 창이 눈 위에 던지는 성 탄절 화환의 그림자가. 나는 그것의 일부여서, 그 긴 겨울들의 느 낌을 떠올리면 얼마간 숙연해지고, 수십 년 동안 가문의 이름이 아 직도 주소를 대신하고 있는 도시에서 캐러웨이 가문의 일원으로 자란 것을 생각하면 얼마간 뿌듯해진다. 이제 나는 이 모두가 다

결국 서부의 이야기였음을 알고 있다. 톰과 개츠비, 데이지와 조던과 나는 모두 서부 사람들이었고, 그래서 어쩌면 우리는 똑같이 어떤 결점을 가지고 있어서 묘하게 동부의 삶에 적응하지 못했는지도 몰랐다.

동부가 나를 아주 설레게 할 때조차도, 그리고 오하이오 주 너머로 지루하고, 보기 흉하게 뻗어나간, 오만하게 솟아오른 도시들— 아이들과 노인들만 빼놓고는 끊임없이 캐묻기를 좋아하는 사람들로 가득 찬—그 도시들보다는 동부가 훨씬 낫다는 것을 똑똑히 알게 되었을 때조차도, 그곳은 내게 늘 뒤틀린 데가 있어 보였다. 특히 웨스트에그는 요즘도 내가 현실과 동떨어진 기이한 꿈을 꿀 때면 여전히 등장한다. 그곳은 마치 엘 그레코〔스페인에서 살았던 그리스인 화가. 종교적 환희를 소재로 한 강렬한 화풍의 그림을 많이 그렸다〕의 밤 풍경처럼 보인다. 그 풍경 속에서는 평범하면서도 괴기스러운 수많은 집들이 음울하고 위협적인 하늘과 광택 없는 달 아래 웅크리고 있다. 전경(前景)에는 예복을 입은 네 명의 근엄한 남자들이 흰 이브닝드레스를 입은 술 취한 여자를 들것에 싣고 인도를 따라 걸어가고 있다. 들것 바깥으로 늘어져 있는 여자의 손에 보석들이 싸늘하게 반짝인다. 남자들은 엄숙하게 어떤 집에 들어가지만 잘못 찾은 집이다. 그런데 아무도 여자의 이름을 알지 못하고, 그럼에도 불구하고 아무도 상관하지 않는다.

개츠비가 죽은 뒤 동부는 끊임없이 내게 그런 모습으로 떠올랐는데, 내 시력으로는 도저히 제대로 볼 수 없을 만큼 늘 뒤틀린 모습이었다. 그래서 나는, 마른 나뭇잎을 태운 푸르스름한 연기가 하늘로 오르고, 바람이 빨랫줄의 젖은 옷을 빳빳하게 얼릴 무렵, 고향으로 돌아가기로 결심했다.

떠나기 전에 처리해야 할 일이 하나 있었다. 그냥 내버려두었더라면 더 좋았을지도 모를, 어색하고 불쾌한 일이었다. 그러나 나는 여러 일을 정리하고 싶었고, 저 친절하고 무심한 바다가 내 쓰레기를 쓸어가도록 그냥 맡겨두기는 싫었다. 나는 조던 베이커를 만나서 우리 모두에게 일어났던 일과 그 뒤에 나에게 일어났던 일에 대해 자세하게 또는 완곡하게 이야기했다. 그녀는 커다란 의자에 꼼짝 않고 기대 앉은 채 듣고 있었다.

그녀는 골프장에 나갈 차림을 하고 있었다. 나는 그때 그녀가 멋진 삽화처럼 보인다고 생각했던 것이 기억난다. 경쾌하게 살짝 들어 올린 턱, 가을나뭇잎 빛깔의 머리카락, 무릎 위의 벙어리장갑 색깔처럼 갈색으로 그을린 얼굴 등이 그랬다. 내가 이야기를 마쳤을 때 그녀는 아무런 설명도 없이 대뜸 다른 남자와 약혼했노라 말했다. 그 말이 믿기지 않았다. 하기야 그녀가 고개만 까딱해도 결혼하러 나설 남자가 여럿 있기는 했지만. 그래도 나는 짐짓 놀라는 척했다. 한순간 내가 실수를 저지르고 있지나 않은가 하는 생각이 들어 나는 이 문제 전체를 재빨리 다시 한번 생각해보았다. 그러고는 작별인사를 하기 위해 자리에서 일어섰다.

"하여간 이건 당신이 나를 버린 거예요." 조던이 불쑥 말했다. "전화했을 때 당신이 나를 버린 거란 말이에요. 이제 당신에 대해선 조금도 관심이 없지만, 나로선 처음 겪어본 일이라 한동안 좀 어지러웠어요."

우리는 악수를 했다.

"아 참, 기억하세요?" 하고 그녀가 덧붙였다. "자동차 운전에 관해서 언젠가 주고받았던 말."

"글쎄…… 별로요."

"당신이 그랬죠? 서투른 운전자는 또 다른 서투른 운전자를 만날 때까지만 안전하다고. 그래요, 내가 그런 서투른 운전자를 만났어요. 안 그래요? 내 말은, 내가 조심성이 없어 잘못 짚었다는 뜻이에요. 난 당신이 꽤 정직하고 솔직한 사람이라고 생각했죠. 그게 남들이 모르는 당신의 프라이드라고 말예요."

"내 나이 서른이오." 내가 말했다. "자신에게 거짓말을 하고 그걸 자랑으로 여기기엔 다섯 살을 더 먹었소."

그녀는 대꾸가 없었다. 화가 나기도 하고, 어렴풋이 사랑의 감정이 느껴지기도 하고, 엄청나게 후회도 되면서, 나는 발길을 돌려 그 자리를 나왔다.

늦은 시월 어느 날 오후 나는 톰 뷰캐넌을 만났다. 그는 5번가를 따라 내 앞을 걸어가고 있었는데 늘 그러하듯 경계심을 늦추지 않는 공격적인 자세로 걷고 있었다. 어떤 방해물이든 물리쳐버리겠다는 듯 두 손을 몸에서 약간 떼어 흔들어대면서, 쉴 새 없이 움직이는 두 눈을 따라가기 위해 머리를 이리저리 홱홱 움직이고 있었다. 그를 따라잡지 않으려고 내가 막 걸음을 늦추었을 때 그는 걸음을 멈추고 눈을 찌푸리며 보석가게의 진열장 안을 들여다보기 시작했다. 그러다가 갑자기 나를 발견하고 뒤돌아서 걸어와 내게 손을 내밀었다.

"왜 그래, 닉. 나와 악수하기 싫다는 건가?"

"그래. 내가 자넬 어떻게 생각하고 있는진 알고 있겠지."

"닉, 자네 미쳤군." 톰이 빠르게 말했다. "아주 단단히 미쳤어. 자네가 왜 이러는지 모르겠네."

"톰." 나는 따지듯 물었다. "그날 오후 월슨에게 뭐라고 했나?"

그는 말없이 나를 응시했다. 나는 월슨의 소재가 확인되지 않았던 그 몇 시간에 대한 나의 짐작이 옳았음을 알 수 있었다. 가려고 돌아서자 그가 한 걸음 쫓아와 내 팔을 붙잡았다.

"사실대로 말해줬네." 그가 말했다. "우리가 막 나가려는 참에 그 사람이 문간에 나타났지 뭔가. 사람을 내려보내 우리가 집에 없다고 말을 전했는데도 이자가 막무가내로 위층으로 올라오려는 거야. 단단히 미쳐서, 내가 자동차 임자를 말해주지 않으면 금방이라도 나를 죽일 것 같았네. 내 집에 들어와서도 내내 호주머니 속에 든 권총을 만지고 있더라니까……." 그는 도전적으로 바뀌어 갑자기 말을 멈췄다. "내가 말해준 게 어쨌다는 건가? 그자는 그렇게 되어도 싸. 그자는 자네 눈을 속인 거야. 데이지를 속인 것처럼 말야. 하지만 독종은 독종이야. 강아지 깔아뭉개듯 머틀을 깔아뭉개 놓고도 차를 세울 생각도 하지 않았으니 말이야."

내가 할 수 있는 말은 아무것도 없었다. 그것이 진실이 아니라는, 도저히 입 밖에 낼 수 없는 한 가지 사실만 빼놓고는.

"그리고 내게도 나름의 괴로움이 없었다고 생각한다면…… 이봐, 그 아파트를 넘기러 가서 빌어먹을 그 개 비스킷 깡통이 찬장에 놓여 있는 걸 보고, 그냥 주저앉아 어린애처럼 엉엉 울고 말았네. 정말이지, 끔찍했어……."

나는 그를 용서할 수도 좋아할 수도 없었다. 하지만 그가 한 일이 그에게는 완벽하게 정당화되어 있음을 깨달았다. 일이 죄다 속 편하게 처리된 채 뒤죽박죽이었다. 톰과 데이지, 그들은 되는대로 속편하게 사는 사람들이었다. 물건이든 사람이든 다 박살내고 난 다음, 돈이나 만사태평한 무관심으로 물러나버리거나, 아니면 자기들 두 사람을 함께 있게 해주는 것이면 그것이 무엇이든 그 안으로 후퇴해 들어가버리고, 자기들이 만들어낸 쓰레기는 다른 사람들더러 치우게 하는 것이었다…….

나는 그와 악수를 했다. 악수하려고 하지 않는 것이 어리석게 여겨졌다. 갑자기 어린아이와 이야기하고 있었던 것처럼 느껴졌기 때문이다. 그러고 나서 그는 진주 목걸이를 사기 위해—아니면 그냥 커프스 버튼 한 쌍을 사기 위해서였는지도 모르지만—보석상 안으로 들어갔고, 그럼으로써 그는 나의 촌스런 결벽성에서 영원히 해방될 수 있었다.

내가 그곳을 떠났을 때 개츠비의 집은 여전히 텅 비어 있었다. 잔디밭의 풀은 내 집의 풀처럼 길게 자라 있었다. 마을의 택시 운전사 한 사람은 이 집 대문을 지날 때마다 차를 잠깐 세우고 집 안쪽을 손가락으로 가리키고 나서야 요금을 받았다. 어쩌면 이 사람이 사건이 일어났던 밤 데이지와 개츠비를 이스트에그까지 태워주었던 운전사였는지도 모른다. 그래서 그는 순전히 자기 멋대로 그 사건에 관한 이야기를 꾸며냈을지도 모른다. 나는 그 이야기를 듣고 싶지 않았고, 그래서 기차에서 내렸을 때 그를 피했다.

나는 토요일 밤들을 뉴욕에서 보냈다. 왜냐하면 개츠비가 열었던 그 눈부시고 현란한 파티들이 내게는 너무 생생한 기억으로 남아 있어서 그의 정원에서 끊임없이 흘러나오던 희미한 음악 소리와 웃음소리, 그리고 그의 차도를 오르내리던 자동차 소리가 여전히 들리는 듯했기 때문이다. 어느 날 밤 그곳에서 나는 상상이 아닌 진짜 자동차 소리를 들었고, 자동차의 불이 앞쪽 계단 앞에 멈춰 서 있는 것을 보았다. 하지만 나는 나가서 알아보지 않았다. 아마도 그는 그동안 지구의 끝자락에 나가 있다가 파티가 끝난 줄도 모르고 찾아온 최후의 손님이었을지도 모른다.

마지막 날 밤 트렁크를 꾸리고 자동차를 식료품상에 팔고 난 뒤, 나는 옆집으로 건너가 다시 한번 한 채의 집이 겪은 그 거대하고 부조리한 좌절의 모습을 바라보았다. 하얀 계단 위에는 어떤 아이가 벽돌 조각으로 갈겨 쓴 음란한 말이 달빛에 뚜렷이 드러나 보였다. 나는 돌바닥을 구두로 북북 문대어 낙서를 지워버렸다. 그런 다음 해변으로 어슬렁어슬렁 걸어 내려가 모래 위에 벌렁 드러누웠다.

해변의 큰 집들은 이제 대부분 문이 닫혀 있었고, 해협을 건너는 나룻배의 유령 같은 불빛의 움직임을 빼놓고는 다른 불빛이라곤 거의 찾아볼 수 없었다. 이윽고 달이 더 높이 떠오르자 이 풍경에서 별 의미를 갖지 않는 집들이 차츰 사라져버리기 시작했고 마침내 나는 한때 네덜란드 선원들의 눈에 꽃처럼 피어났던 이 옛 섬의 정체를 서서히 깨닫게 되었다. 이 섬은 신세계의 싱싱한 초록빛 젖가습이었던 것이다. 이 섬에서 사라진 나무들, 개츠비의 집을 위해 잘려나간 나무들은 한때 인간의 모든 꿈 가운데에서 마지막의 가장 컸던 꿈을 향해 속삭이는 목소리로 유혹했었다. 덧없이 사라져버릴 그 매혹된 한순간, 인간은 이 대륙의 모습을 앞에 두고, 경이를 느낄 수 있는 자신의 능력으로서는 역사상 마지막으로 발견하게 된 어떤 것에 대면하여, 그가 이해하지도 못하고 바라지도 않았던 심미적인 관조에 어쩔 수 없이 빠져들어 숨을 죽였음에 틀림없다.

나는 그곳에 앉아 오래전의 그 미지의 세계를 곰곰이 생각하면서 개츠비가 데이지 집 쪽 선창 끄트머리에서 초록색 불빛을 처음 찾아냈을 때 느꼈을 경이감에 대해 생각해보았다. 그는 이 푸른 잔디를 찾아 먼길을 달려왔다. 그의 꿈은 너무 가까이에 있어 보여 그것을 붙잡지 못하리라고는 생각도 못했을 것이다. 그 꿈이 이미 그의 뒤편에 있다는 사실을 그는 알지 못했다. 도시 너머 저 어둡고 광막한 곳 깊숙이 어딘가에, 공화국의 어두운 벌판이 밤하늘 아래 굽이치고 있는 곳에.

개츠비는 그 초록 불빛을 믿었다. 한 해 한 해 우리 앞에서 뒤로 물러나는 황홀한 축제 같은 미래를 믿었던 것이다. 그것은 그때 우리로부터 달아났다. 하지만 상관없다. 내일 우리는 좀 더 빨리 달릴 것이고, 팔을 좀 더 멀리 뻗을 것이다……. 그리고 어느 맑게 갠 날 아침엔…….

그처럼 우리는 헤쳐 나아간다. 물살에 맞선 배처럼, 끊임없이 과거로 되밀려가면서도.

작품 해설

F. 스콧 피츠제럴드의 《위대한 개츠비(The Great Gatsby)》는 영문학도의 필독서일 뿐 아니라 일반 대중 사이에서도 널리 읽히고 있는 중요한 소설이다. 특히 이 소설의 대중적 인기는 괄목할 만하다. 원산지인 미국에서 이 작품은 매년 삼십만 부 이상이 팔리고 있다고 하고, 우리나라에서도 이 소설은 1950년대에 그 첫 번역이 이루어진 이래 오늘날까지 꾸준히 독자의 관심을 끌어오고 있다. 더 나아가 이 소설의 인기는 문학의 영역을 넘어선 영역에까지 미치고 있다. 이미 여러 차례 영화로 만들어지기도 했을 뿐만 아니라, 이 소설의 주인공 개츠비는 대중문화의 아이콘이 되어 영어의 어휘에 'Gatsbyesque'라는 말까지 등장시키고 있다. 심지어는 화장품과 의류의 이름에서도 개츠비라는 이름을 발견할 수 있다. 이 소설은 문학적 상상력뿐만 아니라 대중의 감수성과 상상력을 형성하는 데도 적지 않은 영향을 미치고 있는 것이다.

그러나 《위대한 개츠비》가 대중적 인기를 누리고 있다고 하더라도 그 작품이 과연 진지한 의미에서 높은 가치를 갖는 문학적 업적인가 하는 물음을 던질 필요는 있을 것이다. 객관적 기준이란 책의 판매 부수밖에 없다는 주장이 있기는 하다. 동시에 책의 부수는 대중의 기호 이상을 입증할 수 없다는 주장도 있다. 이럴 경우 유용한 평가의 잣대는 일단 시간의 검증일 수 있다. 시간의 검증은 베스트셀러를 넘어서는 가치를 분별해준다. 또 하나의 잣대는 학교에서 공부하는 중요한 교재 목록에 들어가는가의 여부이다. 교육의 영역에서는 대중적 인기를 고려하지 않는 근엄한 평가의 기준이 또 있기 때문이다. 다행히도 《위대한 개츠비》의 경우, 이 두 기준을 모두 통과하는 것 같다. 한 세기에 가까운 세월 동안 학자, 비평가들의 까다로운 분석과 평가를 거치고도 살아 남아 있을 뿐만 아니라 오늘날 모든 영문학과의 현대 미국 문학 필독서 목록에 이 소설이 꼭 포함되어 있기 때문이다.

그렇다 해도 이 소설이 순탄한 과정으로 살아 남았다고 할 수는 없다. 피츠제럴드는 스물여덟 되던 해 자신의 세 번째 소설인 《위대한 개츠비》를 쓰면서 "지금까지 나온 미국 소설 가운데 가장 훌륭한 소설이 될 것이다"라고 큰소리를 치는 편지를 출판사에 써 보냈지만 1925년 이 책이 출판되었을 때의 반응은 썩 만족스러운 것이 아니었고 책이 잘 팔리지도 않았다. 대부분의 견해는 이 소설이 당대의 풍속을 잘 재현해주고는 있지만 주제 설정과 캐릭터 구현에 미숙한 점이 있는 작품이라는 것이었다. 소수의 비평가와 작가들만이 이 작품의 가치를 알아보고 피츠제럴드에게 찬사의 말을 보내주었다. 엘리엇(T. S. Eliot)은 이 소설이 "헨리 제임스 이래 미국 소설이 내디딘 첫 걸음"이라는 격찬을 보냈고 거트루드 스타인(Gertrude Stein)은 이 작품이 새커리(William Makepeace

Thackeray)의 《허영의 시장(Vanity Fair)》에 비견할 만하다고 높이 평가했다. 그러나 전체적으로 보아 이 작품은 다른 많은 훌륭한 작품들이 그러했던 것처럼 처음에는 소수의 사람들에 의해서만 인정받았을 뿐이었다. 이 작품이 제대로 인정받기 시작한 것은 작품이 발표된 지 이십 년가량이 지난 뒤, 그러니까 작가 자신은 세상을 떠나고 난 뒤부터였다. 하지만 21세기에 들어선 지금 이 작품은 20세기 초기의 미국 소설을 대표하는 소설 가운데 하나로 확고하게 자리매김한 소설이 되어 있고 많은 문학청년들이 소설 문장 쓰는 법을 배우기 위해 베껴 쓰기 훈련을 하는 문장 교본이 되어 있다.

《위대한 개츠비》는 가장 단순한 차원에서 하나의 러브 스토리로 읽을 수 있다. 한 쌍의 남녀가 사랑을 하다 가난한 남자가 군대에 가자 여자는 마음이 바뀌어 돈 많은 다른 남자와 결혼해버린다. 가난한 남자는 어느 날 엄청난 재력가가 되어 나타나 잃어버렸던 여자를 되찾으려 한다. 그러나 여자의 배신으로 비극적 죽음을 맞이하고 만다. 이 이야기 구조에 들어 있는 두 가지 요소가 무엇보다 독자를 사로잡는 것 같다. 하나는 무력한 존재가 강력한 존재가 되어 돌아와 잃었던 것을 되찾을 수 있는 힘을 갖게 되는 데서 오는 통쾌함이다. 이것은 몬테크리스토 백작 이야기의 모티프에서 체험하게 되는 것과 유사한 감정이다. 또 하나는 한 사람에 대한 사랑에 전 존재를 거는 열정의 고결함이다. 이 열정적 사랑은 상대가 그러한 사랑을 받을 만한 존재가 아님에도 불구하고 이루어진다는 점에서 순수하게 여겨지고 죽음의 희생을 받아들이는 단계에서는 그 순수함이 위대함의 차원까지 고양된다. 그러면서 이 순수한 열정은 그 열정을 추구할 때 사용되는 힘과 수단의 부도덕성까지도 용서하게 만드는 효과를 낸다. 《위대한 개츠비》가 낭만적인 사랑의 교과서 같은 것으로 읽히고 있는 것은 개츠비가 대중적 상상력 속에서 사랑에 전 존재를 거는 열정적인 남성상의 이미지로 자리잡았기 때문인 것으로 보인다.

그러나 다른 관점에서 보면 개츠비의 이야기는 단지 사랑의 이야기만은 아니라는 것을 알 수 있다. 이 이야기는 오히려 낭만적인 사랑이 어려워진 삶의 상황에 관한 이야기일 수도 있는 것이다. 이 소설에서는 복잡한 남녀 관계가 등장한다. 데이지와 개츠비와 톰이 하나의 삼각 관계를 이루고 머틀과 톰과 윌슨이 또 하나의 삼각 관계를 이룬다. 이 두 삼각 관계를 톰이 연결한다. 그럼으로써 톰과 데이지와 머틀의 제3의 삼각 관계가 형성된다. 닉, 조던 베이커, 닉의 고향 여자가 이루는 삼각 관계도 있다. 전통적인 삼각 관계에서는 보통 서로 사랑하는 열정적인 두 연인이 있다. 연인들은 비극적인 결말을 맞는 수가 많으나 그들은 비극적인 사랑의 성취를 통해 스캔들과 부도덕성을 넘어선 열정적인 사랑의 주인공들로서 인정받는다. 그러나 《위대한 개츠비》의 삼각 관계에서는 진정한 연인 관계가 존재하지 않는다. 짝사랑만이 있고, 사랑의 배신만이 존재한다. 그렇다면 《위대한 개츠비》의 남녀 관계들을 가능하게 하는 것은 무엇일까. 그것은 향락을 향한 욕망과, 신분 상승의 욕망, 우월한 신분을 가진 자들이 그 힘을 행사하고 싶은 욕망이 이루는 역학이라고 할 수 있겠다. 개츠비의 이야기는 이 저속한 욕망들이 널리 보편화되어 있는 상황에서 이상적인 사랑이 제대로 성취되기는 힘들다는 것에 관한 보고일 수 있다.

《위대한 개츠비》는 세태를 풍자적으로 묘사하는 데 중요한 초점을 두고 있다는 점에서 사회 풍자소설, 또는 풍속소설로 분류되기도 한다. 특히 이 소설은 1920년대의 미국 사회를 탁월하게 재현하고 있다는 평가를 받고 있다. 1920년대는 미국의 역사에서 흔히 '재즈 시대(The Jazz Age)', '광란의 시대(The Roaring Age)'라고 불린다. 1918년 세계대전이 끝난 뒤 미국은 전시 호황으로 유례없는 물질적 풍요를 누리고 있었다. 뉴욕의 증권가는 최대의 호황기를 맞고 부자들의 수는 엄청나게 늘어났다. 부유의 상징인 자동차가 1920년대 말에 가서는 천이백만 대를 넘어섰다. 대중문화도 전성기에 들어서 있었다. 20세기의 새로운 예술로 영화가 등장하고, 매스미디어의 발달과 함께 대중음악이 널리 보급되었으며 호황기에 어울리게 스포츠에 열광하는 풍조가 확산되었다. 그러나 한편으로 이러한 물질적 풍요는 정신의 긴장을 이완시켜 사람들로 하여금 술과 재즈와 춤의 향락에 빠져들게 하였고 이와 함께 도덕적 마비 상태가 일반화되었다. 《위대한 개츠비》는 이 모든 것을 잘 보여주고 있다. 이 소설의 주된 배경이 되고 있는 개츠비 저택의 흥청망청한 파티와 그 파티에 모인 사람들, 그리고 그 배경에서 일어나는 사건들은 1920년대의 풍속도를 압축한 것이라고 할 수 있다.

이 시대의 부도덕하고 저속한 삶의 유형은 무엇보다 이 소설의 등장인물들을 통해서 전형적으로 드러난다. 우선 금주법 시대에 폭력조직과의 거래를 통해 거부가 된 개츠비가 그 대표적인 예이다. 그리고 아름다운 부인을 두고도 관능만을 충족시키기 위해 머틀을 만나는 톰, 톰의 정부가 됨으로써 신분 상승의 환상을 추구하는 머틀, 상류계급의 안락과 풍요에 탐닉할 뿐 목적 없이 부유하는 삶을 사는 데이지, 승리하기 위하여 부정한 경기를 마다하지 않는 조던 베이커, 파티의 향락을 부나비처럼 쫓아다니는 상류계급 사람들, 상류계급을 모방하여 더 저속한 방식으로 향락적 삶을 사는 하류계급 사람들의 모습들이 그것이다. 그 밖에도 이 소설은 사실과 허구를 교묘하게 뒤섞으며 당대의 모습을 신랄하게 재현하고 있다.

그러나 이 소설을 미국의 '재즈 시대'만을 재현하는 소설이라고는 할 수 없다. 이 소설은 더 넓은 의미에서 전후(戰後)의 소설, 다시 말해 세계대전 이후 서구인의 정신적인 상황을 보여주는 소설이라고도 해야 옳을지 모른다. 미국의 1920년대가 경험한 정신적 방향 상실감은 서구사 전체의 과정에서 비롯한 것이었기 때문이다. 1차 세계대전이 더 나은 질서를 위한 투쟁이라고 생각했던 사람들은 엄청난 수의 희생자들을 낸 이 전쟁이 열강의 세력과 자본주의 체제의 재편을 위한 싸움이라는 것을 뒤늦게 깨달았다. 전쟁을 치르면서 인간 이성과 전통적인 가치에 대한 신념은 무너져버렸고 사람들은 삶이 지향해야 할 목적을 잃고 방황했다.

1922년, 엘리엇은 장시 〈황무지(The Waste Land)〉를 통해 삶의 목적을 상실한 서구인의 정신적 황폐를 노래했고 제임스 조이스(James Joyce)는 같은 해 소설 《율리시스(Ulysses)》에서 끝없이 헤매는 사람의 이야기를 했다. 피츠제럴드도 엘리엇이나 조이스와 같은 방식으로 자기 시대를 인식하고 있었다. 엘리엇의 화자가 〈황무지〉에서 "우리는 무엇을 할 것인가? / 도대체 무엇을 할 수 있단 말인가?"하고 말하듯이 데이지도 "오늘 오후엔 뭘 하죠? 그리고 내일은, 그리고 그 다음 삼십 년 동안은?"이라고 말한다. 전후의 정신 상황을 엘리엇이 '황무지'로 표상했다면 피츠제럴드는 2장에 등장하는 '재의 골짜기'로 표상하고 있다고 할 수 있다.

《위대한 개츠비》의 등장인물들이 방향을 잃고 헤매는 사람들, 지향해야 할 곳을 갖지 못해 타락할 수밖에 없는 사람들이라면 개츠비만은 여기서 예외적으로 보이기도 한다. 그에게는 꿈과 이상이 있기 때문이다. 꿈이란 방향성을 가진 생각이다. 개츠비의 꿈은 자신이 설정한 자신의 이상적인 모습을 완성하는 것이다. 이상주의자로서의 이 모습 때문에 그는 다른 사람들과 구별되어 보인다. 그러나 그의 꿈은 그가 몸담고 있는 세계가 그를 지배하고 있는 방식을 벗어나지 못하기 때문에 궁극적으로 모순에 차 있을 수밖에 없다. 그 때문에 그의 꿈은 좌절될 수밖에 없고, 그 때문에 그는 그의 시대의 일원으로서의 성격을 벗어나지 못한다. 그의 꿈을 좌절된 꿈으로 만드는 모순은 그가 자기 시대에, 자기 세계에 속해 있다는 사실에서 비롯한다고 할 수 있는 것이다.
개츠비가 가진 꿈의 첫째 모순은 그 대상의 모순이다. 데이지는 그에게 이상화된 사랑의 대상이지만 현실의 그녀는 변덕스럽고 신중하지 못하며 저속하다. 그녀는 개츠비의 순수한 사랑보다는 그의 저택과 사치스러운 셔츠에 더 감동하여 눈물을 흘린다. 그녀는 재산과 상류계급의 신분이 주는 안락에 대한 집착에서 벗어나지 못하고 그 집착 때문에 결국 개츠비를 배신하고 죽음에까지 이르게 한다. 개츠비가 가진 꿈의 두 번째 모순은 수단의 모순이다. 그가 꿈을 실현하기 위해 동원하는 수단은 순수하지 못하다. 그는 부정한 행위를 통해 재물을 축적한다. 비윤리적인 수단을 거치지 않을 수 없는 꿈의 실현은 순수성을 유지할 수 없다.

개츠비의 꿈이 가진 모순이 그가 몸담은 세계의 규정에 의한 것이라는 점에서 그가 가진 꿈은 그 자신만의 것이라기보다는 그의 세계가 추구하는 어떤 것의 한 표현이라고도 볼 수 있다. 개츠비의 이상은 미국인이 보편적으로 갖는 꿈에 대한 비유일 수 있는 것이다. 실제로 그의 이상은 아메리칸 드림의 한 사례이다. 개츠비는 미국인의 관념에 정형화된 꿈의 공식을 따르고 있기 때문이다. 아메리칸 드림이란 무엇인가? 미국의 독립선언문에 잘 나타나 있듯이 그것은 사람이 평등하게 사는 꿈, 모든 사람이 생명과 자유와 행복을 추구할 권리를 가질 수 있다는 꿈이다. 다시 말해 그것은 모든 사람이 동등한 권리로 자신의 소망과 욕망을 실현할 수 있다는 이상에 대한 희망과 믿음이다. 그런데 이 미국의 꿈은 개인의 차원에서 보통 출세와 성공의 꿈이라는 형식을 취한다. 그리고 벤저민 프랭클린, 호레이쇼 앨저, 에이브러험 링컨 같은 사람들에게서 그 성공의 모범을 발견한다. 이른바 통나무집에서 자라난 소년의 출세담이 미국의 꿈의 핵심을 이루는 것이다. 개츠비 역시 이 전형화된 미국의 꿈을 추구한 사람이라고 할 수 있다. 그는 가난한 청년이었지만 벤저민 프랭클린 유의 목표를 가지고—그러나 왜곡된 방식으로—꾸준하게 노력하여 마침내 거부가 된다. 그는 미국의 꿈을 실현한다. 그러나 그는 진정한 의미에서의 꿈의 성취에 성공했다고는 할 수 없다. 그 꿈에는 이미 그것을 실패로 끝나게 할 수밖에 없는 모순이 내재되어 있기 때문이다. 그래서 그것은 동시에 미국의 꿈의 실패를 암시하기도 한다.

개츠비의 꿈이 아메리칸 드림의 일부일 수 있다는 것은 소설의 마지막 부분에서 닉의 깨달음으로 확인된다. 개츠비가 경이롭게 바라보았던 선창가의 초록 불빛은 이 대목에서 아메리카 대륙을 처음 마주한 네덜란드인이 숨죽이고 경이롭게 바라보았던 초록빛 대륙과 동일시된다. 아메리칸 드림은 새 대륙에 첫 발을 내디딘 유럽인의 꿈이었다. 그것은 그들에게 정신적·물질적으로 행복하게 사는 삶의 비전이었다. 그 꿈과 믿음이 오늘의 미국을 이루어놓았다고 할 수 있다. 미국은 구세계의 억압적인 질서를 벗어나 개인이 가진 꿈의 성취를 가능하게 하는 정치적 평등의 질서를 이루었고 영토를 태평양 연안까지 넓혀 물질적 부의 토대를 갖추었다. 그리고 1920년대와 같은 물질적 풍요를 누릴 수 있게 되었다. 이 시대에 들어서 아메리칸 드림은 적어도 물질적 차원에서 실현되었다고 볼 수 있다. 그러나 그것은 개츠비의 성공처럼 모순된 방식을 통해서였다. 모순의 한 근원은 이상의 실현이 물질의 성취로써 가능하다는 착각에 있었다. 그것은 근검과 절약을 통한 성취를 지향하는 초기의 정신적 이상을 망각한 착각이었고, 그 착각이 꿈을 실현하는 방법과 과정의 비윤리성을 정당화하게 하였다.

그러나 자연에게든 인간에게든 폭력과 착취를 통해서 할 수밖에 없는 대부분의 물질적 성취는 아메리칸 드림이 본래 설정한 진정한 평등의 실현을 불가능하게 한다. 부자는 증가했지만 경제적·인종적 차원의 평등은 이루어지지 않고 있는 미국의 현실이 그것을 말해준다. 그와 함께 오는 것은 낭만적인 꿈의 실현을 불가능하게 하는 부도덕하고 타락한 삶의 보편화이다. 그러면서 아메리칸 드림은 수단을 가리지 않는 성공과 신분 상승의 욕망으로 왜곡된다. 이 뒤틀린 욕망이 개츠비라는 인물의 꿈을 통해 구체화되고, 머틀에게서도 유사한 형태로 발견된다. 머틀은 상류 사회에 속하는 싶은 욕망 때문에 톰과 관계를 맺는다. 그들의 관계 속에는 진정한 사랑의 동기가 없다. 머틀의 욕망은 개츠비의 욕망의 저열한 복제판이며 이 소설의 배경을 지배하는 타락한 미국의 꿈의 보편성을 말해준다.

개츠비의 이야기가 좌절한 꿈의 이야기이기만 하는가? 그렇다면 개츠비의 작가는 왜 그를 "위대하다"고 부르고 있는가? 이 소설의 내레이터인 닉은 개츠비를 실패자의 위치에서 구해낸다. 그를 실패한 사람만이 아니고 남다르게 훌륭한 점이 있는 사람이라고 여기고 있는 것이다. 어떤 점에서 그러한가? 개츠비는 자기 시대의 모순과 문제 안에 있는 사람이기는 하지만 그가 가진 독특한 낭만적인 꿈 때문에 다른 사람들과는 다르다. 그는 부정한 방법으로 재물을 얻지만 재물 자체를 욕망하지 않는다. 이상적인 꿈의 실현을 위한 것이 아니라면 그에게는 재물이 아무 소용이 없다. 순수하고 고결하게 보이기까지 하는 꿈에 대한 그러한 집념이 그를 구원한다.

닉은 개츠비가 여러 가지 점에서 "경멸해 마지않는 모든 것을 대표했던 인물"이었음에도 불구하고 결국에 가서는 그를 "괜찮았던" 사람으로 판단한다. 그것은 그가 꿈을 꾸는 사람, 삶의 낭만적인 가능성을 믿는 사람, "희망을 감지하는 탁월한 재능"을 가진 사람이었기 때문이다. 개츠비는 자신이 이루어야 할 꿈과 이상을 향해 끊임없이 나아가는 사람을 대표하고 있었던 것이다. 모순 속에 있음에도 불구하고, 끊임없는 좌절에 부딪히면서도 그것을 극복하고 넘어서서 "황홀한 축제 같은 미래"를 향해 나아가는 끈질긴 희망과 용기를 그가 대표하고 있는 것이다. 닉에게 이 희망과 용기는 아메리카 사람만을 위한 것이 아니고 인류 모두를 위한 것이 된다.

《위대한 개츠비》가 많은 사람들에게 매력적으로 읽히는 것은 그것의 재현적 기술이나 문체의 탁월성에 이유가 있을 수도 있겠지만 근본적으로는 그것이 한 사람만의 이야기가 아니라 만인의 이야기일 수도 있는 가능성 때문일 것이다. 이 이야기는 낭만적 삶의 가능성에 대한 이야기이며, 동시에 사람의 운명의 탐구에 대한 이야기로 읽힐 수 있다. 그러면서 동시에 그 가능성을 발견해나가는 것에 관한 이야기일 수도 있다. 비평가들이 이 소설을 개츠비의 이야기일 뿐 아니라 닉의 이야기이기도 하다고 말하는 것은 그러한 맥락에서이다.

닉은 문제가 많은 개츠비에게서 남이 갖지 못한 훌륭한 점을 발견한다. 닉의 이러한 발견은 개츠비가 가진 꿈의 가치를 인정하고 그 꿈을 여러 사람의 것으로 만들어주고 있다는 점에서 의미가 있다. 개츠비의 발견을 통해 닉은 삶 자체를 새롭게 발견하고, 그럼으로써 개츠비의 긍정적인 점이 만인의 것이 될 수 있는 가능성을 열어놓고 있는 것이다. 닉은 개츠비의 꿈을 공유하고, 독자는 닉의 깨달음과 닉이 공유한 꿈을 공유하게 된다. 물론 이 꿈은 좀처럼 붙잡히지 않는 꿈이며 시간 속에서 대부분 좌절되고 만다. 그러나 개츠비는 좌절을 극복하고 계속 앞으로 나아가게 하는 희망과 용기의 본보기를 보여주는 기능을 한다. 이 희망과 용기가 곧 모두의 것으로도 여겨짐으로써 개츠비는 꿈을 가진 사람들에게 보편적인 호소력을 주는 것이다.

옮긴이는 번역의 원서로 1998년에 옥스퍼드 대학 출판사가 낸 *The Great Gatsby*를 사용하였다. 이 판은 1925년에 찰스 스크리브너즈 선스 출판사에서 낸 초판 제2쇄를 토대로 한 것이다. 이 판본을 편집하고 주석을 붙인 루스 프리고지(Ruth Prigozy)는 텍스트 비평 문제에서 매슈 브루콜리(Matthew J. Bruccoli)가 편집한 *F. Scott Fitzgerald : A Descriptive Bibliography*를 참조했다고 밝히고 있다.

번역은 쉽지 않았다. 감각적인 문체와 독특한 시점의 문장들이 곳곳에서 번역자를 난감하게 했다. 원작의 표현에 충실하도록 노력할 것인가, 우리말로 매끄럽게 읽히는 데 주안점을 둘 것인가가 문제였다. 우리말 표현에 신경을 쓰되, 되도록 원문의 문체에서 너무 멀어지지 말자는 쪽으로 가기로 했으나 그것도 마음대로 되는 것은 아니었다. 어떤 뜻으로든 완전한 번역은 불가능하다. 옮긴이마다 번역에서 중점을 두는 데가 다르고 우리말 어법과 문체에 대한 독자의 취향도 다양할 뿐 아니라, 그것은 계속 변하기 때문이다. 어떻든 독자로서는 새로운 번역이 계속 나와서 나쁠 것이 없을 것이다. 선택의 폭이 넓어질 테니 말이다. 새 번역을 내는 최소한의 의의도 거기에 있다고 보고 미흡한 작업의 결과를 스스로 위안해본다.

2005년 3월

송무

F. 스콧 피츠제럴드 연보

1896년 9월 24일, 미네소타 주의 세인트폴에서 출생. 본명은 프랜시스 스콧 키 피츠제럴드(Francis Scott Key Fitzgerald).

1898년 아버지의 직장 문제로 가족과 함께 뉴욕 주 버펄로로 이사.

1901년 뉴욕 주 시러큐스로 이사. 여동생 애너벨 출생.

1903년 가족이 다시 버펄로로 이사.

1908년 아버지가 실직하면서 가족이 세인트폴로 돌아옴. 피츠제럴드는 9월에 세인트폴 아카데미에 입학.

1909년 〈레이먼드 저당의 신비(The Mystery of the Raymond Mortgage)〉가 《세인트폴 아카데미의 현재와 과거》에 실림.

1911년 9월, 뉴저지 주 해컨색에 있는 뉴먼 스쿨에 입학.

1913년 9월, 프린스턴 대학에 입학. 에드먼드 윌슨(Edmund Wilson)과 존 필 비숍(John Peale Bishop)을 만나고 학내 문학과 연극 단체에서 활동함.

1914년 일리노이 주 부유한 가정 출신의 열여섯 살 소녀 지니브러 킹(Ginevra King)과 만나 사랑에 빠짐. 1916년 여름 그녀는 피츠제럴드를 떠남.

1915년 11월, 대학 생활을 중단함. 공식적으로는 몸이 아프다는 이유였지만 실제로는 성적이 좋지 않았음.

1916년 다시 프린스턴 대학교로 돌아감.

1917년 10월, 육군 소위로 임관. 11월 캔자스 주 포트 레번워스에서 훈련을 받는 동안 《낭만적 에고티스트(The Romantic Egotist)》를 쓰기 시작함.

1918년 2월, 켄터키 주 캠프 테일러에 전속됨. 3월 프린스턴으로 휴가를 떠나 있는 동안 《낭만적 에고티스트》의 초고를 찰스 스크리브너스 선스 출판사에 보냄. 4월 조지아 주 캠프 고든을 거쳐 6월 앨라배마 주 캠프 셰리던에 배치됨. 7월 주 대법원 판사의 딸 젤더 세이어(Zelda Sayre)를 만남. 8월, 출판사가 《낭만적 에고티스트》의 출간을 거절하자 수정하여 다시 보내지만 10월, 또다시 거절당함. 11월, 뉴욕 주 캠프 밀스로 가서 해외 파병을 기다리고 있던 도중 전쟁이 끝남.

1919년 2월, 제대 후 젤더와 약혼하고 뉴욕에 가서 광고회사에서 일함. 6월 젤더가 약혼을 파기함. 광고회사를 그만두고 세인트 폴의 집으로 돌아옴. 9월 《낭만적 에고티스트》의 제목을 '낙원의 이쪽'으로 바꾸고 출판을 약속받음.

1920년 1월, 젤더와 다시 약혼함. 3월, 《낙원의 이쪽》이 출판되고 4월 젤더와 결혼함. 9월, 그동안 쓴 단편들을 모은 《말괄량이 아가씨들과 철학자들(Flappers and Philosophers)》을 출판함.

1921년 5월부터 9월까지 영국, 프랑스, 이탈리아를 여행함. 8월에 세인트폴로 돌아오고, 10월에 딸 프랜시스 스콧(Frances Scott)이 태어남.

1922년 3월, 두 번째 소설 《저주받은 아름다운 사람들(The Beautiful and Damned)》이 출간됨. 9월, 두 번째 단편집 《재즈 시대의 이야기들(Tales of the Jazz Age)》이 출판됨. 10월, 뉴욕 주 그레이트 넥으로 이사함.

1923년 4월, 희곡 《채소(The Vegetable)》 출판.

1924년 4월, 프랑스로 가서 리비에라에 체류함. 《위대한 개츠비》를 집필함. 겨울에 이탈리아로 떠나서 《위대한 개츠비》를 퇴고함.

1925년 4월 10일, 《위대한 개츠비》가 출간됨. 4월 말, 파리에 아파트를 구하고, 5월 딩고 바에서 어니스트 헤밍웨이(Ernest Hemingway)를 만남.

1926년 2월, 세 번째 단편집 《모든 슬픈 젊은이들(All the Sad Young Men)》 출간. 3월, 리비에라에서 지내다가 12월에 미국으로 돌아옴.

1930년 4월 말, 젤더가 신경쇠약 증세를 보이기 시작해서 병원에 입원함.

1931년 1월 말 아버지가 사망하여 미국으로 돌아옴. 연말에 할리우드를 방문하여 MGM의 대본 작업에 참여함.

1932년 2월, 젤더가 다시 병원에 입원함. 젤더는 6월에 퇴원하여 10월에 자신의 소설 《나를 위해 왈츠를 남겨주오(Save Me the Waltz)》를 냄.

1933년 12월, 밸티모어로 이사함.

1934년 4월, 네 번째 소설 《밤은 부드러워(Tender Is the Night)》를 발표함.

1935년 네 번째 단편집 《기상나팔 소리(Taps at Reveille)》 출간.

1937년 빚에 시달리다가 7월 MGM에서 다시 일을 시작함.

1940년 12월 21일, 할리우드의 셰일러 그레이엄의 아파트에서 심장마비로 사망함. 27일, 메릴랜드 주 록빌에 묻힘.

1941년 《마지막 거물(The Last Tycoon)》이 출판됨.

1945년 《크랙업(The Crack-Up)》이 출판됨.

1948년 3월 10일 정신병원에서 치료를 받던 젤더가 화재 사고로 사망하여 피츠제럴드의 옆에 묻힘.

옮긴이 **송 무**

고려대학교 영문학과를 졸업하고
고려대학교 대학원에서 영문학 박사학위를 받았다.
State University of New York at Buffalo 객원교수와
Brown University 객원교수를 거쳐
현재 경상대학교 영어교육과 명예교수이다.
주요 저서로《영문학에 대한 반성》이 있고,
공저로《사유의 공간》,《젠더를 말한다》,《세계화 시대의 국제어》,
《시적 텍스트를 이용한 영어교육》등이 있으며,
주요 역서로 서머싯 몸《인간의 굴레에서》,《달과 6펜스》,
니체《우상의 황혼》, 랠프 엘리슨《보이지 않는 인간》등이 있다.

위대한 개츠비

1판 1쇄 발행 2005년 3월 25일
1판 13쇄 발행 2019년 9월 10일

지은이 F. 스콧 피츠제럴드 | 옮긴이 송 무
펴낸곳 (주)문예출판사 | 펴낸이 전준배
출판등록 1966. 12. 2. 제1-134호
주소 03992 서울시 마포구 월드컵북로 6길 30
전화 393-5681 | 팩스 393-5685
홈페이지 www.moonye.com | 블로그 blog.naver.com/imoonye
페이스북 www.facebook.com/moonyepublishing | 이메일 info@moonye.com

ISBN 978-89-310-0492-2 03840

■ 문예 세계문학선

★ 서울대, 연세대, 고려대 필독 권장도서　　▲ 미국 대학위원회 추천도서
● 《타임》 선정 현대 100대 영문 소설　　▽ 《뉴스위크》 선정 세계 100대 명저

(뒷면 계속)